JN006024

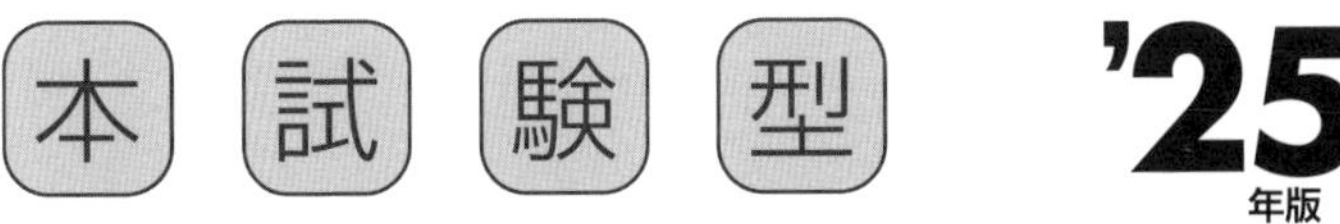

'25年版

漢字検定
試験問題集

9・10級

成美堂出版

もくじ

イラスト■わせもと・ゆうじ

「10級」テスト・さいしんのけいこう

2023年度の「10級」の試験では、1年間の受検者数は、約5万9千人でした。

漢字の「読み」、「書き」、「書きじゅん」を答えるもんだいが出ます。また、「読み」のもんだいでは、「音読み」と「くん読み」をくべつしておぼえることが大切です。

「9級」テスト・さいしんのけいこう

2023年度の「9級」の試験では、1年間の受検者数は、約7万4千人でした。

「読み」のもんだいでは、10級と同じく、「音読み」と「くん読み」をくべつしておぼえることが大切です。「書き」の問題では、漢字の「とめ」や「はね」を正しくおぼえておくひつようもあります。また、「林」や「校」など、おなじなかまの漢字をこたえるもんだいがでます。

10級の 漢字と 内よう

小学校一年生で ならう 漢字

10級に出る漢字は、小学校一年生でならう漢字です。「右」「空」「名」など 80字あります。漢字のほか、ひらがなと カタカナも もんだいに出ます。

これらの字を、どれだけ りかいしているかを みるしけんで、小学校一年生を おえたていどの レベルと いえるでしょう。

漢字の読み書き

読みのもんだいは、みじかい文のなかの漢字の読みや、おなじ漢字の音読み、くん読みを 答えるもんだい などが出ます。

書きのもんだいは、文のなかの□に 漢字を 書きこんだり、いみが はんたいのことばや、よくにていることばを 書くもんだい などが出ます。

漢字の書きじゅん・画数

漢字の どこか一画が ふとくなっていて、そこを なんばんめに書くかを 数字で答える 書きじゅんの もんだいが出ます。

また、おわりの一画を なんばんめに書くか 数字で答える 画数のもんだいも出ます。

99ページからの「10級に出るかん字」で しっかり べんきょう しましょう。

9級の 漢字と 内よう

小学校二年生で ならう 漢字

9級には、小学校一年生と二年生でならう漢字が出ますが、重要なのは、二年生でならう漢字です。

漢字の読み書き、書きじゅんなど、9級に出る もんだいのほとんどは、二年生でならう漢字で つくられています。

9級は、小学校二年生を おえたていどの レベルです。

漢字の読み書き

読みのもんだいは、みじかい文のなかの 漢字の読みや、おなじ漢字の音読み、くん読みを 答えるもんだい などが出ます。

書きのもんだいは、文のなかの□に 漢字を書きこんだり、いみが はんたいのことばを書くもんだい などが出ます。

部首がおなじ漢字

部首がおなじ漢字を書くもんだいや、漢字の「はね」や「とめ」を書くもんだい などが出ます。

また10級のように、漢字の書きじゅんを 数字で答えるもんだいも出ます。

これらはどれも 小学校二年生でならう漢字から出ています。

113ページからの「9級の重要な漢字」で しっかりべんきょう しましょう。

級べつ出題内よう（一例）

「－」は出題されません。
じゅん２級いじょうは りゃく。

<table>
<tr><th>内よう／級</th><th>漢字の読み</th><th>書きじゅん画数（かくすう）</th><th>漢字えらび</th><th>部首・部首名</th><th>じゅく語の構成（こうせい）</th><th>おくりがな</th><th>たいぎ語るいぎ語</th><th>じゅく語</th><th>音読みくん読み</th><th>書きとり</th><th>その他</th><th>漢字数</th></tr>
<tr><td>10級</td><td>漢字の読み</td><td>書きじゅん画数</td><td>－</td><td>－</td><td>－</td><td>－</td><td>たいぎ語るいぎ語</td><td>－</td><td>音読みくん読み</td><td>書きとり</td><td>－</td><td>八〇字</td></tr>
<tr><td>9級</td><td>漢字の読み</td><td>書きじゅん画数</td><td>－</td><td>同じ部首の漢字</td><td>－</td><td>－</td><td>たいぎ語</td><td>－</td><td>音読みくん読み</td><td>書きとり</td><td>はねる・とめる正しい漢字</td><td>二四〇字</td></tr>
<tr><td>8級</td><td rowspan="6">漢字の読み</td><td rowspan="4">書きじゅん・画数</td><td>－</td><td rowspan="2">同じ部首の漢字</td><td>－</td><td>おくりがな</td><td rowspan="2">たいぎ語</td><td>－</td><td rowspan="6">音読み・くん読み</td><td rowspan="6">書きとり</td><td>－</td><td>四四〇字</td></tr>
<tr><td>7級</td><td rowspan="3">漢字えらび</td><td>－</td><td rowspan="5">漢字とおくりがな</td><td>二字じゅく語</td><td>－</td><td>六四二字</td></tr>
<tr><td>6級</td><td rowspan="3">部首・部首名</td><td rowspan="4">じゅく語の構成</td><td rowspan="4">たいぎ語るいぎ語</td><td>三字じゅく語</td><td>－</td><td>八三五字</td></tr>
<tr><td>5級</td><td>四字のじゅく語</td><td>－</td><td>一、〇二六字</td></tr>
<tr><td>4級</td><td>－</td><td rowspan="2">漢字しきべつ</td><td rowspan="2">四字熟語</td><td rowspan="2">誤字訂正</td><td>一、三三九字</td></tr>
<tr><td>3級</td><td>－</td><td>部首</td><td>一、六二三字</td></tr>
</table>

本書は出題が予想される形式で構成しています。実際の試験は、日本漢字能力検定協会の審査基準の変更の有無にかかわらず、出題形式や問題数が変更されることもあります。

さい点の きじゅん

一画一画ていねいに

答えの字は、はねるところ、とめるところ、はなして書くところ、つづけて書くところなどにも気をつけて、一画一画、ていねいに書かなくてはいけません。らんぼうに書いた字は、×になります。

常用漢字いがいは×

答えに常用漢字表（平成22年11月30日に内閣がみとめた漢字表）にない漢字や読み方はつかえません。たとえば、「まわす」は「回す」が○で、「廻す」は常用漢字表にない漢字なので、×になります。また、「二」を「じ」、「毎」を「ごと」などと読むのも常用漢字表にない読み方で×になります。

書きじゅん・部首のさい点

漢字の、書きじゅん、部首などのさい点のきじゅんは、「漢検要覧2～10級対応 改訂版」（日本漢字能力検定協会発行）でしめしているものを正かいとしています。

こんな字は×

車（車）　間（間）

ていねいに書く

はねる　子　北

はらう　休　交

とめる　耳　半

つづけない　気（気）　牛（牛）

食（食）　数（数）

（）の中は正しい書き方

申し込みから合格発表まで

受検資格　小学校、中学校、高等学校、専門学校などの生徒から大学生、社会人まで、だれでも受けることができます。

検定料　変わることがあるので検定協会に確かめてください。

申込方法　個人で受検する場合は日本漢字能力検定協会のホームページから申し込みを行います。

受検方法　①「公開会場」での受検、②「漢検オンライン（個人受検）」（自宅で受検。タブレットなどが必要）の二種類があります。以降は①「公開会場」での受検について説明します。

申込期間　検定日の約二か月前から一か月前までのあいだ。申込締切日までは「マイページ」上で住所や受検地などの変更ができます。

検定日　毎年三回定期的に行われています。

受検会場　全国の主な都市。

検定時間　9級、10級ともに四十分です。

合格発表　検定日から約五日後に標準解答が、また約三〇日後にはweb上で合否がわかります。検定日から約四十日後、合格者には合格証書、合格証明書、検定結果通知などが、また不合格者には検定結果通知が郵送されます。

検定日の注意

❶受検票、えんぴつ、消しゴムをもっていきます。ボールペンや万年筆は使えません。えんぴつがけずれるものも用意していくといいです。

❷試験がはじまる十五分前までに入室します。

合かくきじゅん

10級、9級とも百五十点まんてんで、百二十点ていどいじょうとれば合かくです。正しい答えが80パーセントていどいじょうであれば合かくということです。

テストに入る前に

①テストにとりかかる前に、10級の人は99ページからの「10級に出るかん字」を、9級の人は113ページからの「9級の重要な漢字」を、読んでおくことを おすすめします。

②答えは一字一字ていねいに 書きましょう。

③10級も9級も、せいげん時間は40分です。

④じぶんの答えを、べっさつ とじこみの答えと、てらしあわせて、じぶんで さい点しましょう。

●漢字けんていについての問い合わせ先

＊申しこみほうほうは、いろいろあるので、電話やホームページなどでかくにんしてください。

＊けんてい日、申しこみ期間、けんていりょうなどはかわることがあるので、かならずつぎのところでたしかめてください。

公益財団法人 日本漢字能力検定協会

本　　部　〒605-0074 京都市東山区祇園町南側551番地

＊ホームページ（https://www.kanken.or.jp/）にある「よくある質問」を読んで当てはまる質問が見つからなければメールフォームでお問合せください。

＊電話でのお問合せ窓口は0120-509-315（無料）です。

 本書の情報は2024年10月現在のものです。

●150てん まんてん
●120てん いじょう ごうかく
■ただしい答え(こた)は べっさつの2ページ

第1回★テスト【40分】

ごうけい とくてん（　　）てん

2×20＝40
（　　）てん

1

つぎの ぶんを よんで、――せんの かん字の よみがなを ――せんの みぎに かきなさい。

1 はっぴすがたの [1]男の [2]人が
[3]大きな [4]花火を うちあげる。

2 [5]土よう日は [6]学校が [7]休み
なので、すなはまへ いき、
[8]小さくて きれいな
[9]貝がらを 見つけた。

3 おかあさんに [10]一円 [11]玉を
[12]大せつに するように
いわれた。

4 ホームラン王[13]めざして

天[14]たかくうちかえす。

5 雨[15]のなかお金[16]をもって

人気[17]の おかしを

六[18]つかいにいった。

6 ぎんこうでお金[19]を下[20]ろす。

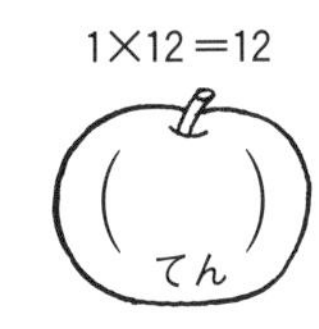

2 つぎのかん字の ふといところは なんばんめに かきますか。○の なかに すう字を かきなさい。

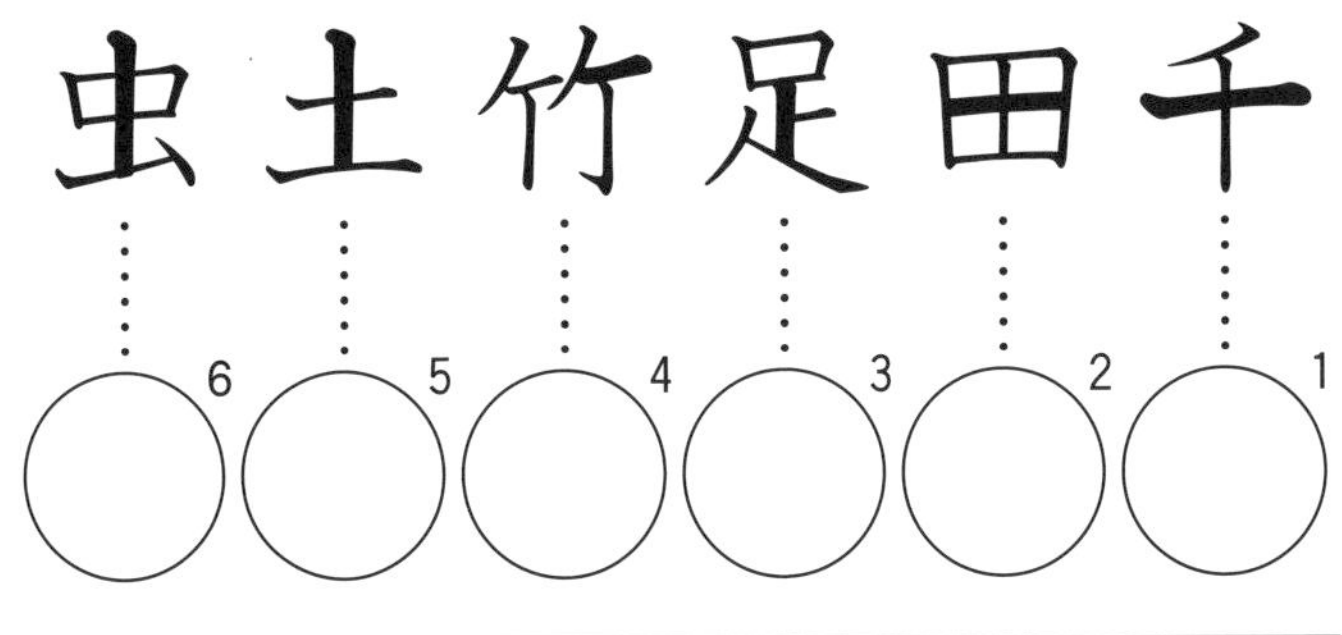

2×8＝16

（　　てん）

3 つぎのぶんをよんで、——せんのかん字のよみがなを——せんのみぎにかきなさい。

1 空きが きれいだ。

くものない あおい 2 空だ。

もうどう 3 犬を くんれんする。

となりの いえに 4 犬が いる。

せきで 5 見ぶつ する。

こくばんが よく 6 見える。

ふじ 7 山に のぼる。

とおくに 8 山が 見える。

2×5＝10

（　　てん）

4 つぎのことばの よみがなで ただしいほうの ばんごうに ○をつけなさい。

1 七草
1 しちくさ
2 ななくさ

2 足音
1 あしおと
2 あしおん

3 休日
1 きゅうじつ
2 きゅうじつ

4 左右
1 さゆう
2 さいう

5 女子
1 じょし
2 じよし

2×6＝12
（　　）てん

5 □に ひらがなを 一字かいて、つぎの ことばの よみを こたえなさい。

1 四人……□にん

2・3 先生……せ□せ□

4 ざっ草……ざっ□う

5 金いろ……□んいろ

6 花びん……□びん

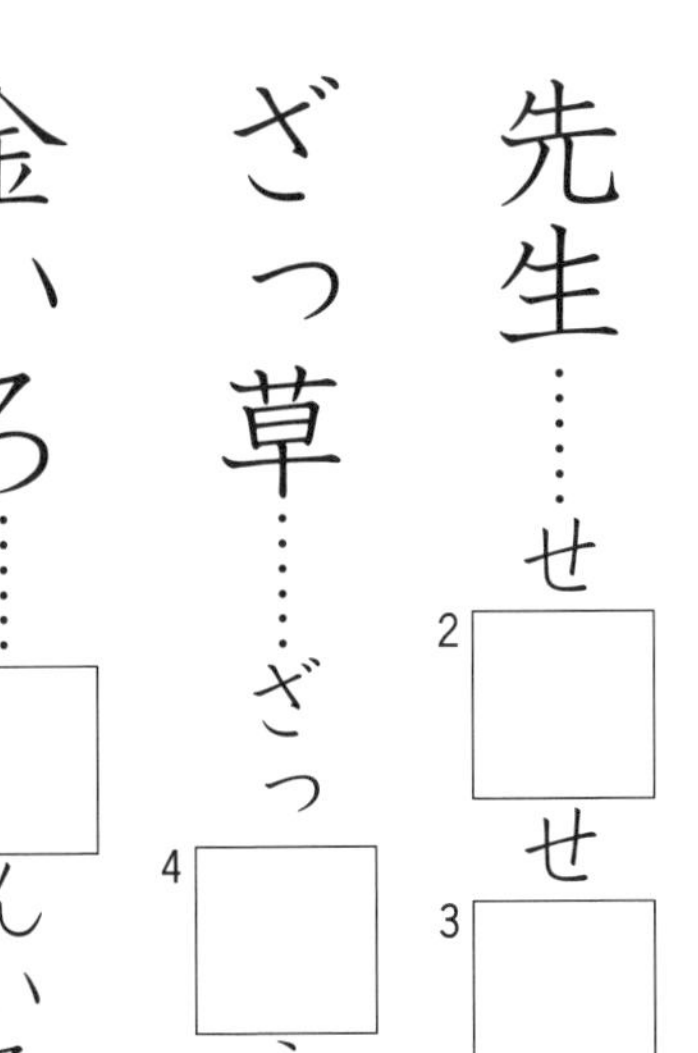

2×10＝20
（　　）てん

6 つぎの □の なかに かん字を かきなさい。

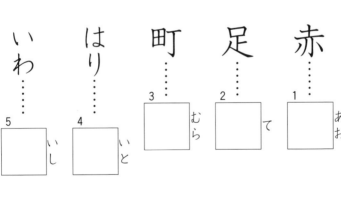

1 赤……□（あお）

2 足……□（て）

3 町……□（むら）

4 はり……□（いと）

5 いわ……□（いし）

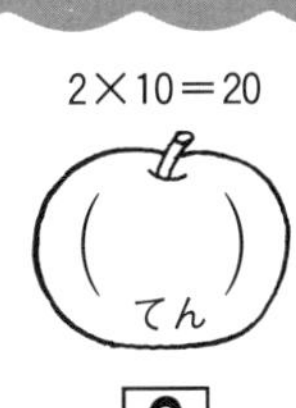

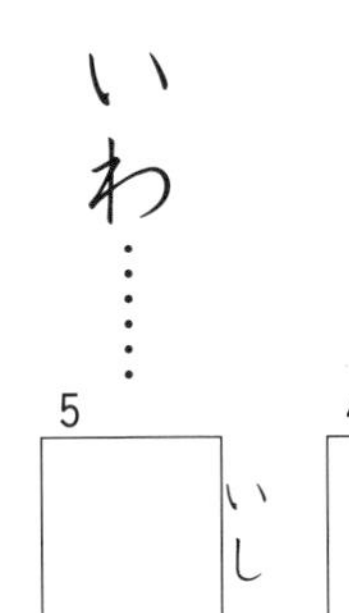
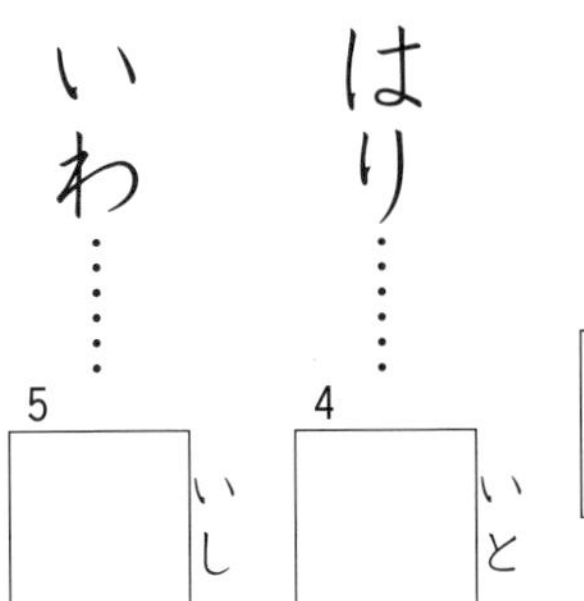
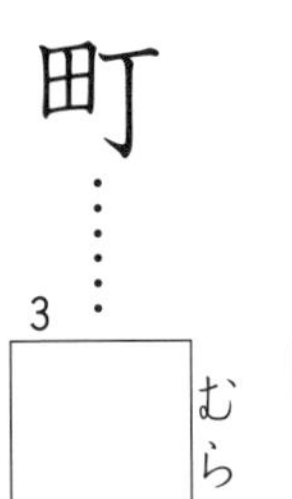
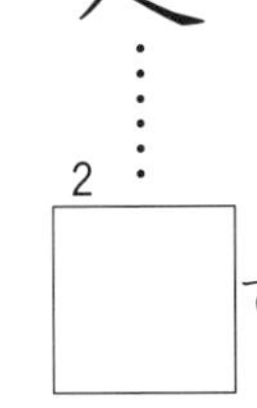

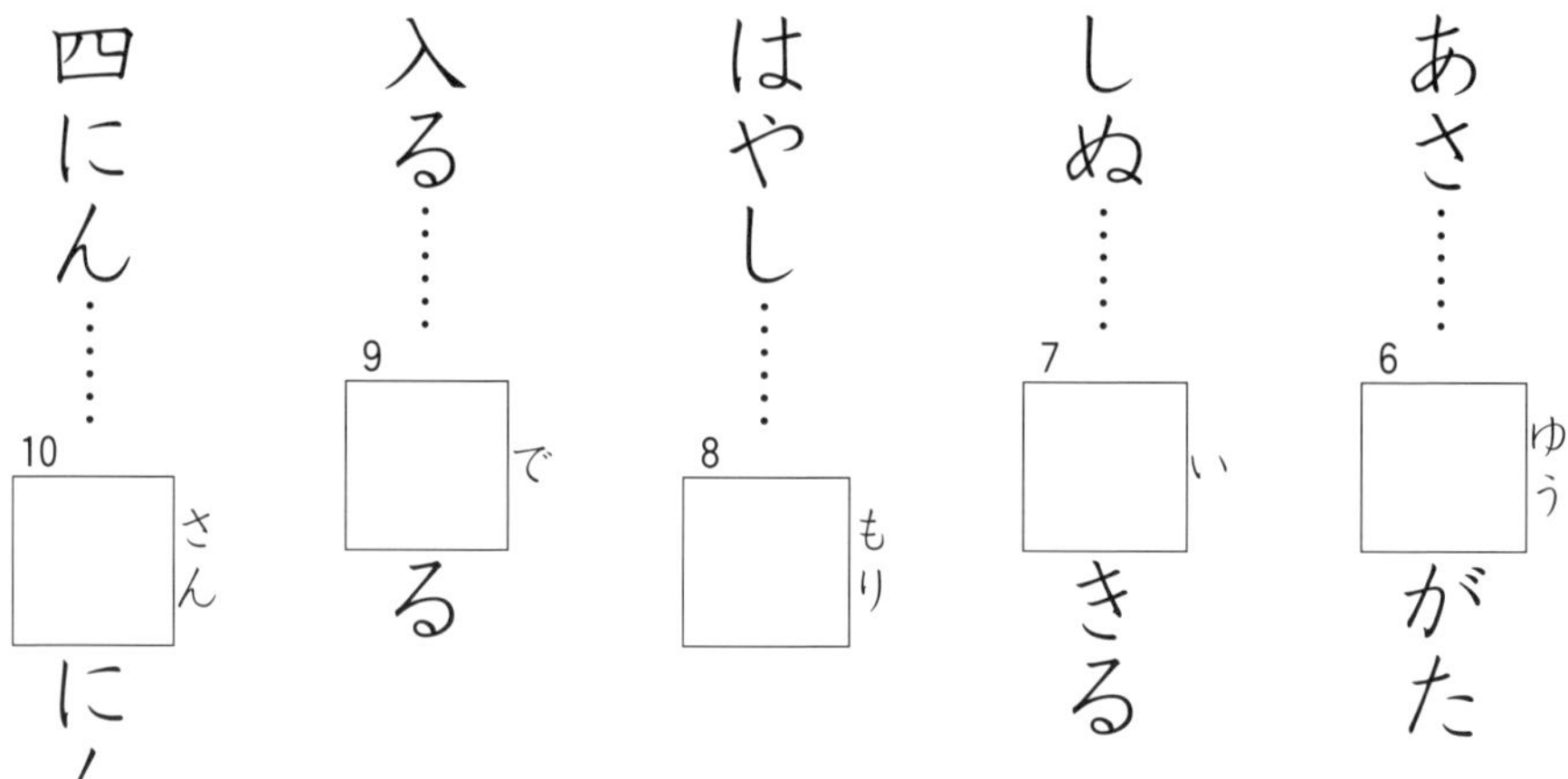

あさ……[6 ゆう]がた

しぬ……[7 い]きる

はやし……[8 もり]

入る……[9 で]る

四にん……[10 さん]にん

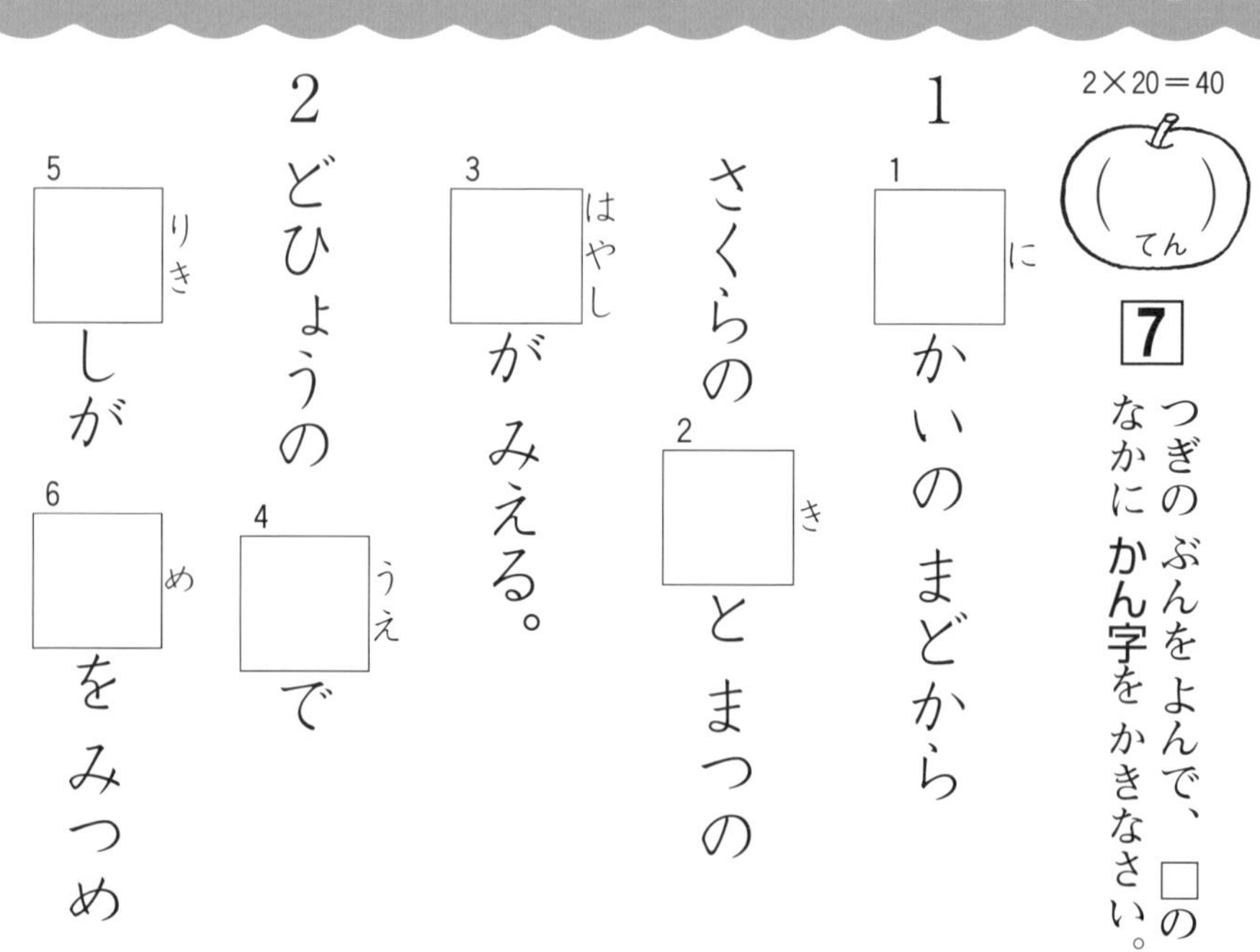

2×20＝40

（　　　）てん

7 つぎの ぶんを よんで、□の なかに **かん字**を かきなさい。

1 [1 に]かいの まどから さくらの [2 き]と まつの [3 はやし]が みえる。

2 どひょうの [4 うえ]で [5 りき]しが [6 め]を みつめ

あって 7□（た）ちあがった。

3 おてらで 8□（ひゃく）9□（やっ）つの かねが なった。

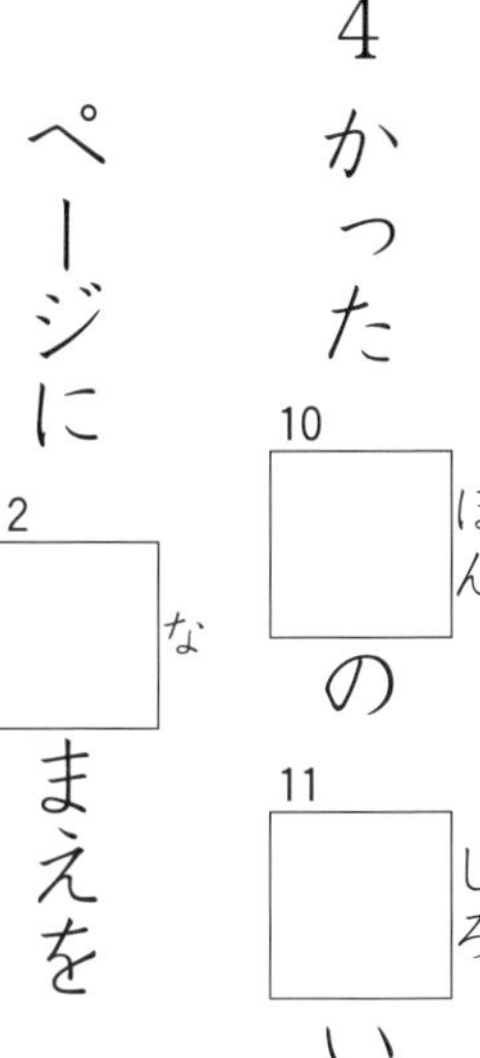

4 かった 10□（ほん）の 11□（しろ）い ページに 12□（な）まえを かいた。

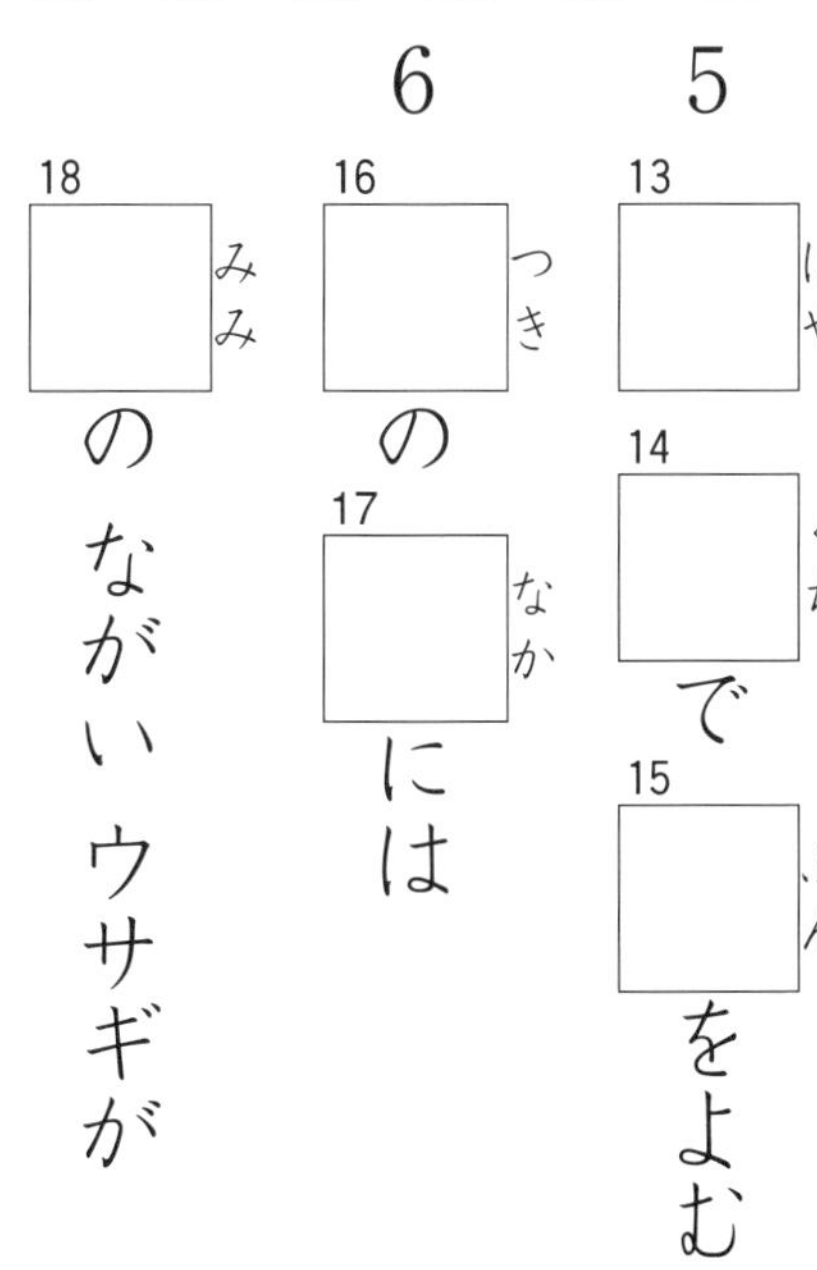

5 13□（はや）14□（くち）で 15□（ぶん）をよむ。

6 16□（つき）の 17□（なか）には 18□（みみ）の ながい ウサギが いるって ほんとうかな。

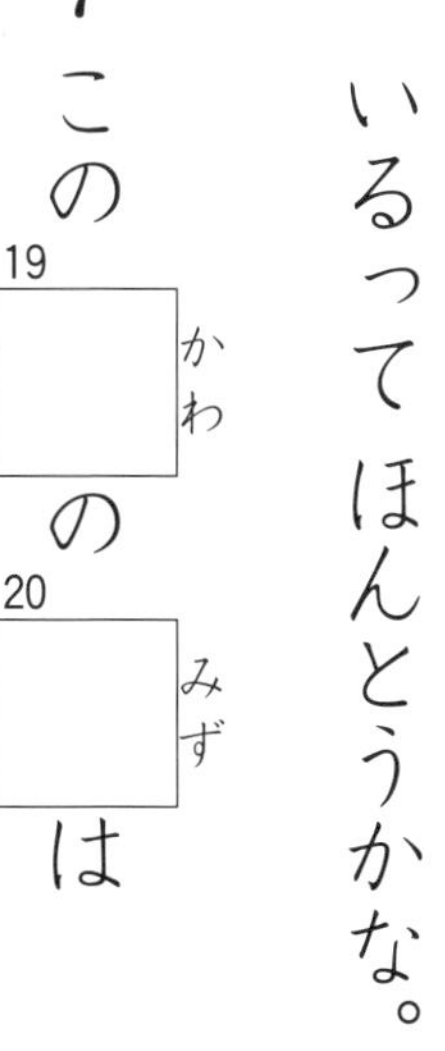

7 この 19□（かわ）の 20□（みず）は とても きれいだ。

第2回★テスト【40分】

●150てん まんてん
●120てん いじょう ごうかく
■ただしい答え（こた）は べっさつの4ページ

ごうけい とくてん
（　　）てん

2×20＝40
（　　）てん

1 つぎのぶんをよんで、――せんのかん字のよみがなを――せんのみぎにかきなさい。

1 [1]五ひきの[2]犬をつれて
[3]うら山に でかけた。

2 [4]四人の[5]子どもたちが
[6]空こうで[7]白くて[8]小さな
ひこうきの[9]左右に
ならんでしゃしんをとった。

3 ふじ[10]山に のぼりながら
[11]空を[12]見上げると、[13]月が
[14]出ていた。

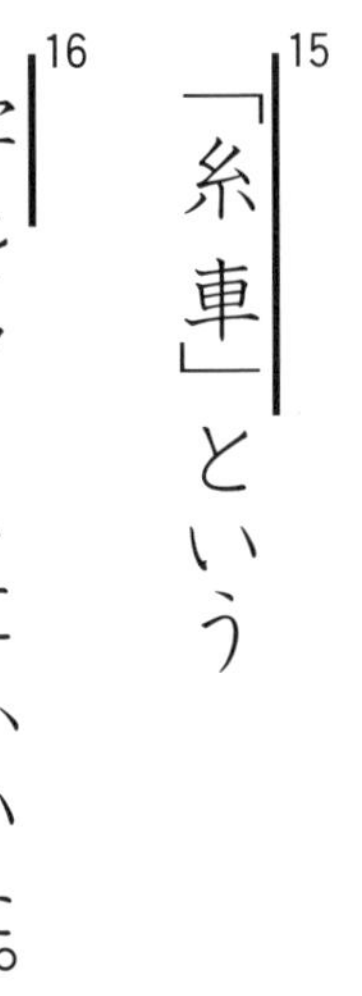

4 「糸車」[15]という 字[16]を ノートに かいた。

5 となりの いえの 七十三[17] さいの おじいさんは 耳[18]が すこし とおい。

6 人[19]の わる 口[20]は いわない ように しよう。

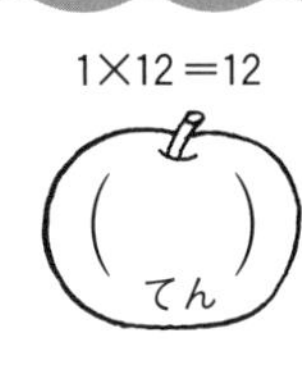

2 つぎの かん字の ふといところは なんばんめに かきますか。○の なかに すう字を かきなさい。

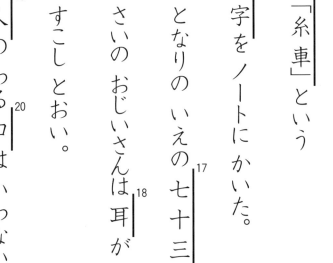

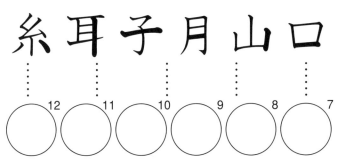

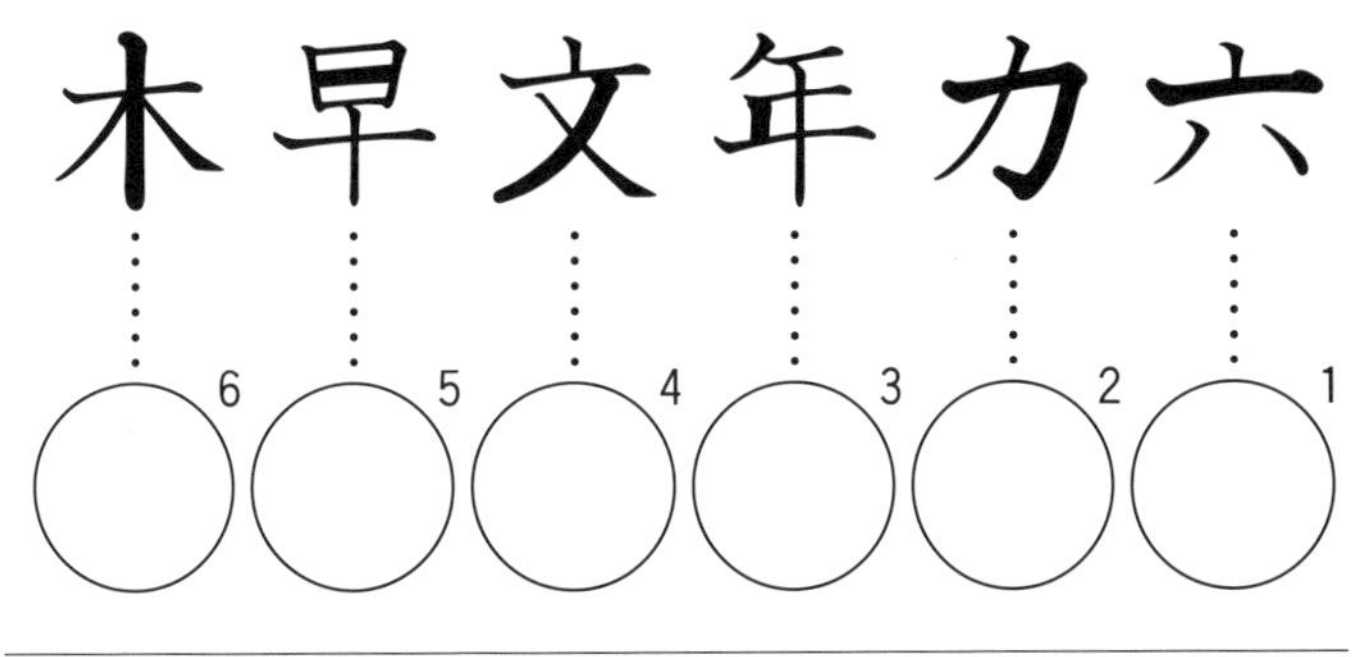

1 六 ……○
2 力 ……○
3 年 ……○
4 文 ……○
5 早 ……○
6 木 ……○

7 口 ……○
8 山 ……○
9 月 ……○
10 子 ……○
11 耳 ……○
12 糸 ……○

2×8＝16

（　　てん）

3 つぎの ぶんを よんで、──せんの かん字の よみがなを ──せんの みぎに かきなさい。

1 小がっこうに かよう。
2 山の 小みちを とおる。

3 二十チームで しあいを する。
4 一月二十日に ゆきが ふった。

5 赤はんが だいすきです。
6 赤いろの かさを さす。

7 水車が まわる。
8 つめたい 水を のむ。

2×5＝10

（　　てん）

4 つぎの ことばの よみがなで ただしい ほうの ばんごうに ○を つけなさい。

1 日本
1 にっぽん
2 につぽん

2 手入
1 にうしゅ
2 にゅうしゅ

3 犬名
1 めえけん
2 めいけん

4 立木
1 こだち
2 きだち

5 日本
1 ほんじつ
2 ほんにち

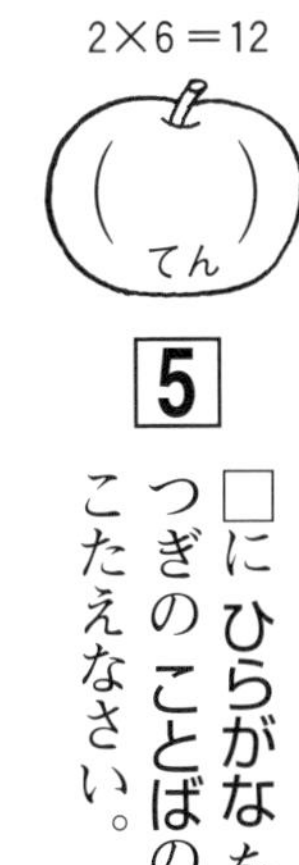

5 □に ひらがなを一字かいて、つぎの ことばの よみを こたえなさい。

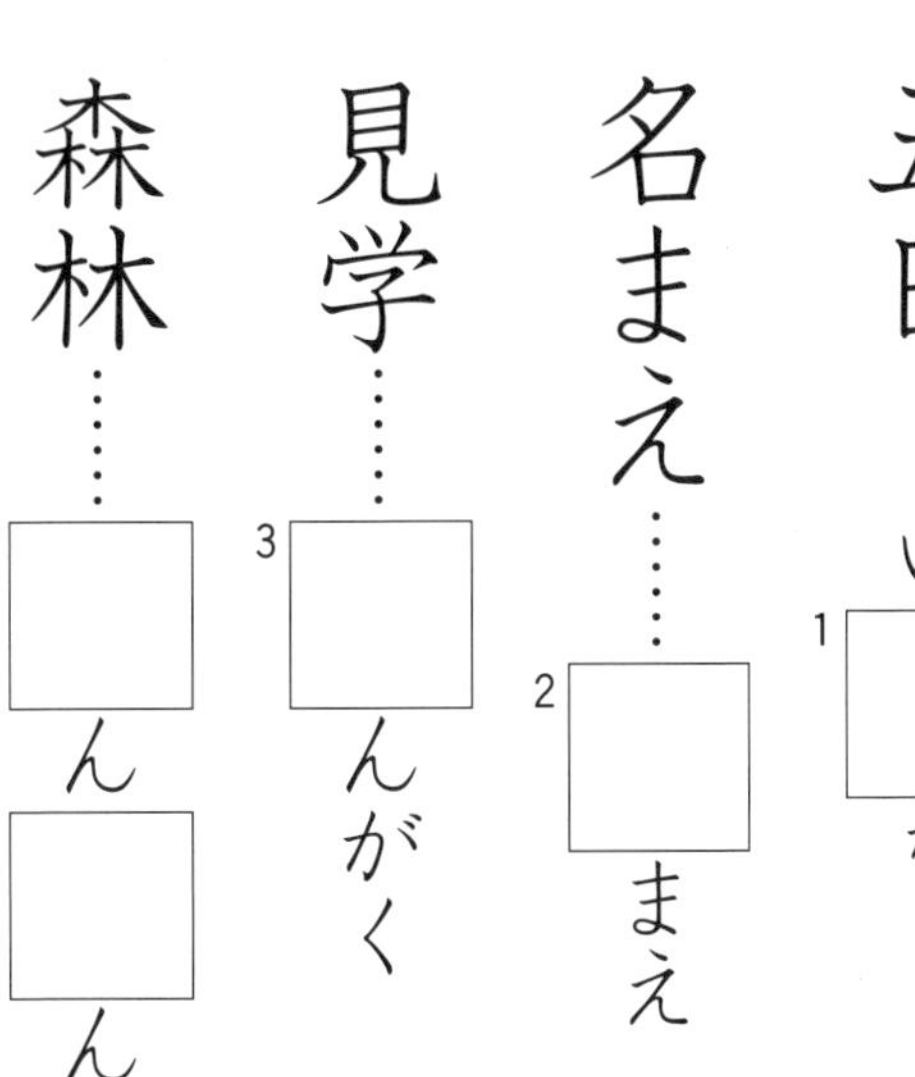

1 五日……い□か

2 名まえ……□まえ

3 見学……□んがく

4 森林……□ん 5 □ん

6 かん字……かん□

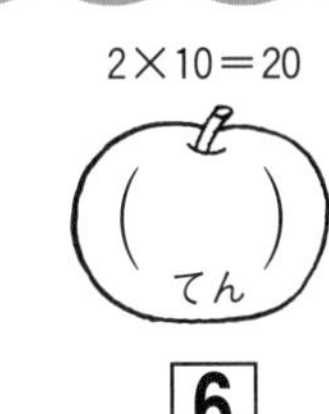

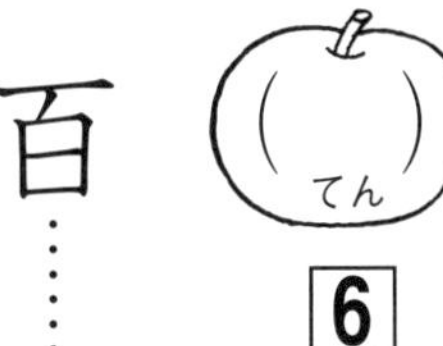

6 つぎの□のなかにかん字をかきなさい。

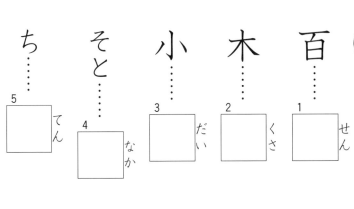

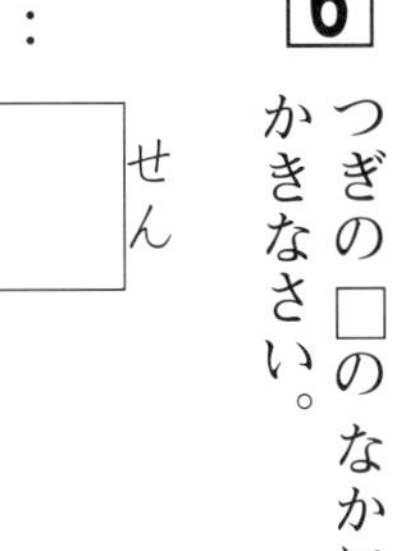

1 百……□せん

2 木……□くさ

3 小……□だい

4 そと……□なか

5 ち……□てん

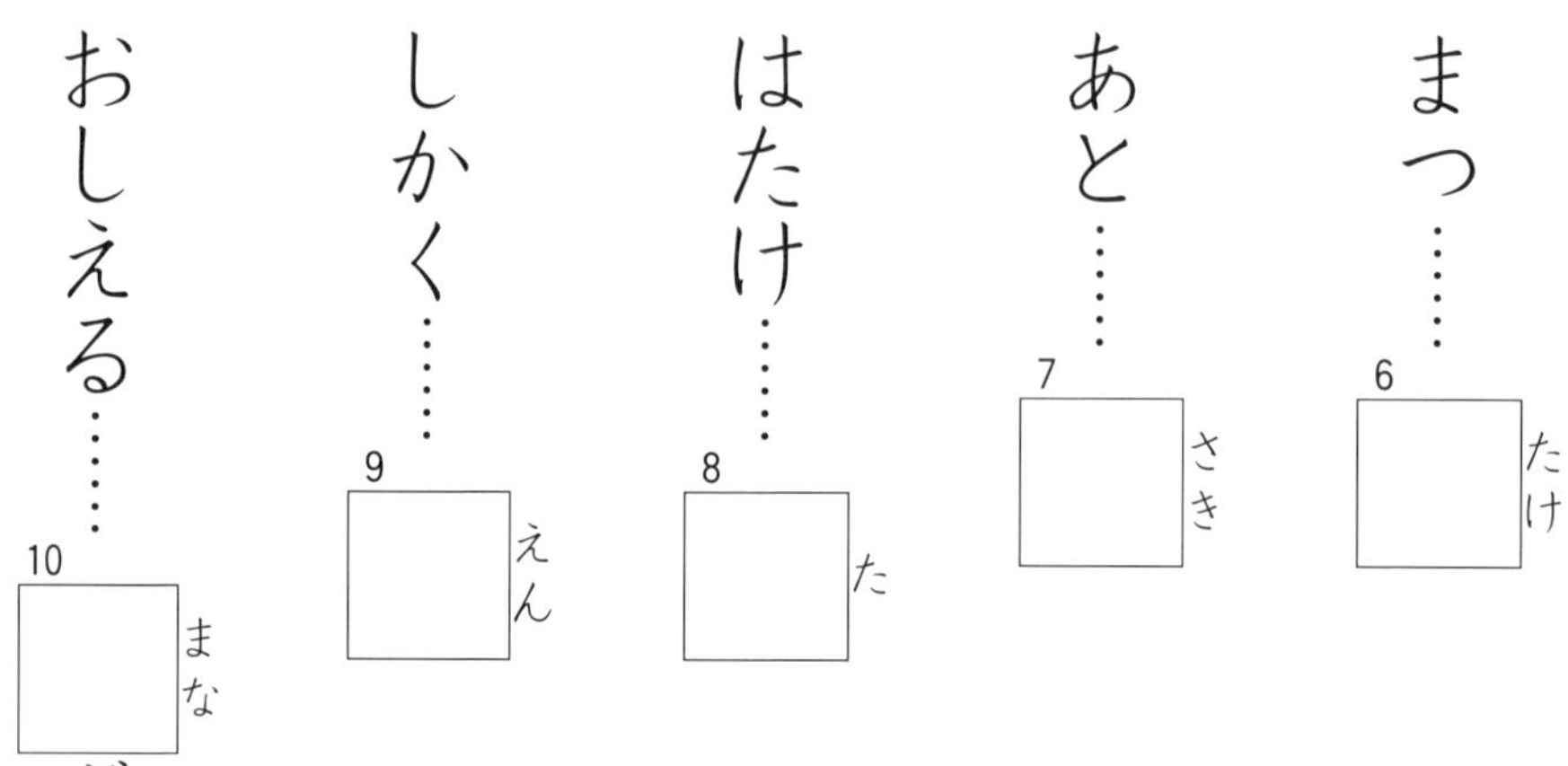
まつ……6□(たけ)
あと……7□(さき)
はたけ……8□(た)
しかく……9□(えん)
おしえる……10□(まな)ぶ

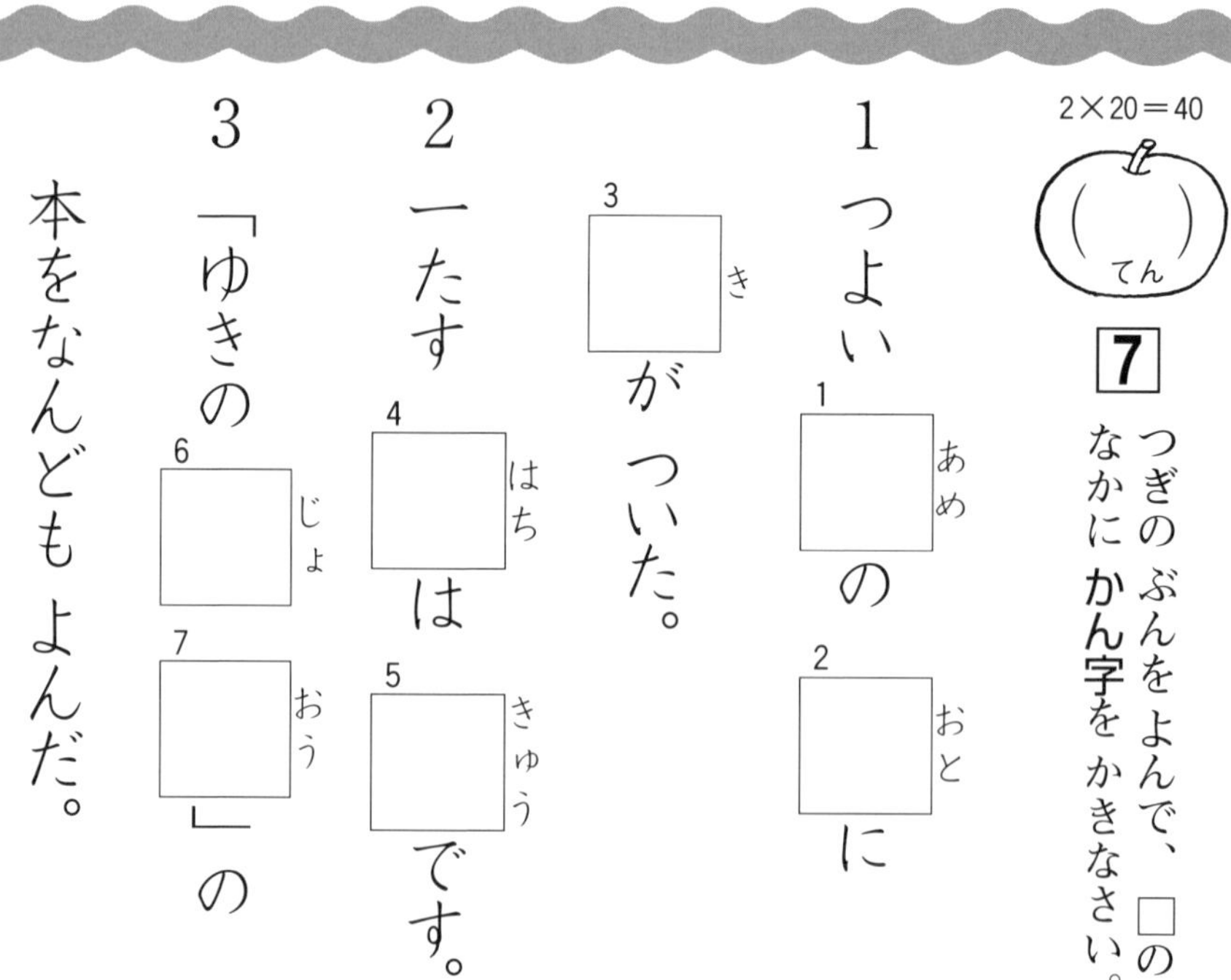
2×20＝40
( ) てん
7
つぎの ぶんを よんで、□の なかに かん字を かきなさい。
1 つよい 1□(あめ)の 2□(おと)に 3□(き)が ついた。
2 一たす 4□(はち)は 5□(きゅう)です。
3 「ゆきの 6□(じょ)7□(おう)」の 本を なんども よんだ。

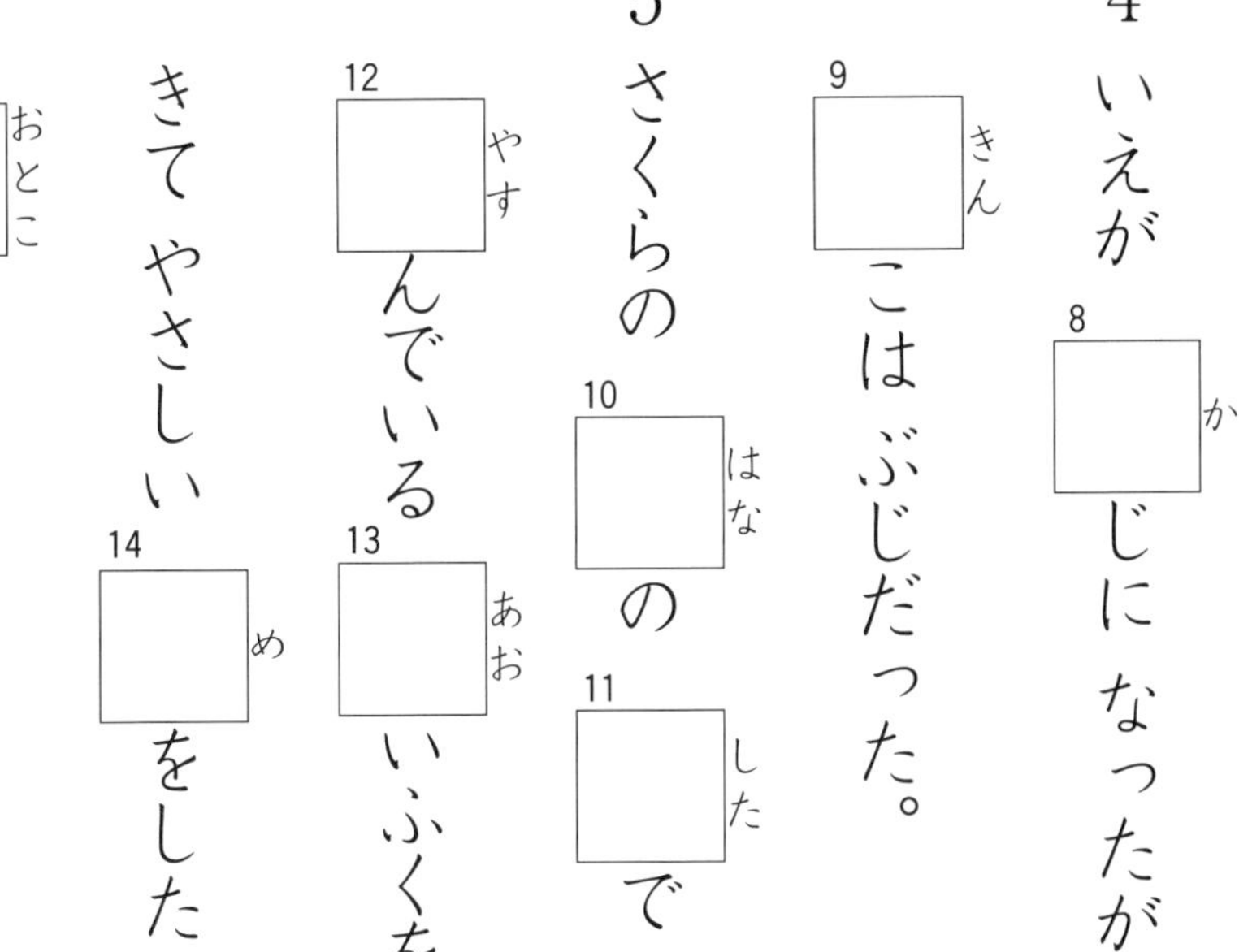

4 いえが 8□(か)じに なったが 9□(きん)こは ぶじだった。

5 さくらの 10□(はな)の 11□(した)で 12□(やす)んでいる 13□(あお)いふくを きて やさしい 14□(め)をした

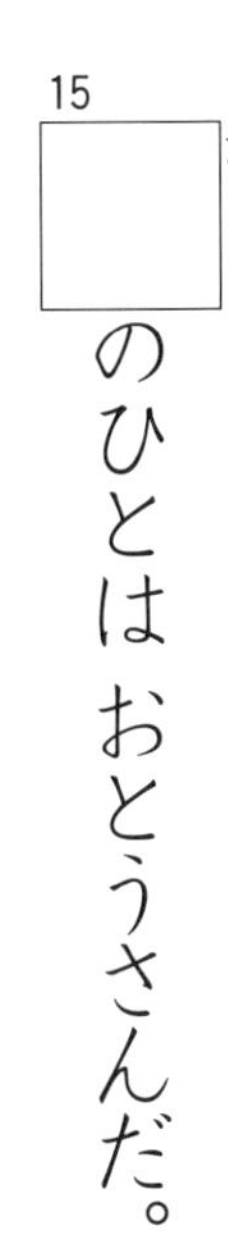

15□(おとこ)のひとは おとうさんだ。

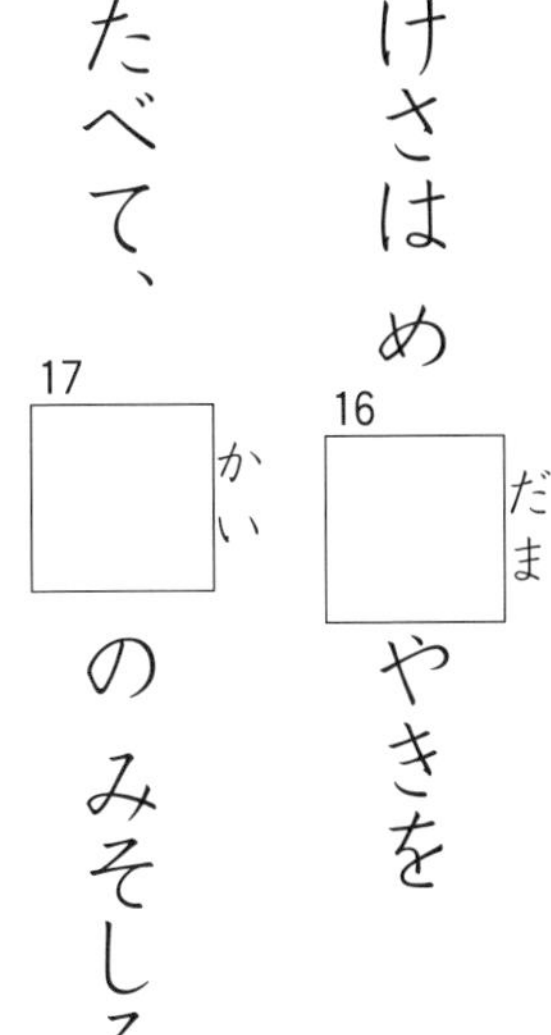

6 けさは め16□(だま)やきを たべて、17□(かい)の みそしる をのんだ。

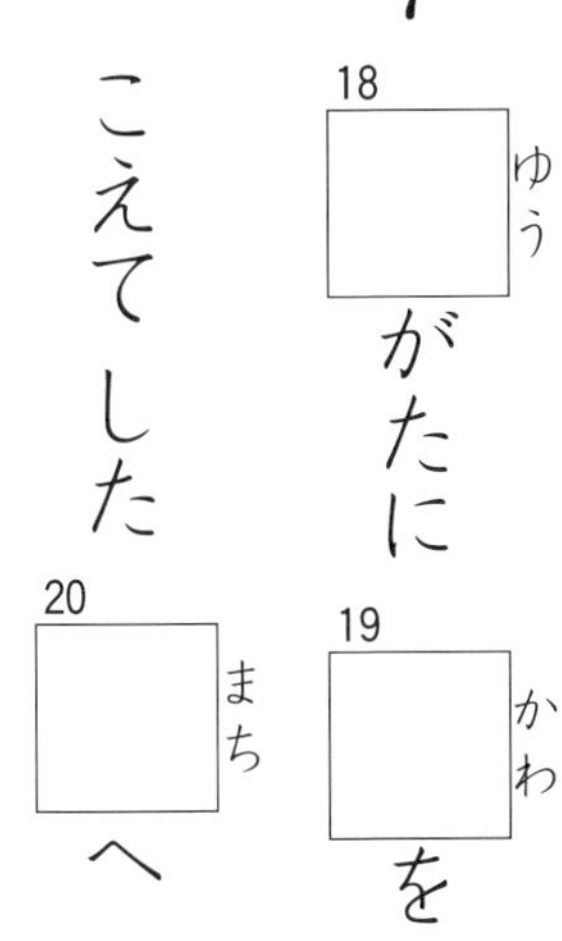

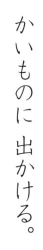

7 18□(ゆう)がたに 19□(かわ)を こえて した 20□(まち)へ かいものに 出かける。

クイズ
めいろ・メイロ

よみの 正しいほうの 字を えらびながら すすんで ゴールインしましょう。まちがった 字を えらぶと ゆきどまりに なりますよ。

答えは「テストの答え」の28ページにあります。

クイズ

じゅくご・ジュクゴ

えを かん字に なおして 二字の じゅくごを つくりましょう。99ページからの かん字表(ひょう)を さんこうにしても かまいません。

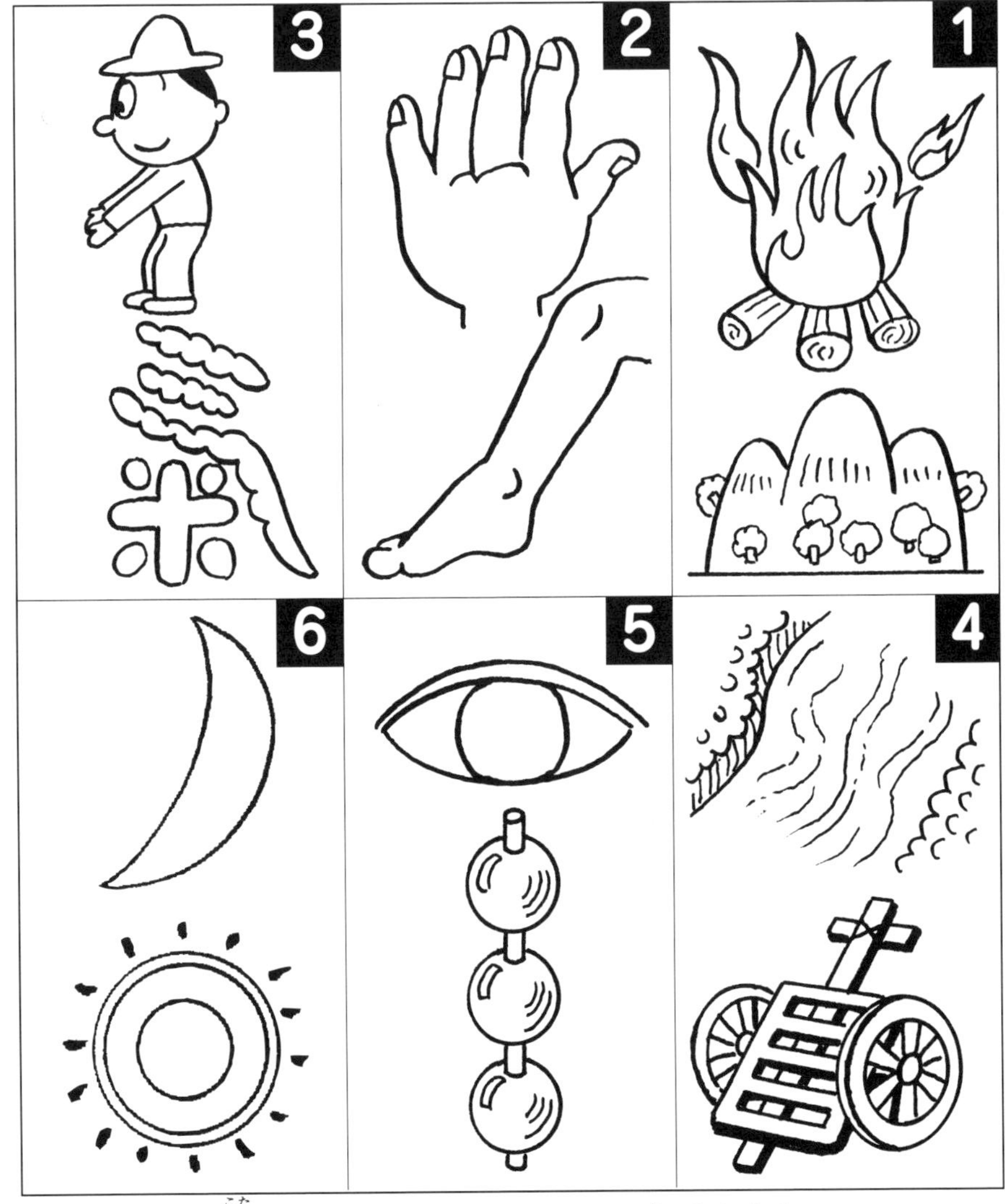

答(こた)えは「テストの答え」の28ページにあります。

第3回★テスト【40分】

●150てん まんてん
●120てん いじょう ごうかく
■ただしい答(こた)えは べっさつの6ページ

ごうけい とくてん
（　　）てん

2×20＝40
（　　）てん

1 つぎのぶんをよんで、——せんのかん字のよみがなを——せんのみぎにかきなさい。

1 青[1]い車[2]を車[3]こから出した。

2 小[4]さい手[5]でおじさんとあく手[6]をした。

3 おねえさんが、十日[7]まえに生[8]まれた女[9]の子[10]の赤[11]ちゃんをつれてきた。

4 森[12]のなかをきれいな川[13]がながれていた。

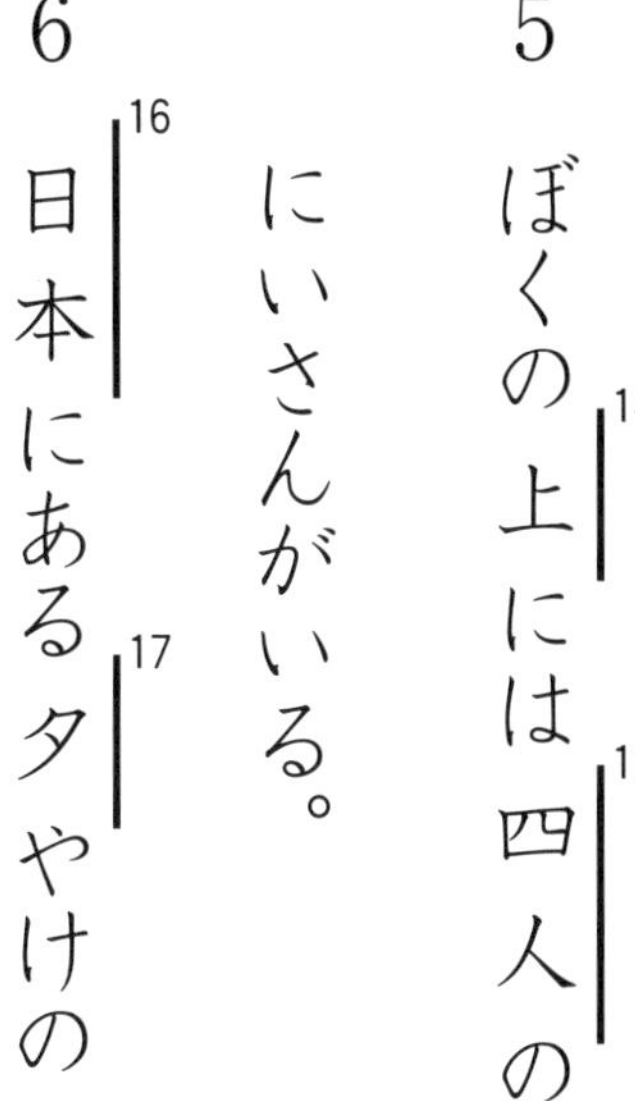

5 ぼくの 上[14]には 四人[15]の にいさんがいる。

6 日本[16]にある 夕[17]やけの きれいな すなはまで 貝[18]がらと 石[19]を 十[20]こ ひろった。

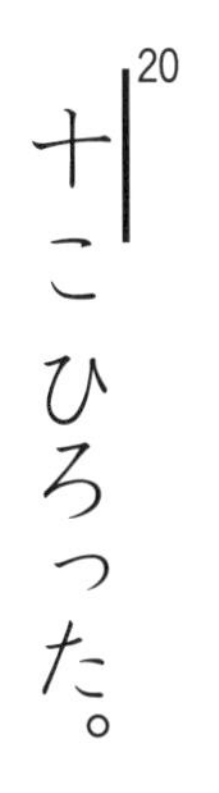

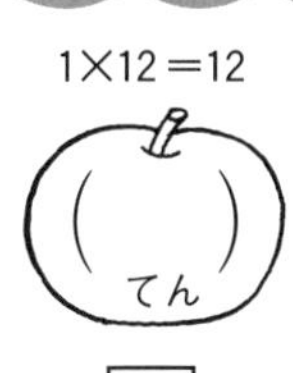

2 つぎの かん字の ふといところは なんばんめに かきますか。◯の なかに すう字を かきなさい。

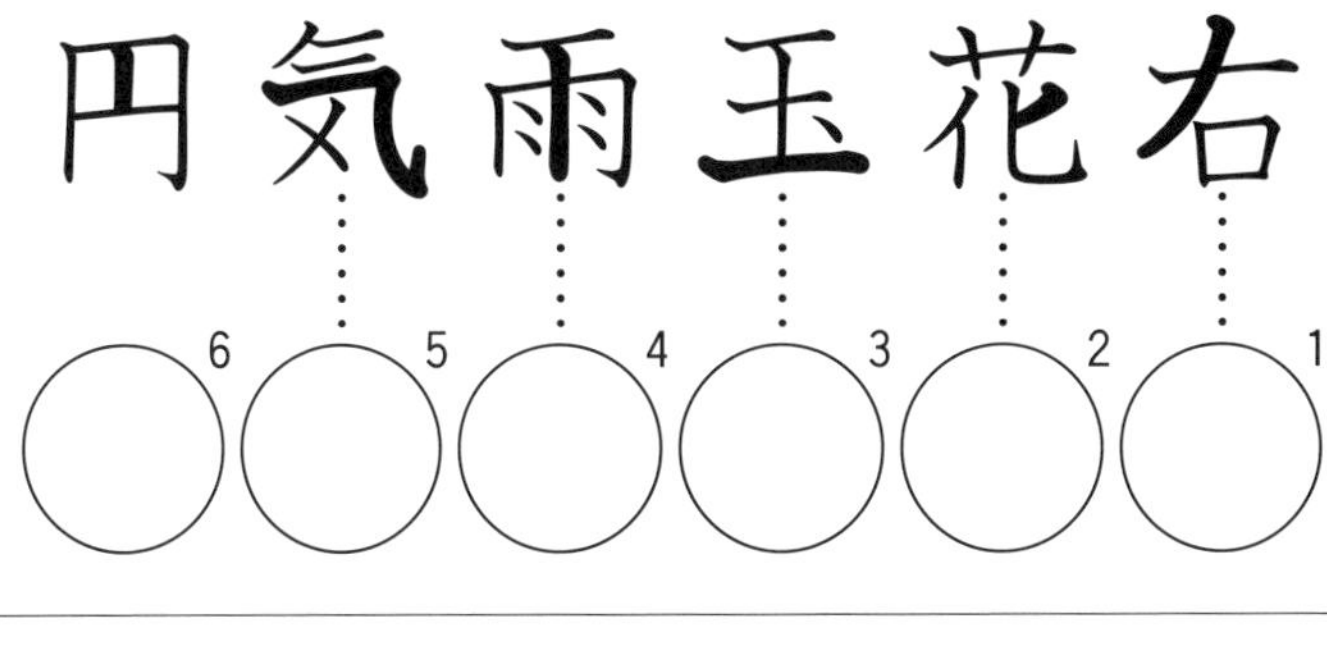

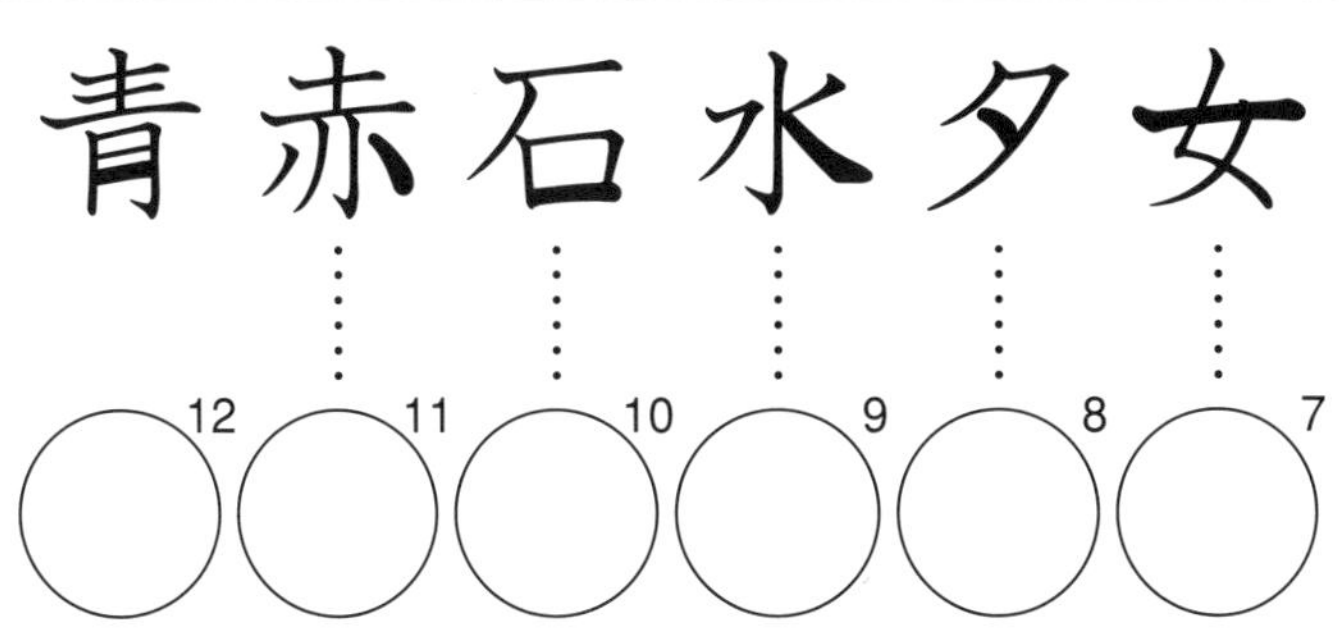

2×8＝16

（　　　）てん

3 つぎの ぶんを よんで、――せんの かん字の よみがなを ――せんの みぎに かきなさい。

ふゆの 早[1]ちょうは さむい。

早[2]あしで あるいた。

にわに ざっ草[3]が はえる。

草[4]むしりを する。

竹[5]りんで あそぶ。

竹[6]の こが はえて いる。

村[7]ちょうさんを えらぶ。

村[8]を おとずれる。

2×5＝10

（　　　）てん

4 つぎの ことばの よみがなで ただしいほうの ばんごうに ○を つけなさい。

1 雨水
1 あまみず
2 あめみづ

2 一円
1 いちえん
2 ひとえん

3 火山
1 かだん
2 かざん

4 水田
1 すいでん
2 すいだん

5 花火
1 はなひ
2 はなび

2×6＝12

（　　）てん

5 □に ひらがなを 一字かいて、つぎの ことばの よみを こたえなさい。

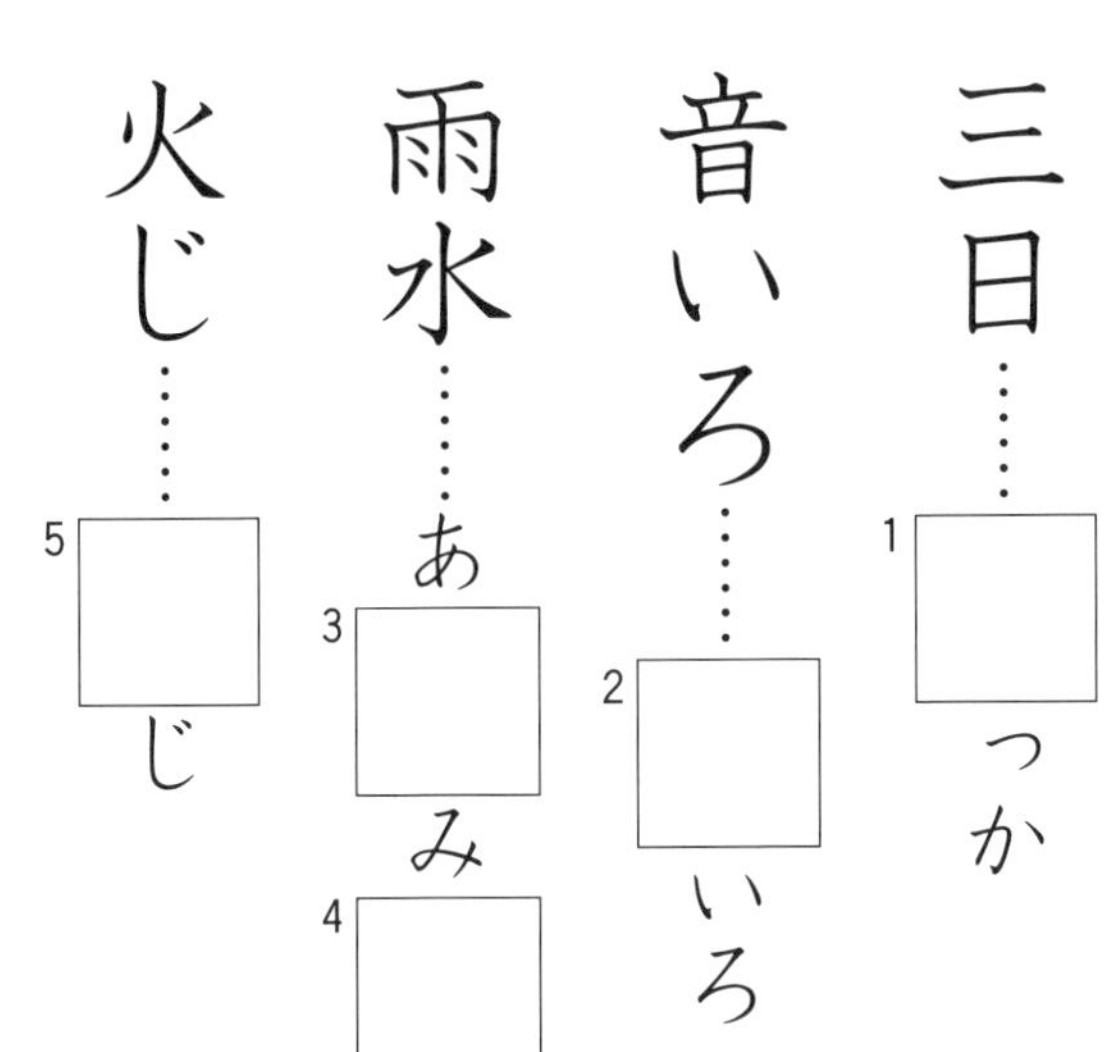

三日……1□つか

音いろ……2□いろ

雨水……あ3□み4□

火じ……5□じ

赤はん……6□きはん

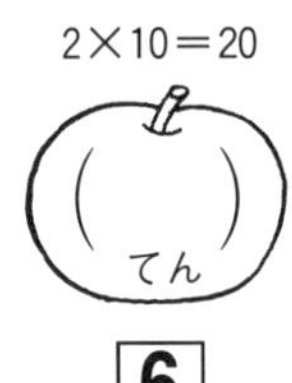
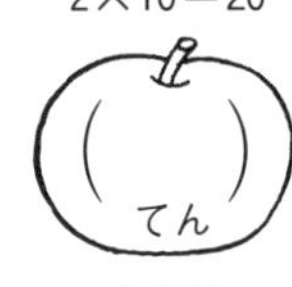

2×10＝20

（　　）てん

6 つぎの □の なかに かん字を かきなさい。

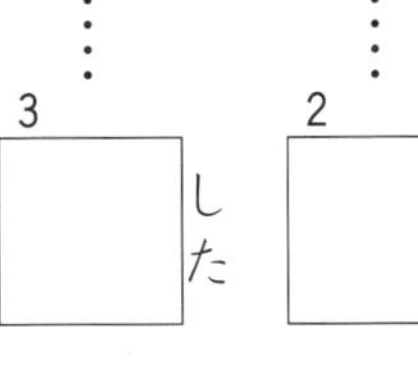
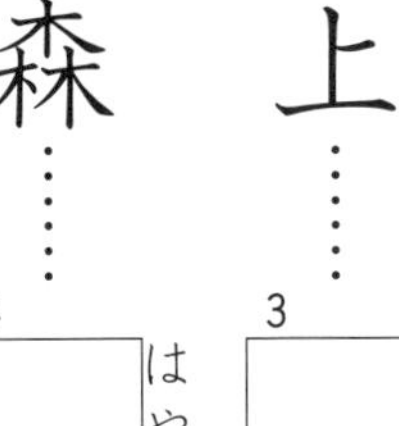
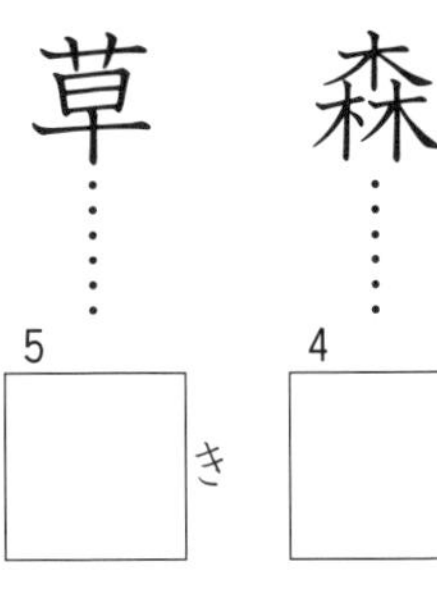
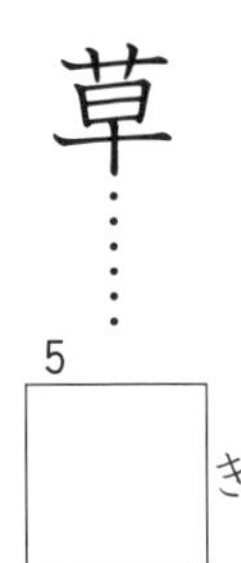

赤……1□しろ

年……2□げつ

上……3□した

森……4□はやし

草……5□き

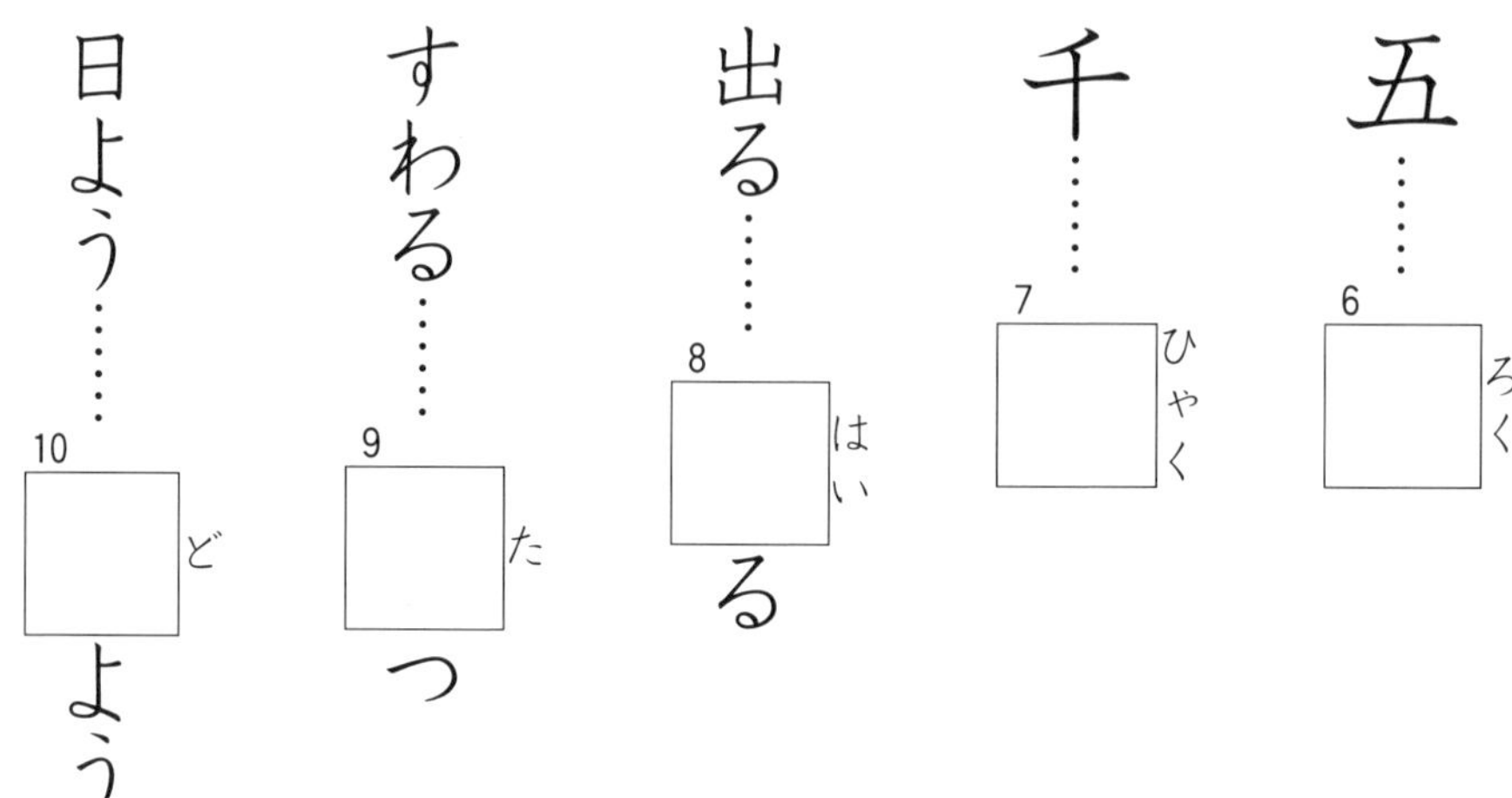

五……□6（ろく）

千……□7（ひゃく）

出る……□8（はい）る

すわる……□9（た）つ

日よう……□10（ど）よう

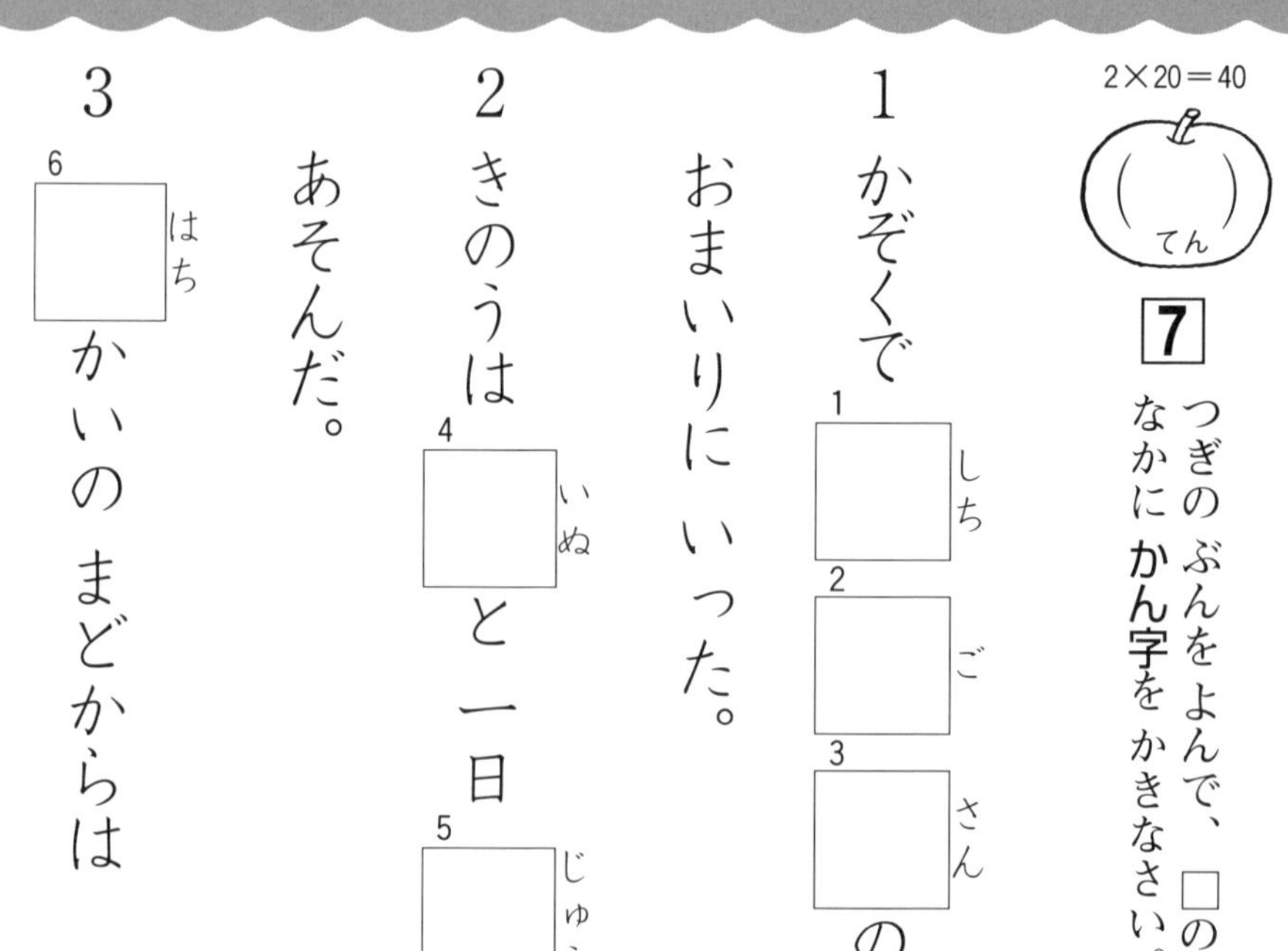

2×20＝40

（　　てん）

7 つぎの ぶんを よんで、□の なかに **かん字**を かきなさい。

1 かぞくで □1（しち）□2（ご）□3（さん）の おまいりに いった。

2 きのうは □4（いぬ）と 一日 □5（じゅう） あそんだ。

3 □6（はち）かいの まどからは

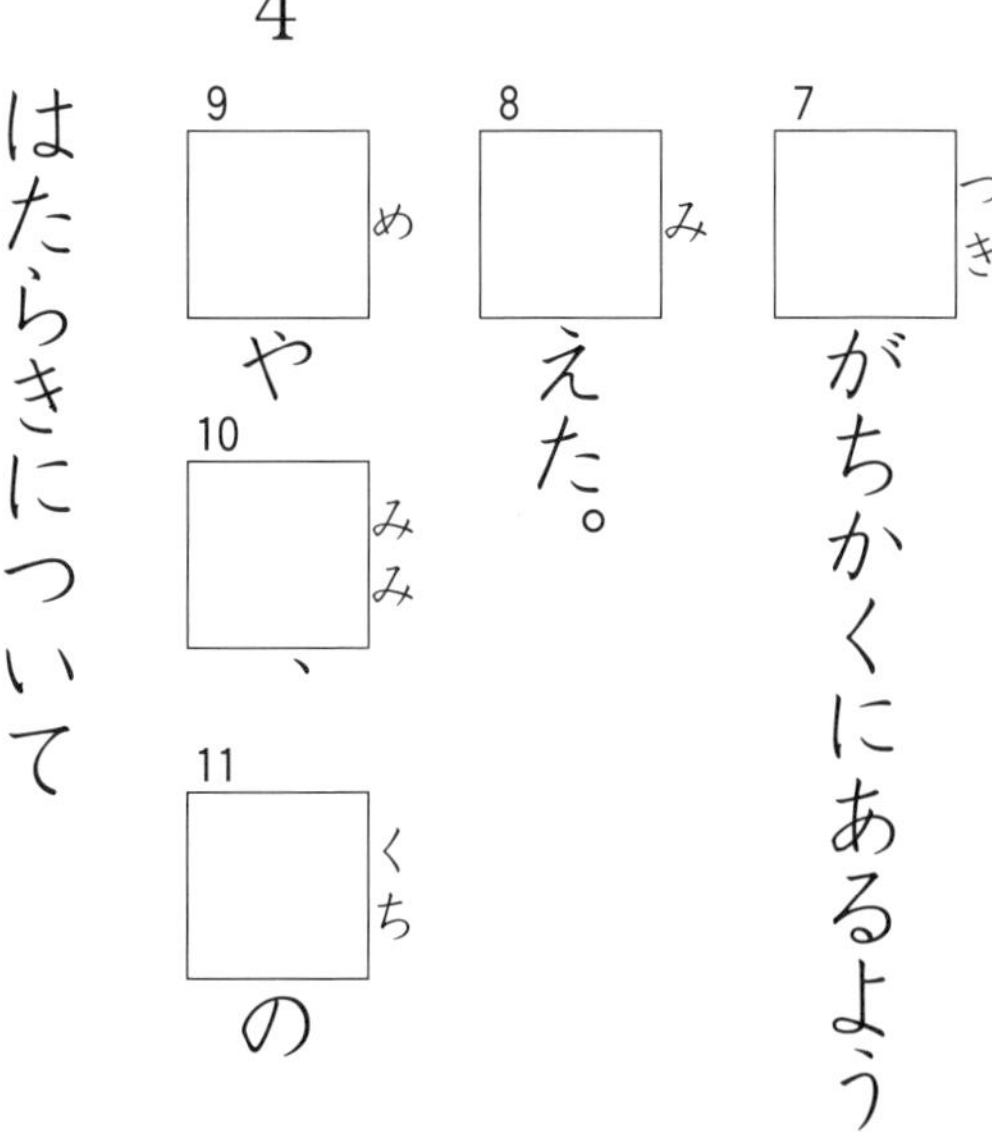
7 [7]（つき）がちかくにあるように

8 [8]（み）えた。

4 [9]（め）や[10]（みみ）、[11]（くち）の

はたらきについて

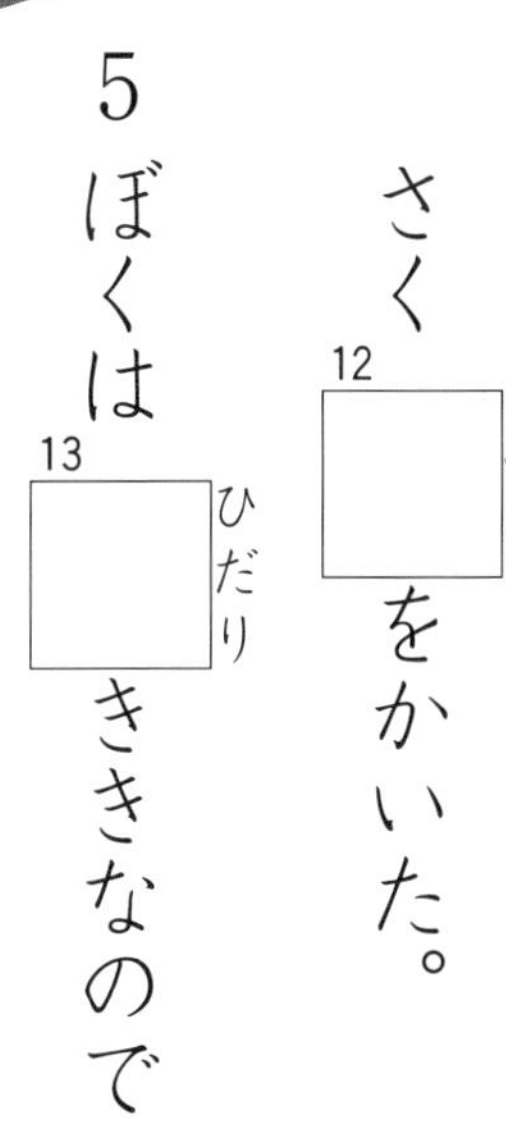
さく[12]（ぶん）をかいた。

5 ぼくは[13]（ひだり）ききなので、

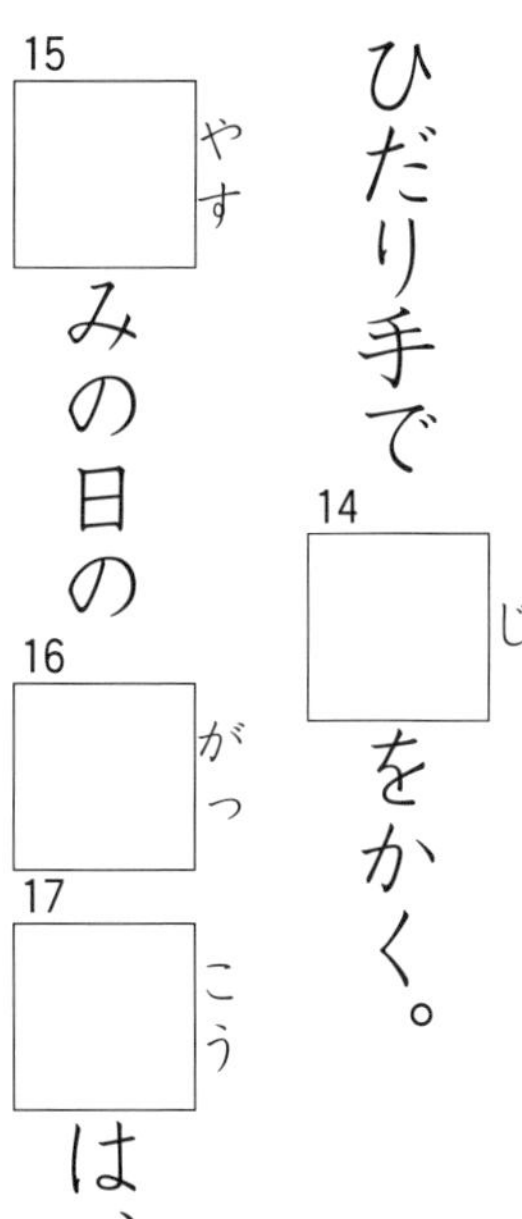
ひだり手で[14]（じ）をかく。

6 [15]（やす）みの日の[16]（がっ）[17]（こう）は、

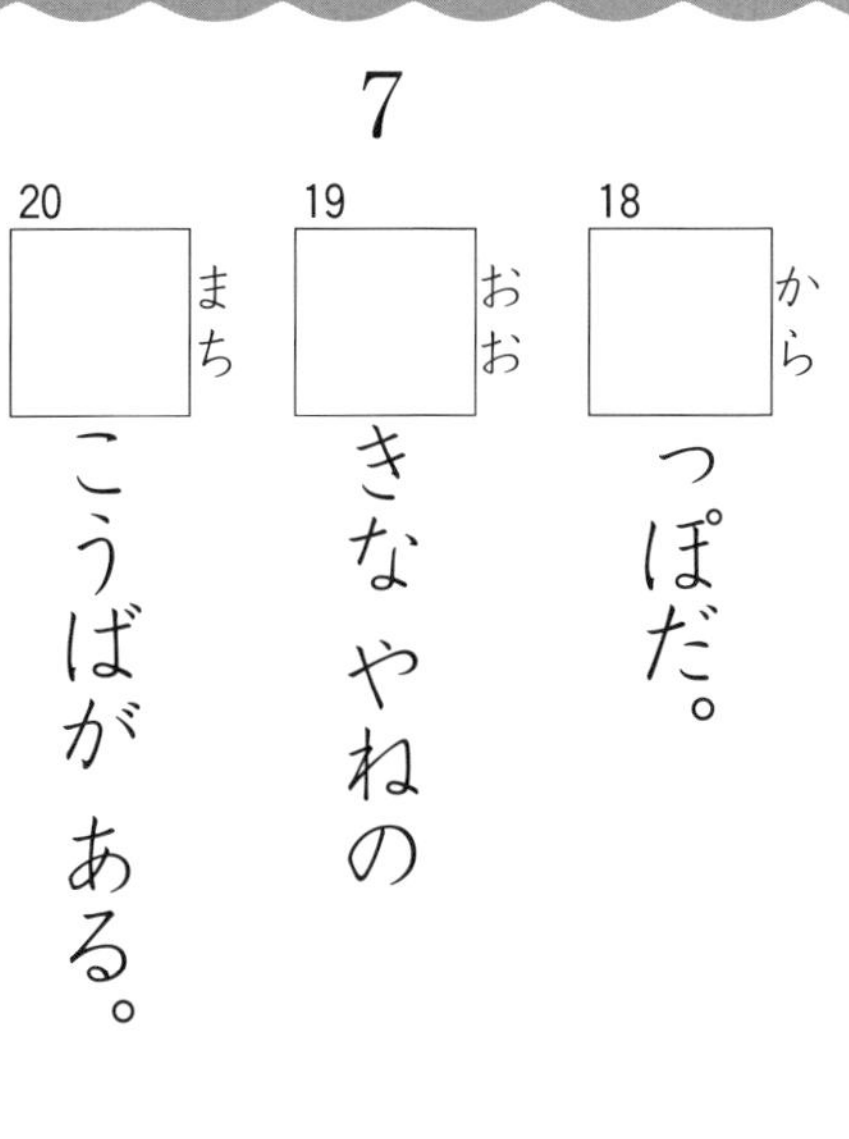
どのきょうしつも

[18]（から）っぽだ。

7 [19]（おお）きなやねの

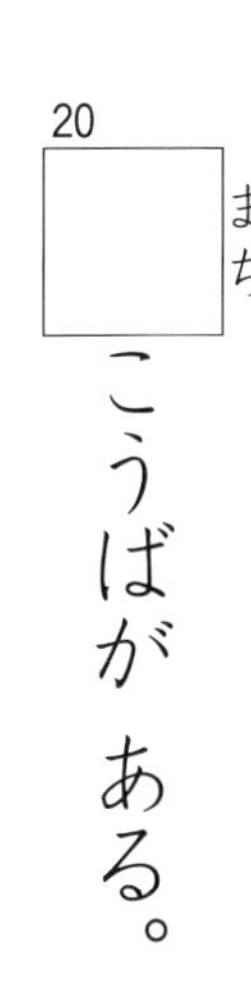
[20]（まち）こうばがある。

10級

第4回★テスト【40分】

●150てん まんてん
●120てん いじょう ごうかく
■ただしい答え（こた）は べっさつの8ページ

ごうけい とくてん
（　　）てん

2×20＝40
（　　）てん

1 つぎのぶんをよんで、——せんのかん字のよみがなを——せんのみぎにかきなさい。

1 町[1]の中[2]をのら犬[3]があるいている。

2 クラスで千[4]ばづるをおり天[5]にへいわをいのった。

3 水田[6]のざっ草[7]をかんさつしていると名[8]まえもしらない大[9]きな虫[10]を見[11]つけた。

4 先生[12]に村[13]でとった

[14]虫のひょう[15]本を
ほめられた。

5 ささ[16]竹に「[17]天の[18]川に
行(い)きたい」とかいた
たんざくを さげた。

6 [19]土足で へやに [20]入っては
いけません。

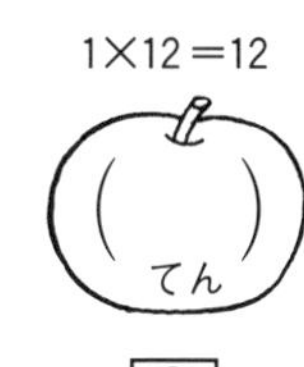

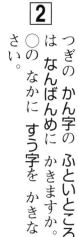

2 つぎの かん字の ふといところは なんばんめに かきますか。○の なかに すう字を かきなさい。

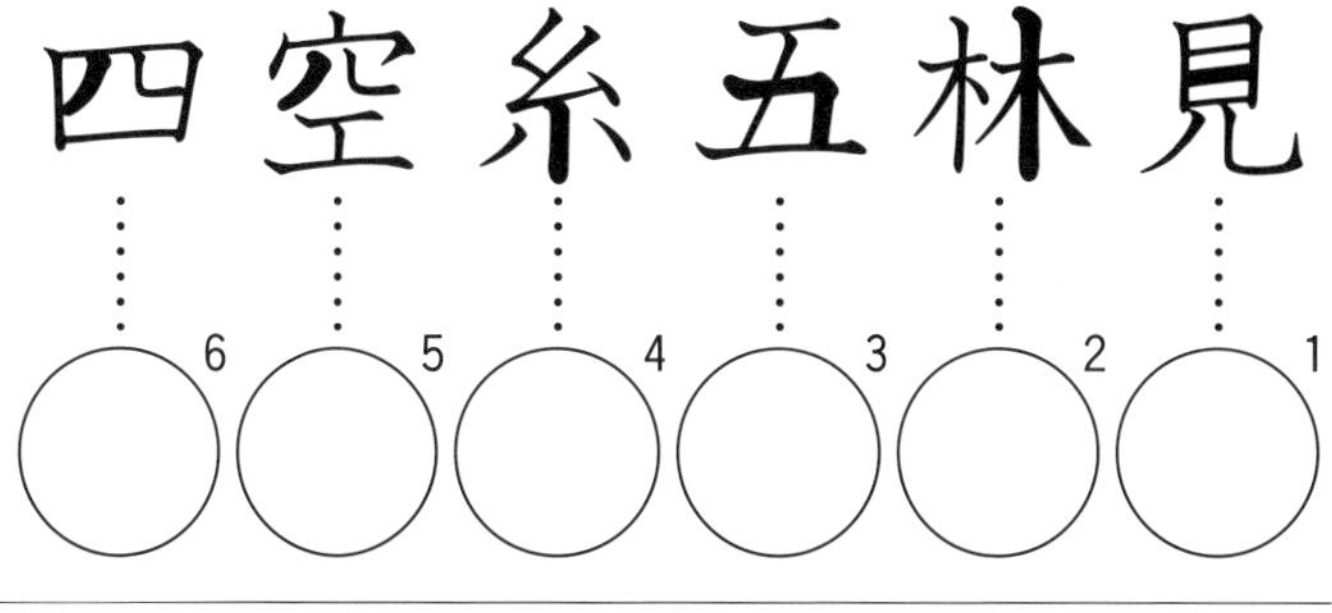

7 中
8 天
9 虫
10 男
11 早
12 大

2×8＝16

（　　　てん）

3 つぎの ぶんを よんで、
━せんの かん字の よみがなを
━せんの みぎに かきなさい。

一気に ぜん 1力を だす。

2力を ためて おく。

3白人の プロボクサーだ。

4白い パンツを はく。

5八本の せんを ひく。

おとうとに 6八つあたりした。

7一年まえの にっきを みる。

8年下の 子と あそぶ。

2×5＝10

（　　　てん）

4 つぎの ことばの よみがなで
ただしい ほうの ばんごうに
◯を つけなさい。

月見
1 1 つきみ
2 げつみ

森林
2 1 しんりん
2 もりりん

空耳
3 1 からみみ
2 そらみみ

口先
4 1 くちせん
2 くちさき

大小
5 1 だいしょう
2 だいしおう

2×6＝12

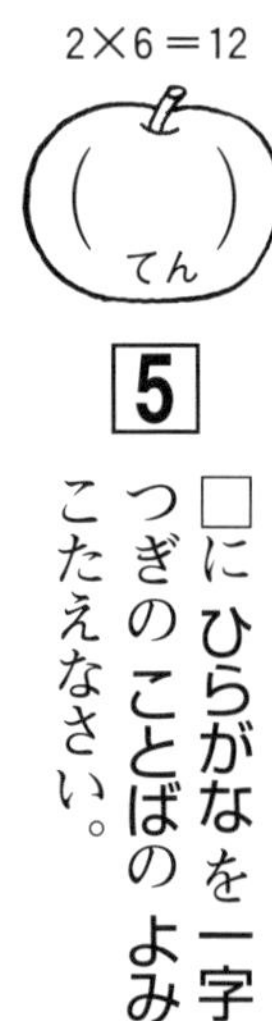

5 □に ひらがなを 一字かいて、つぎの ことばの よみを こたえなさい。

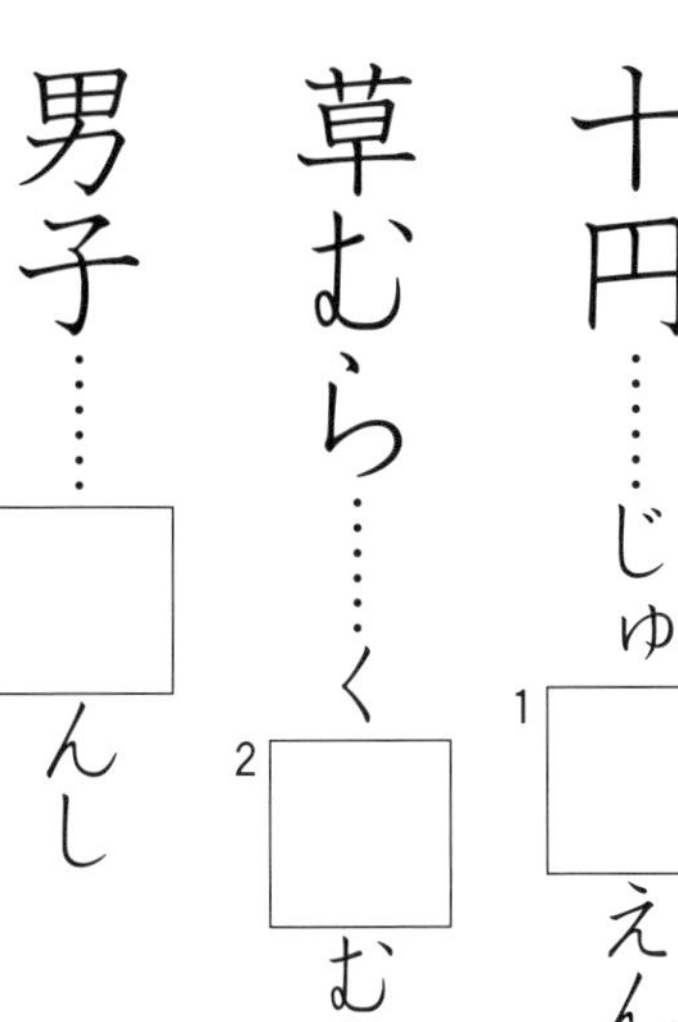

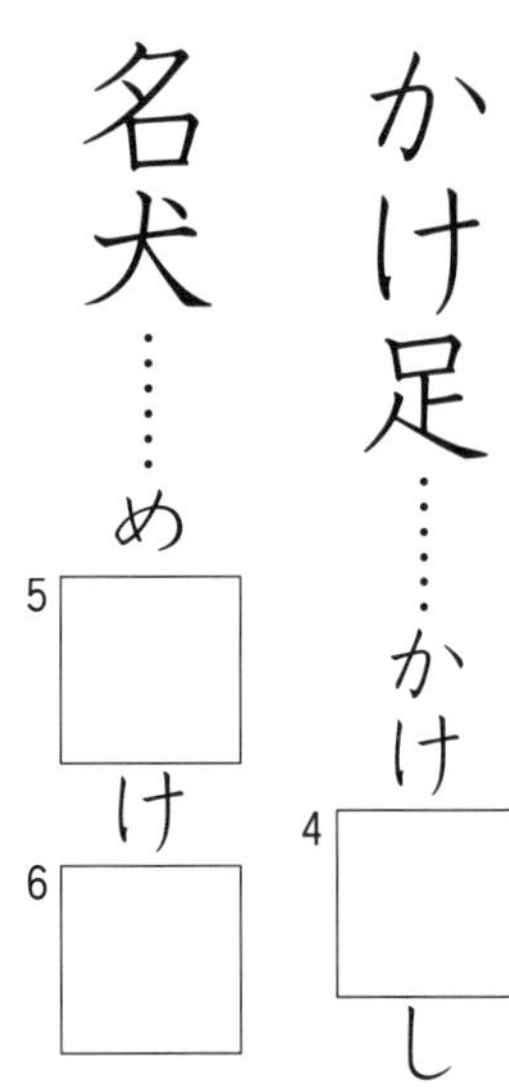

2×10＝20

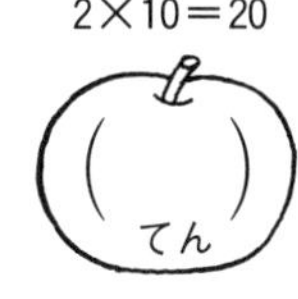

6 つぎの □の なかに かん字を かきなさい。

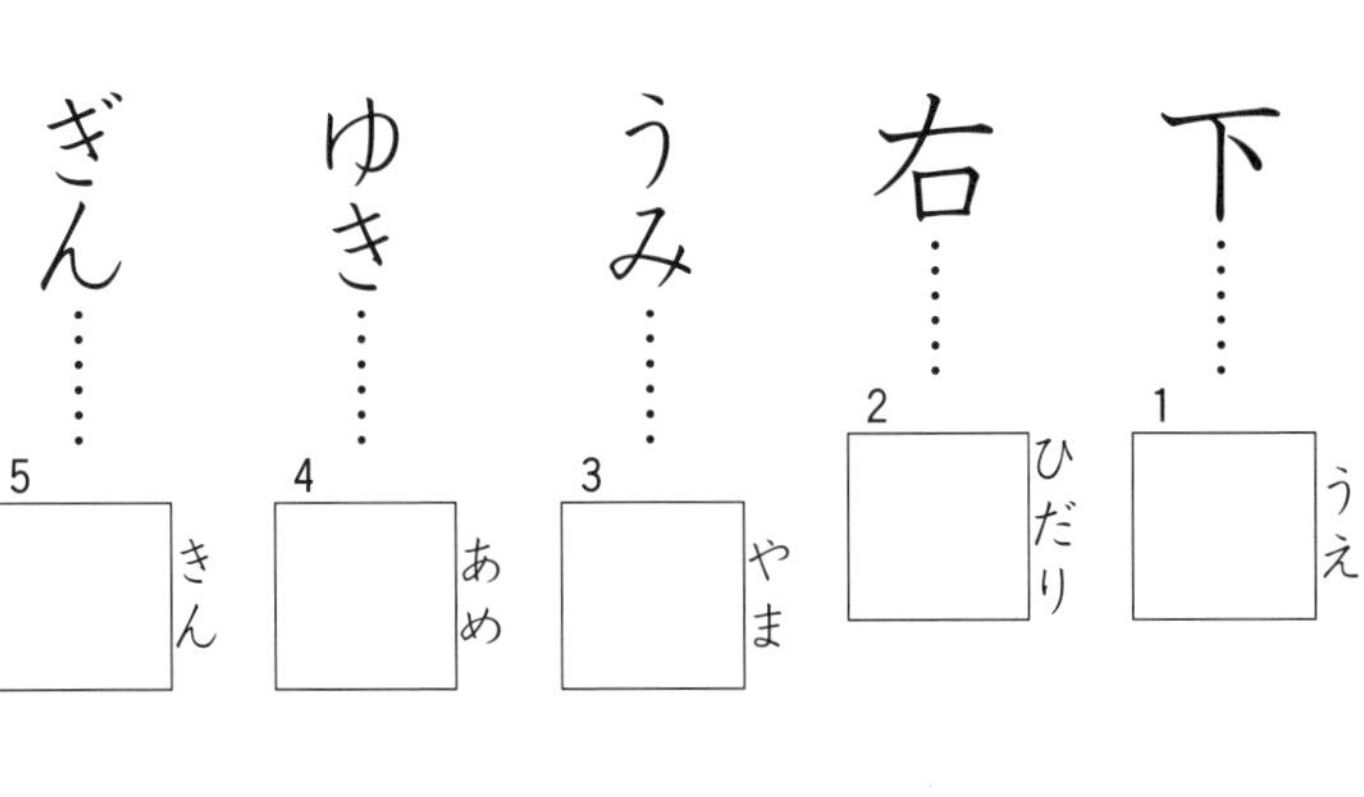

下……1□ うえ
右……2□ ひだり
うみ……3□ やま
ゆき……4□ あめ
ぎん……5□ きん

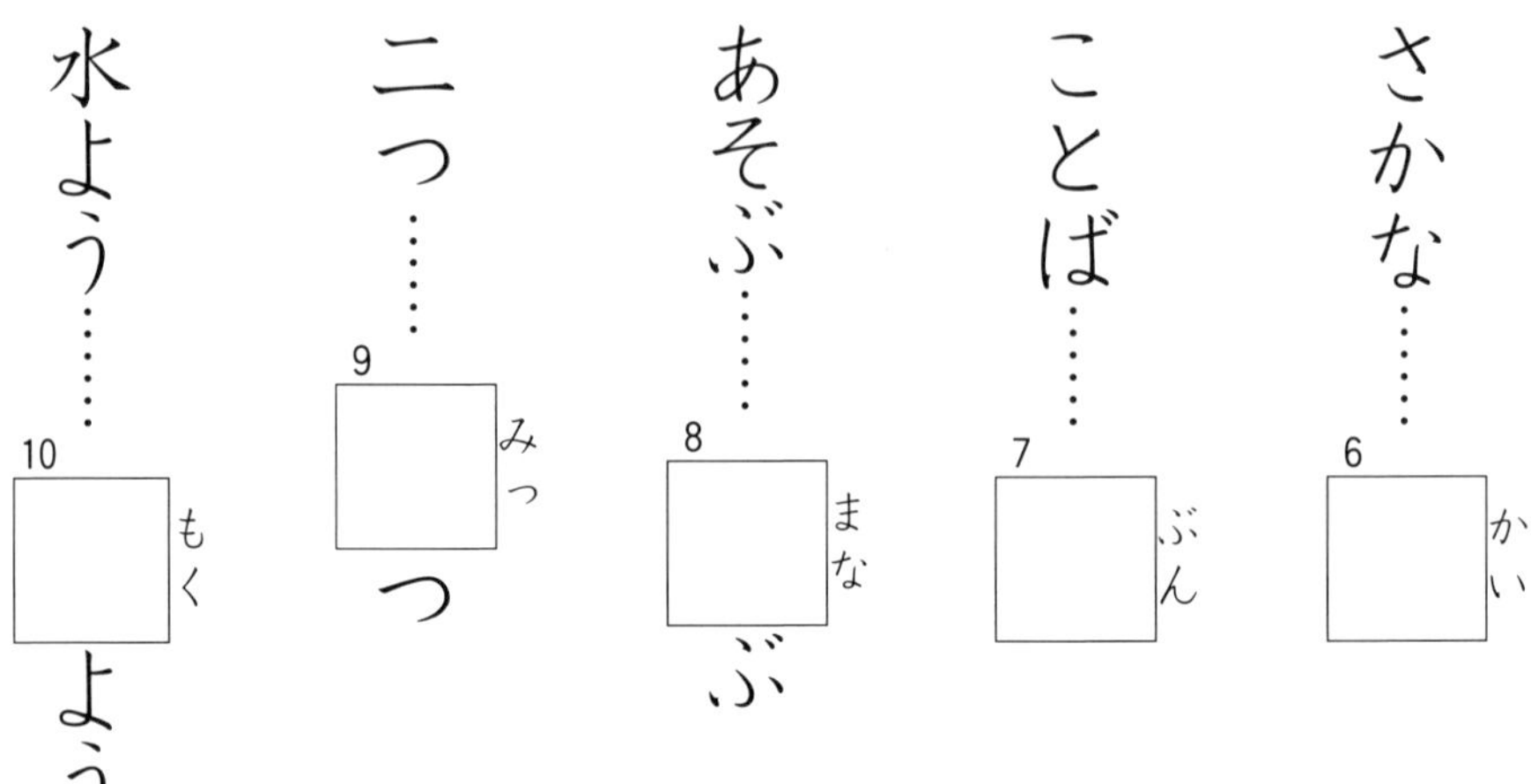

さかな……［6 かい］

ことば……［7 ぶん］

あそぶ……［8 まな］ぶ

二つ……［9 みっ］つ

水よう……［10 もく］よう

2×20＝40

（　　てん）

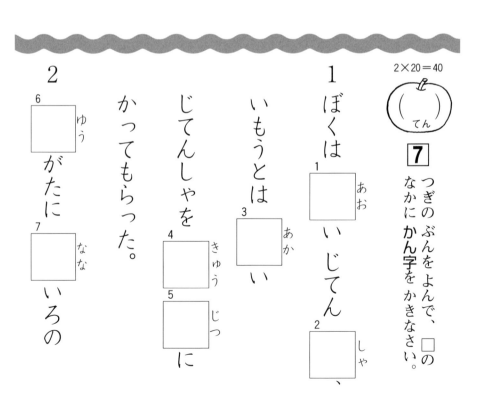

7 つぎの ぶんを よんで、□の なかに かん字を かきなさい。

1 ぼくは ［1 あお］い じてん［2 しゃ］、いもうとは ［3 あか］い じてんしゃを ［4 きゅう］［5 じつ］に かってもらった。

2 ［6 ゆう］がたに ［7 なな］いろの

第4回★テスト

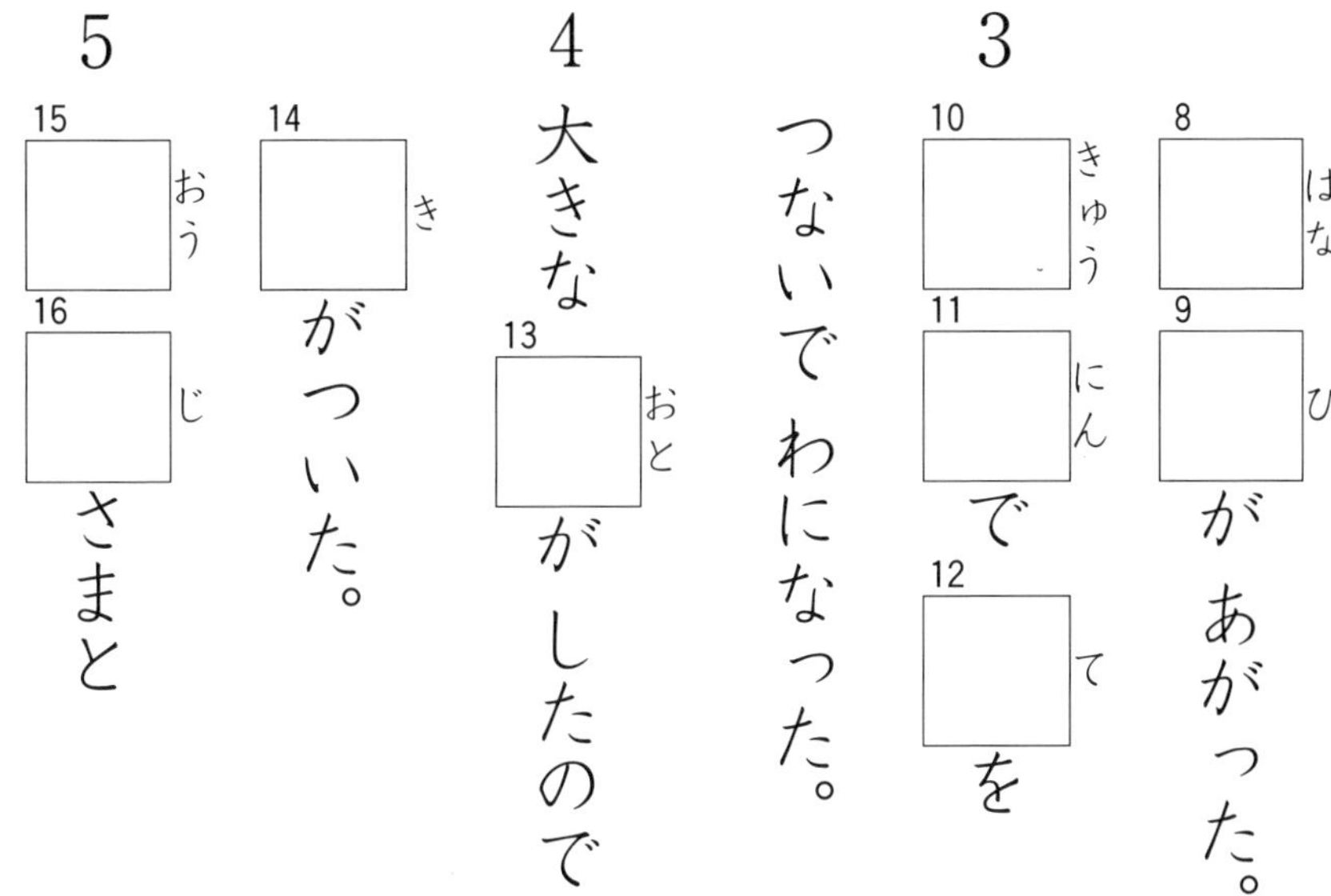

3 [8 はな][9 び]が あがった。
[10 きゅう][11 にん]で [12 て]を
つないで わになった。

4 大きな [13 おと]が したので
[14 き]が ついた。

5 [15 おう][16 じ]さまと

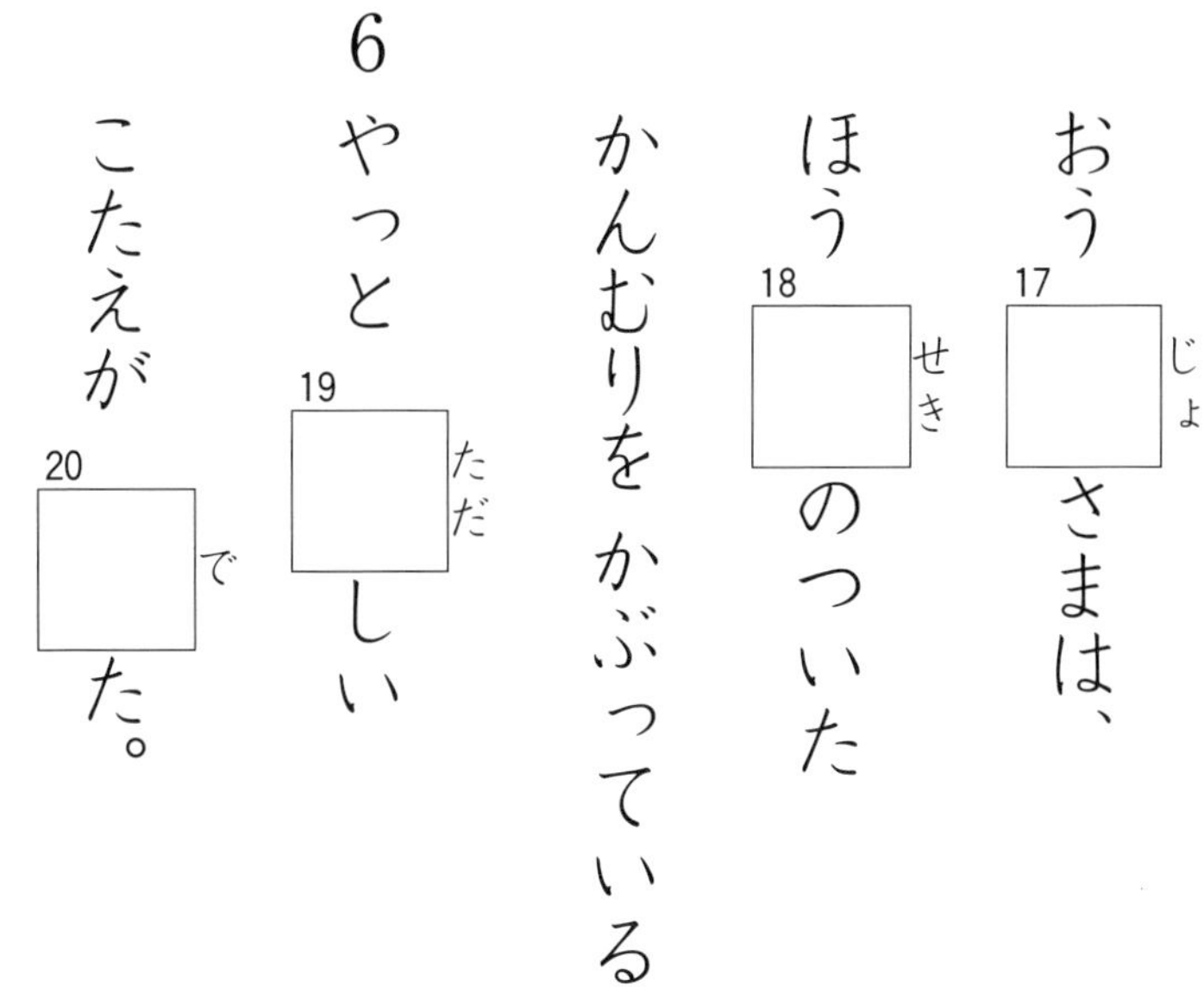

おう[17 じょ]さまは、
ほう[18 せき]のついた
かんむりを かぶっている。

6 やっと [19 ただ]しい
こたえが [20 で]た。

クイズ

シーソー・しーそー

シーソーの りょうはしに かん字が のってい ます。画数(かくすう)の おおいほうが おもいことにします。 さて、シーソーの どちらが さがるでしょうか。

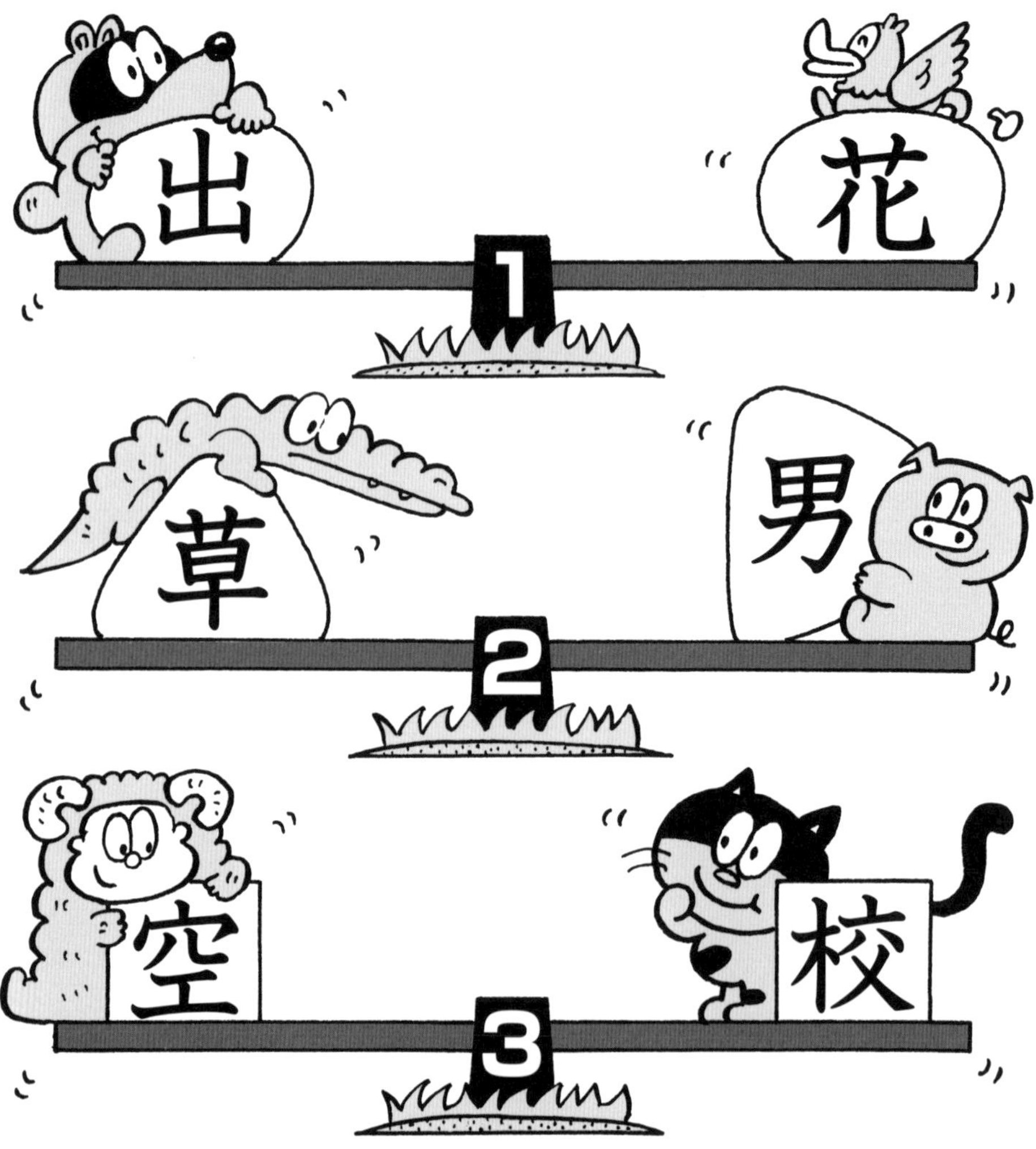

答(こた)えは「テストの答え」の29ページにあります。

クイズ
ことば・コトバ

えを ヒントにして かん字を つくり、かん字まじりの ことばに しましょう。99ページからのかん字表(ひょう)を さんこうにしても かまいません。

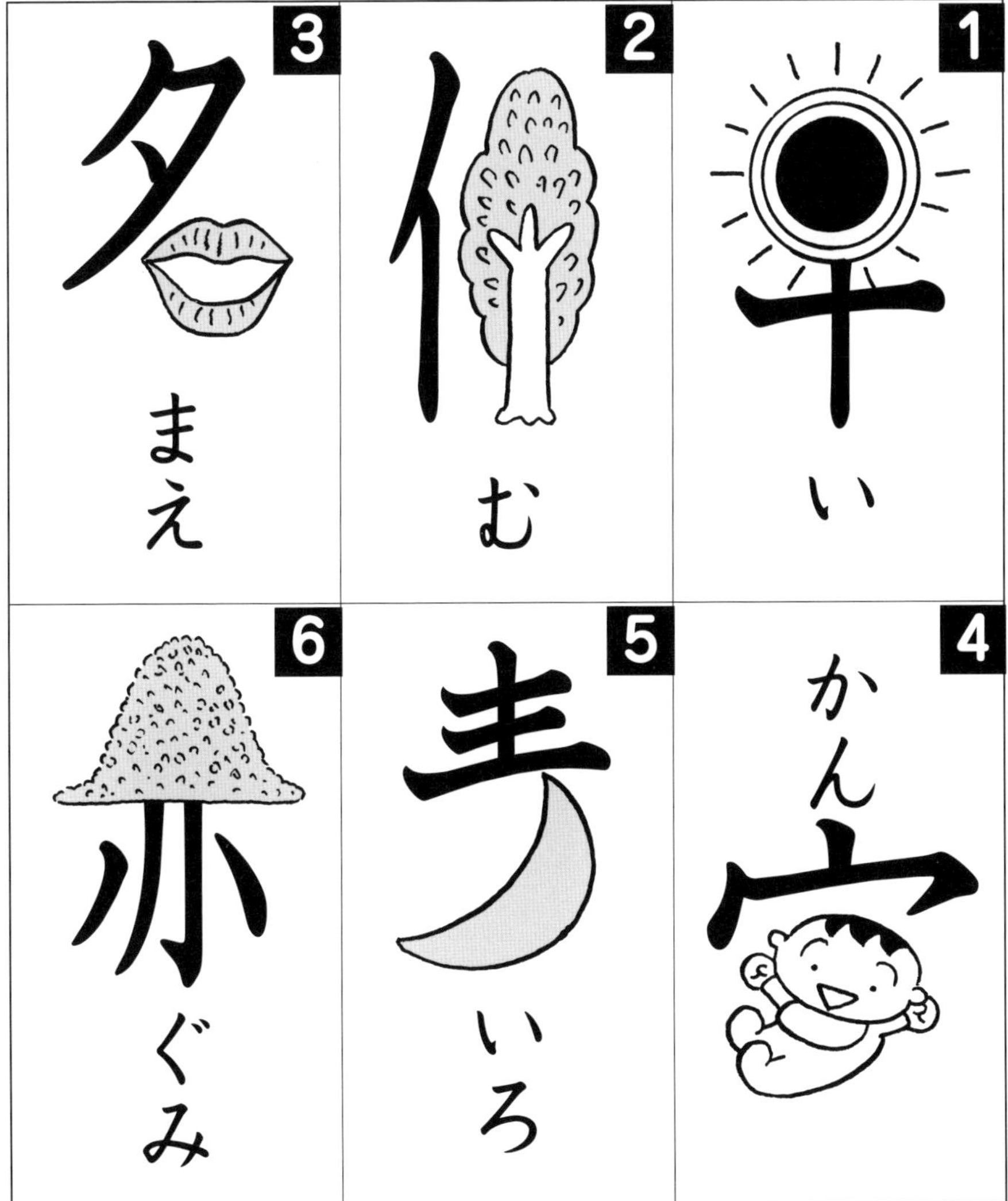

答(こた)えは「テストの答え」の29ページにあります。

第5回★テスト【40分】

●150てん まんてん
●120てん いじょう ごうかく
■ただしい答(こた)えは べっさつの10ページ

ごうけい とくてん
（　　）てん

2×20＝40
（　　）てん

1

つぎのぶんをよんで、――せんのかん字のよみがなを――せんのみぎにかきなさい。

1 二月[1]十一日の あさ九[2]じに 入学[3]しけんが はじまる。

2 千円[4]わたして 六百円[5]の おつりを もらった。

3 年[6]を とって かみのけが 白[7]い おじいさんは アユつりの 名人[8]で 手本[9]を みせてくれた。

4 草[10]が しげり 大木[11]の はえた

林[12]をあるきまわったら、目[13]まいがして立[14]てないのでしばらく休[15]んだ。

5 つよい力[16]で木[17]を二[18]つにおった。

6 にいさんは文学[19]を学[20]んでいる。

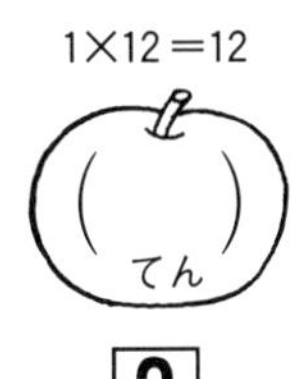

2 つぎの かん字の ふといところは なんばんめに かきますか。○の なかに すう字を かきなさい。

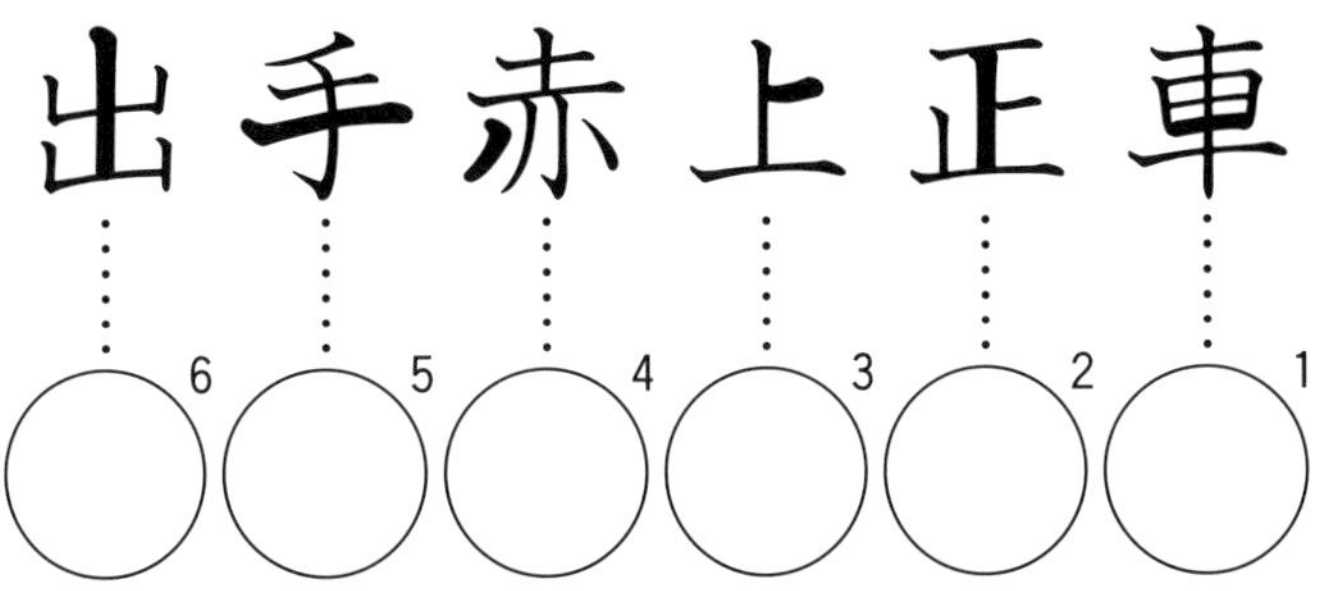

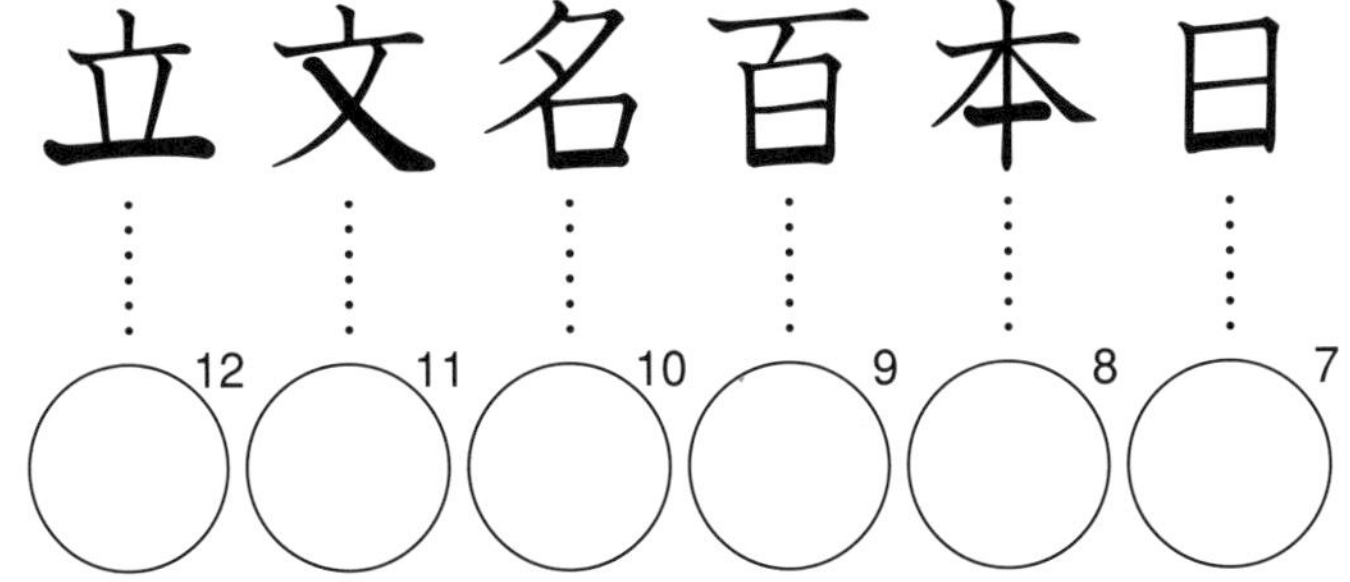

2×8＝16

（　　）てん

3 つぎのぶんをよんで、——せんのかん字のよみがなを——せんのみぎにかきなさい。

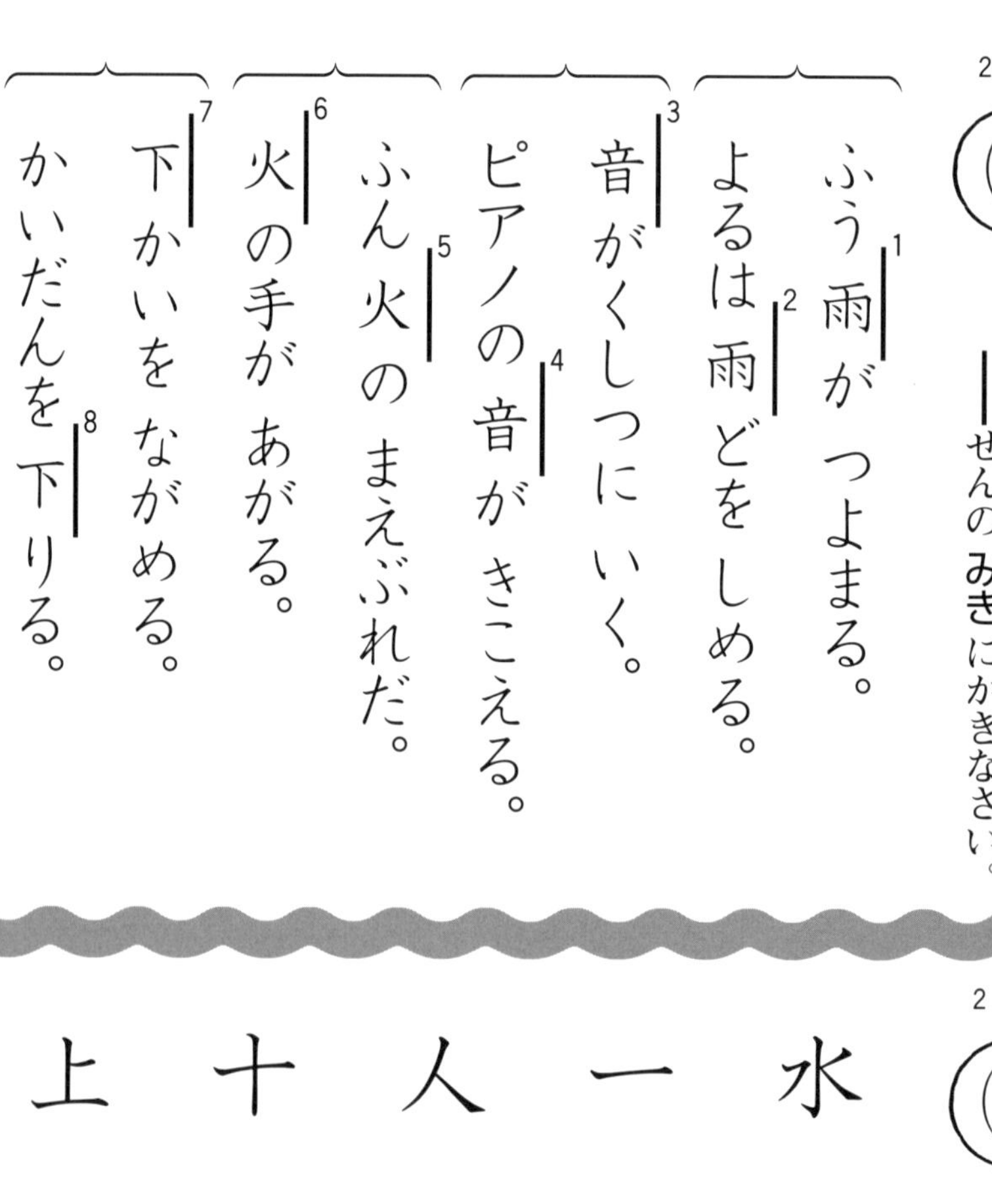

1 ふう雨がつよまる。

2 よるは雨どをしめる。

3 音がくしつにいく。

4 ピアノの音がきこえる。

5 ふん火のまえぶれだ。

6 火の手があがる。

7 下かいをながめる。

8 かいだんを下りる。

2×5＝10

（　　）てん

4 つぎのことばのよみがなでただしいほうのばんごうに○をつけなさい。

1 水力
1 すいりき
2 すいりょく

2 一生
1 いっしょう
2 いっせい

3 人人
1 ひとひと
2 ひとびと

4 十年
1 じゅうねん
2 ぢゅうねん

5 上手
1 じょうず
2 じょおず

10級 第5回★テスト

2×6＝12 （　　）てん

5 □に ひらがなを 一字かいて、つぎの ことばの よみを こたえなさい。

六つ……1□っつ

八人……は2□にん

森林……し3□4□ん

青いろ……あ5□いろ

生と……6□いと

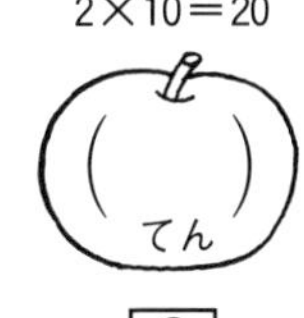

2×10＝20 （　　）てん

6 つぎの □の なかに かん字を かきなさい。

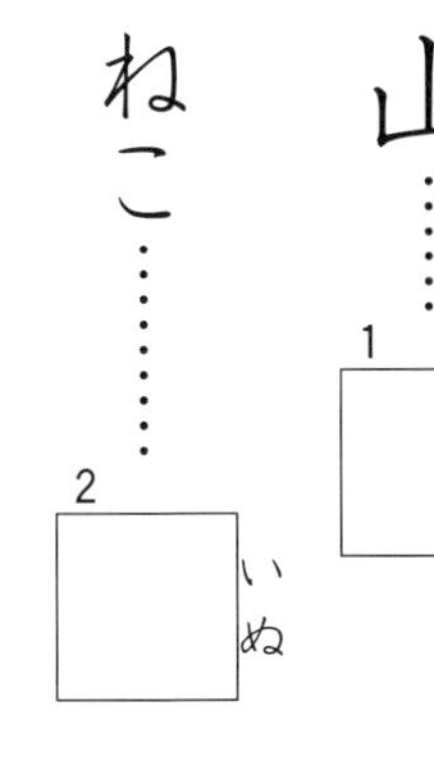

山……1□（かわ）

ねこ……2□（いぬ）

はな……3□（くち）

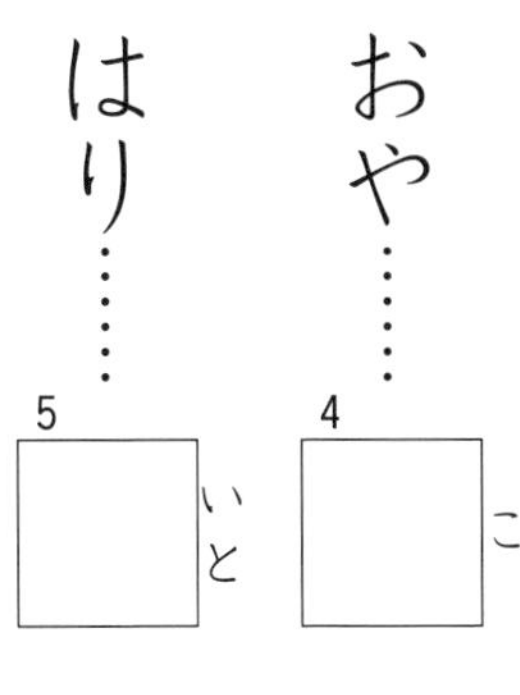

おや……4□（こ）

はり……5□（いと）

ぎん……6□（きん）

きく……7□（み）る

三つ……8□（よっ）つ

おとこ……9□（おんな）

けらい……10□（おう）さま

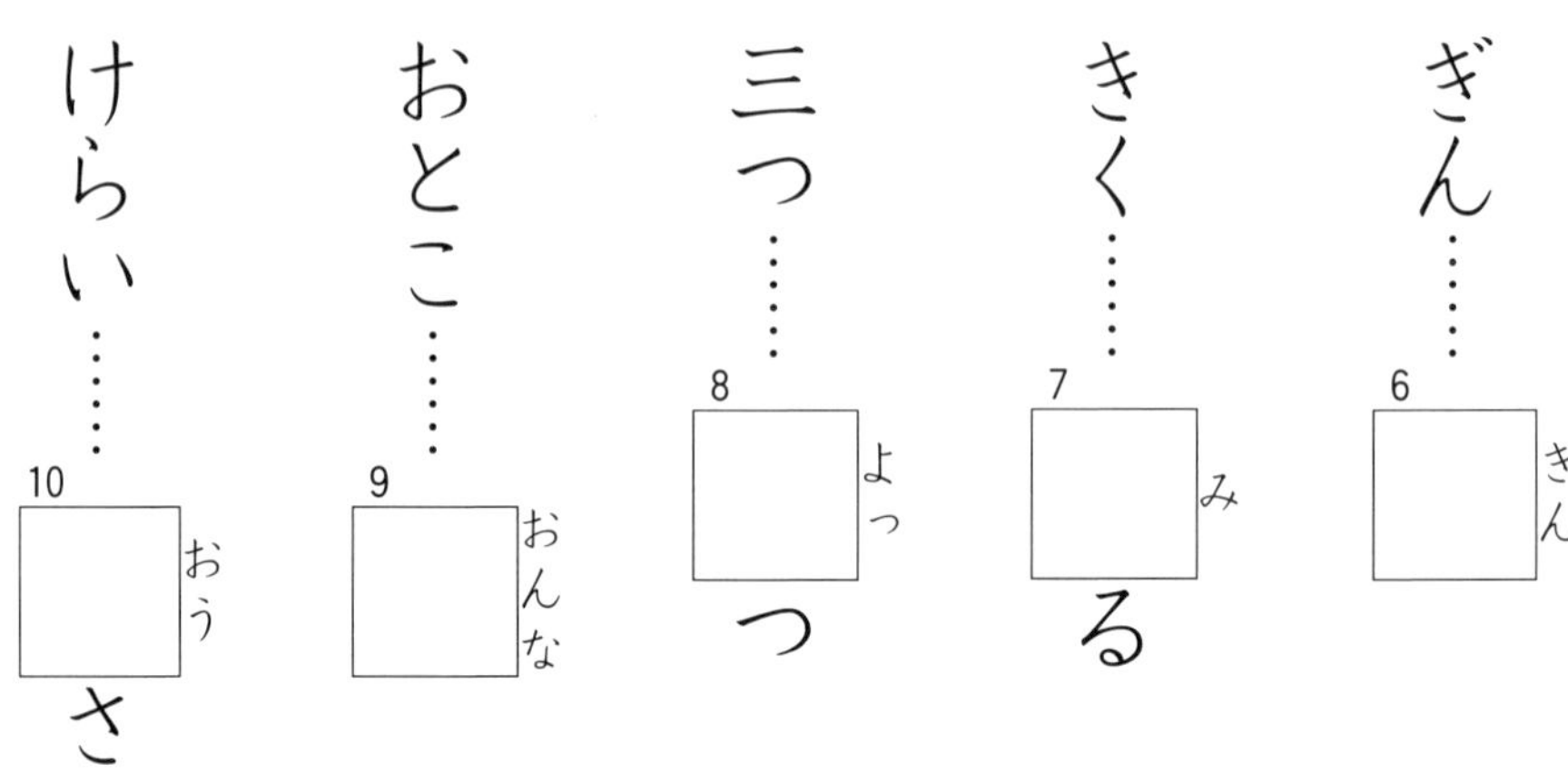

2×20＝40

（　　　てん）

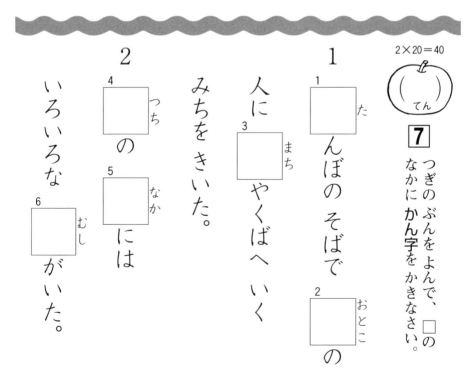

7 つぎのぶんをよんで、□のなかに**かん字**をかきなさい。

1　1□（た）んぼの そばで 2□（おとこ）の 人に 3□（まち）やくばへ いく みちを きいた。

2　4□（つち）の 5□（なか）には いろいろな 6□（むし）が いた。

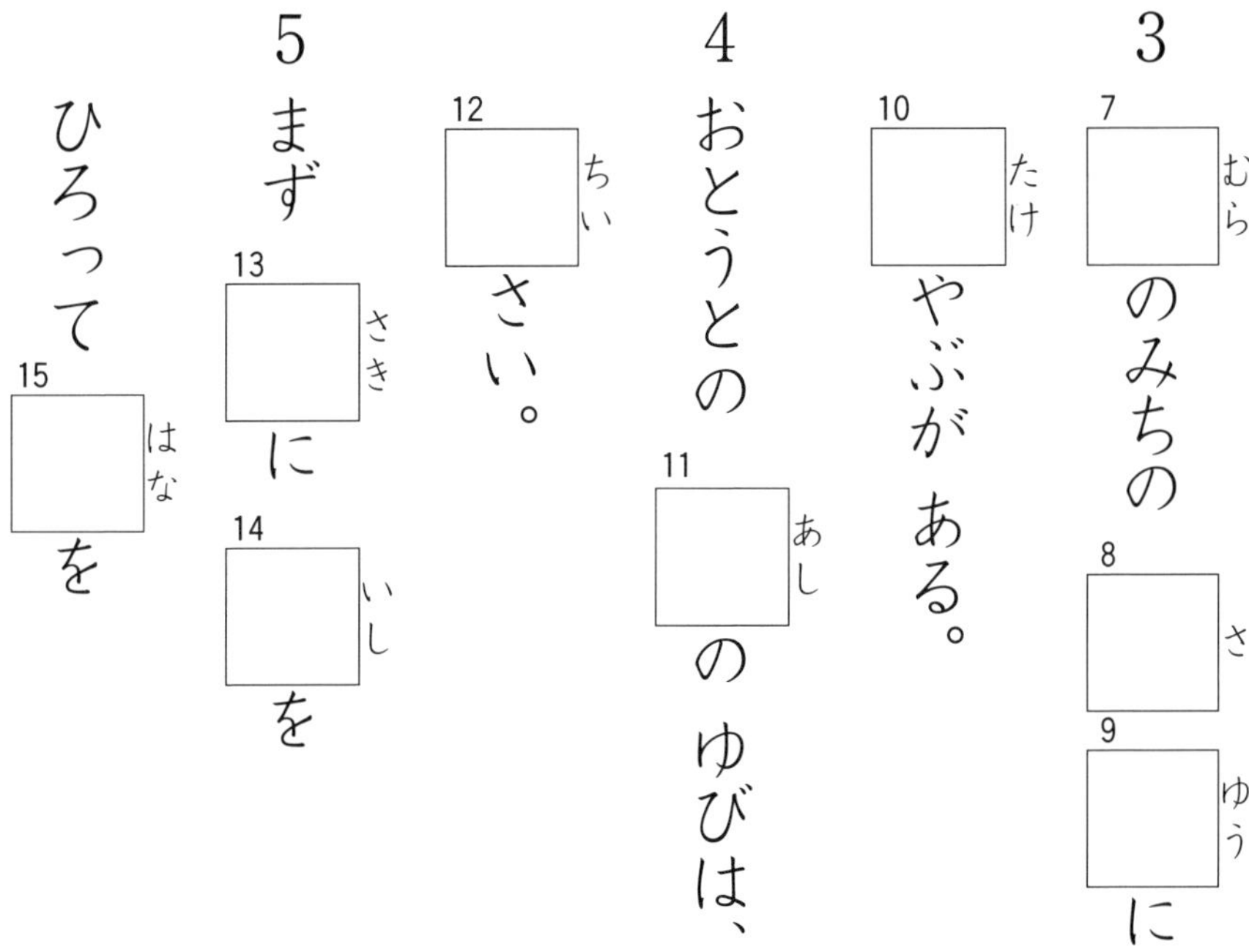

3 7□(むら)のみちの8□(さ)9□(ゆう)に10□(たけ)やぶがある。

4 おとうとの11□(あし)のゆびは、12□(ちい)さい。

5 まず13□(さき)に14□(いし)を ひろって15□(はな)を

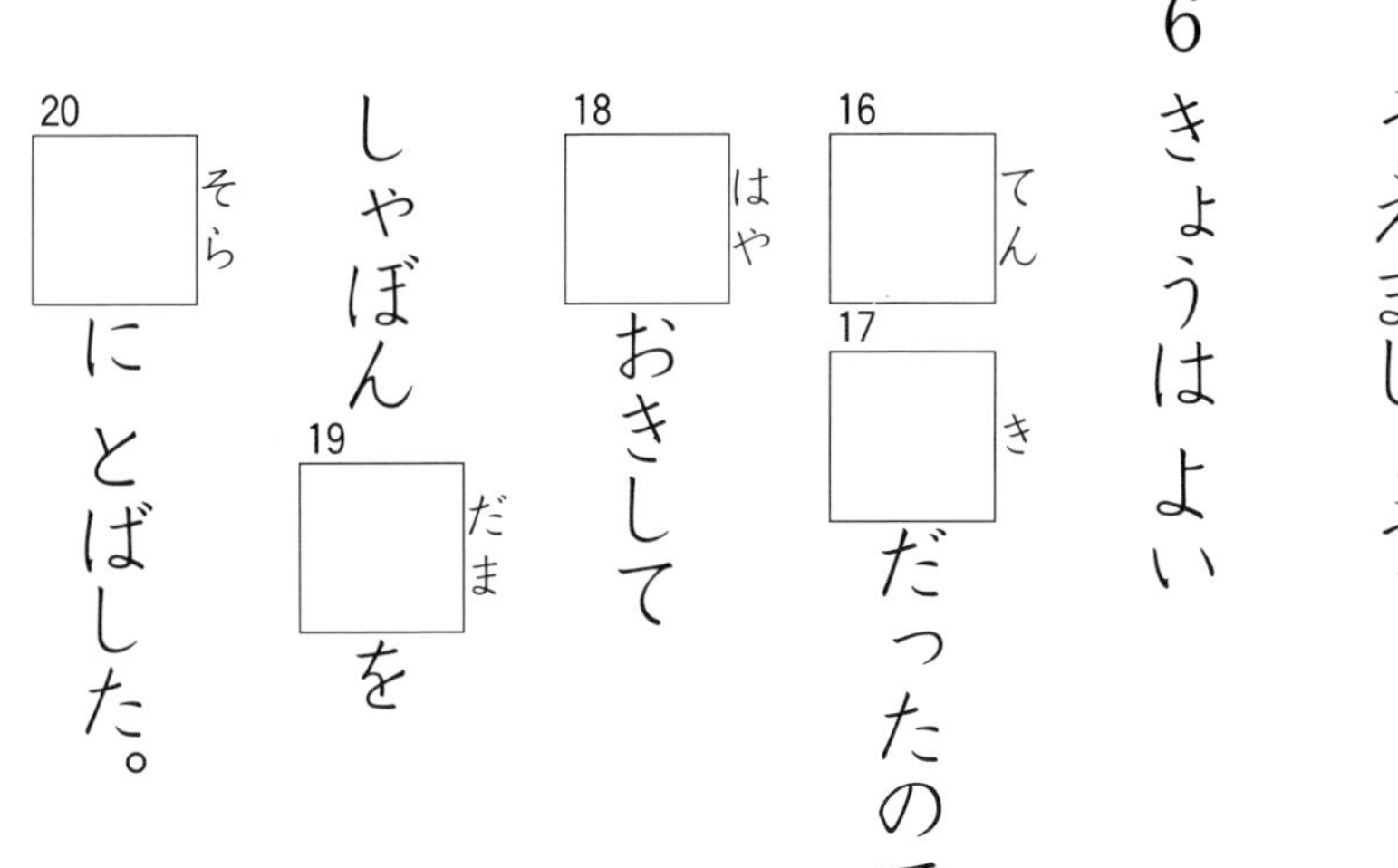

うえましょう。

6 きょうはよい16□(てん)17□(き)だったので18□(はや)おきして しゃぼん19□(だま)を20□(そら)にとばした。

10級

第6回★テスト【40分】

●150てん まんてん
●120てん いじょう ごうかく
■ただしい答(こた)えは べっさつの12ページ

ごうけい とくてん
（　　　）てん

2×20＝40
（　　）てん

1 つぎの ぶんを よんで、――せんの かん字の よみがなを ――せんの みぎに かきなさい。

1　[1]一年は [2]十二か[3]月に わかれて いる。

2　[4]六さいの たん[5]生日に もらった じてん[6]車で、さかみちを げん[7]気に かけ[8]下りた。

3　[9]貝がらを [10]糸で つないで くびかざりを つくる。

4　[11]水中に もぐって [12]小石を

ひろった。

5 学校[13]の 休けい[14]じかんに 手を[15]つないで おどっていた 子ども[16]たちは 二人[17]とも 左[18]ききだ。

6 おかあさんに いき先[19]を いってから 出[20]かける。

1×12＝12

（　　）てん

2 つぎの かん字の ふといところは なんばんめに かきますか。◯の なかに すう字を かきなさい。

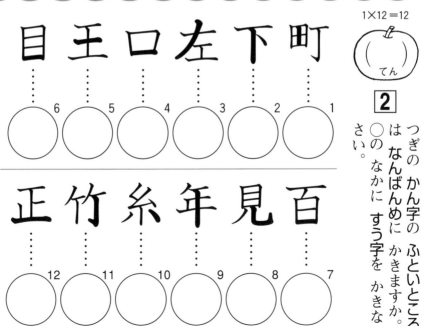

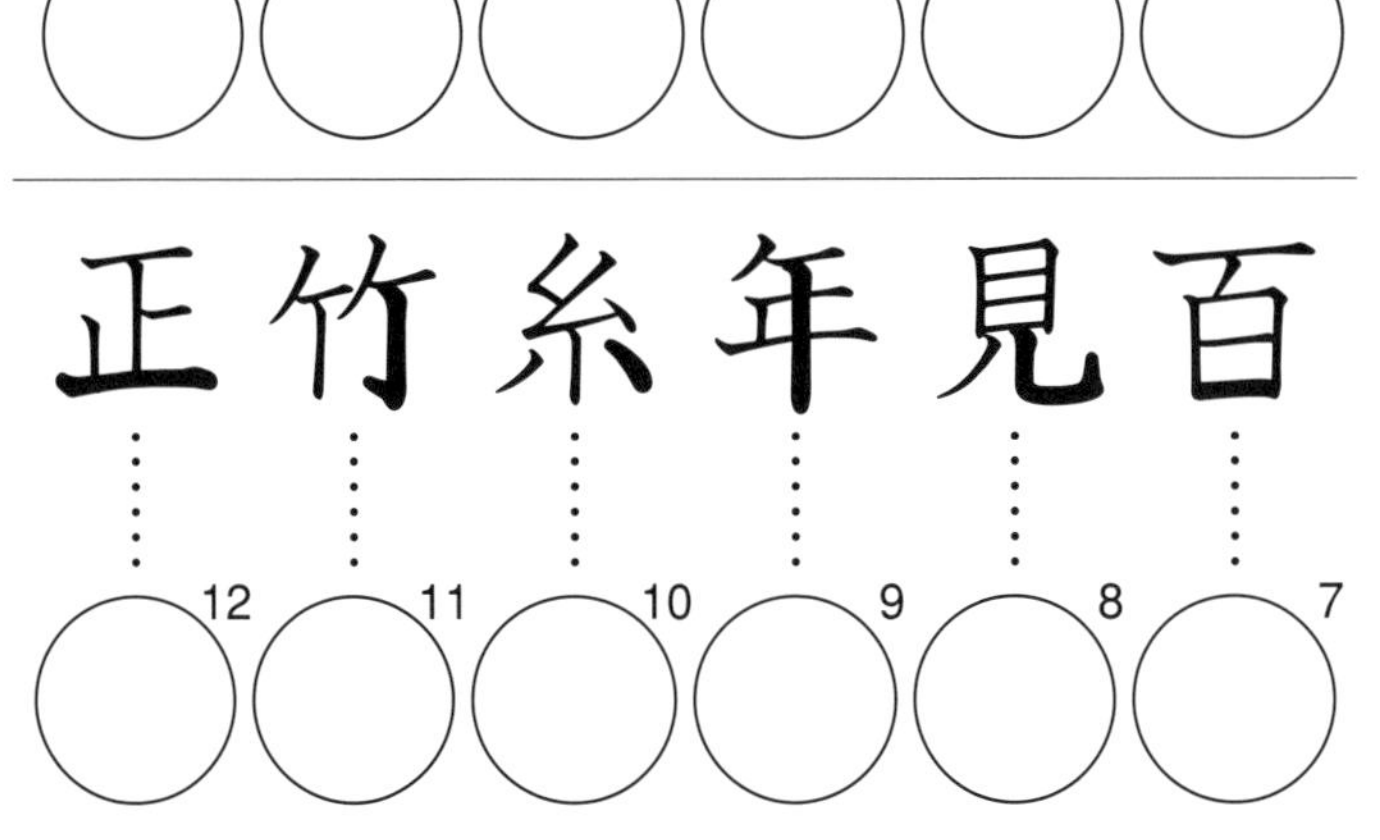

2×8＝16

（　　てん）

3 つぎの ぶんを よんで、━せんの かん字の よみがなを ━せんの みぎに かきなさい。

1 三かくじょうぎを 出す。

おにぎりが 2 三つ ある。

えん 3 足で うみに いく。

4 足が ぼうに なった。

ばん 5 犬が よく ほえる。

うちの 6 犬は かしこい。

たからを 7 金こに しまう。

お 8 金を あずける。

2×5＝10

（　　てん）

4 つぎの ことばの よみがなで ただしいほうの ばんごうに ○を つけなさい。

名手

1 1 めいしゅ　2 めえしゅ

七百

2 1 なのひゃく　2 ななひゃく

大空

3 1 おうぞら　2 おおぞら

火花

4 1 ひばな　2 ひはな

九本

5 1 きゅうほん　2 きゆうぼん

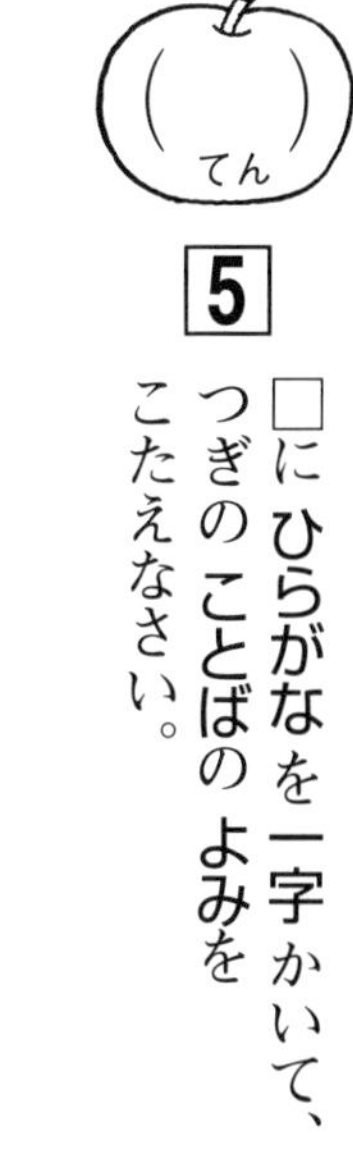

2×6＝12

（　　　）てん

5

□に ひらがなを 一字かいて、つぎの ことばの よみを こたえなさい。

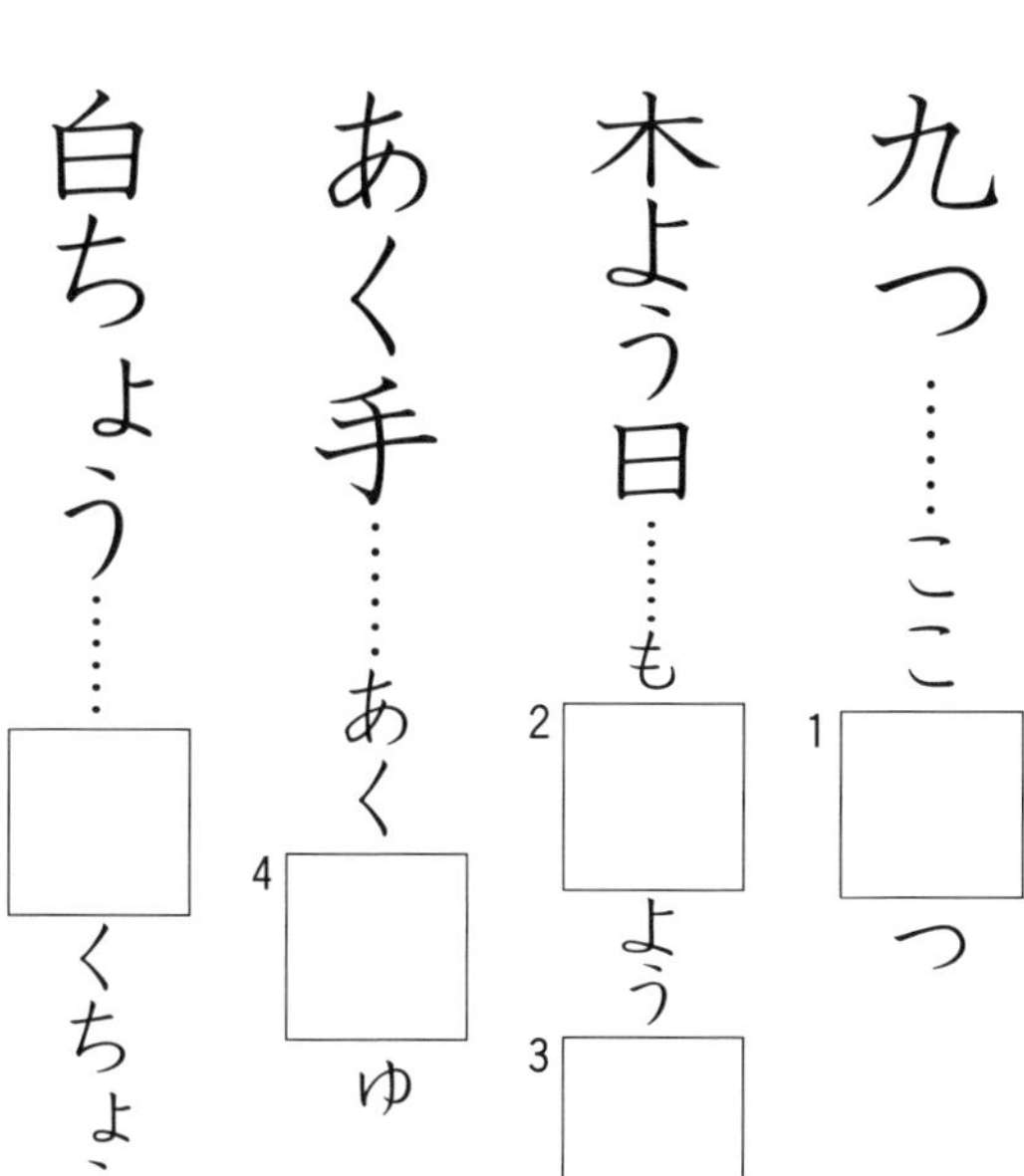

九つ……ここ 1□ つ

木よう日……も 2□ よう 3□

あく手……あく 4□ ゆ

白ちょう……5□ くちょう

竹の子……6□ けのこ

2×10＝20

（　　　）てん

6

つぎの □の なかに かん字を かきなさい。

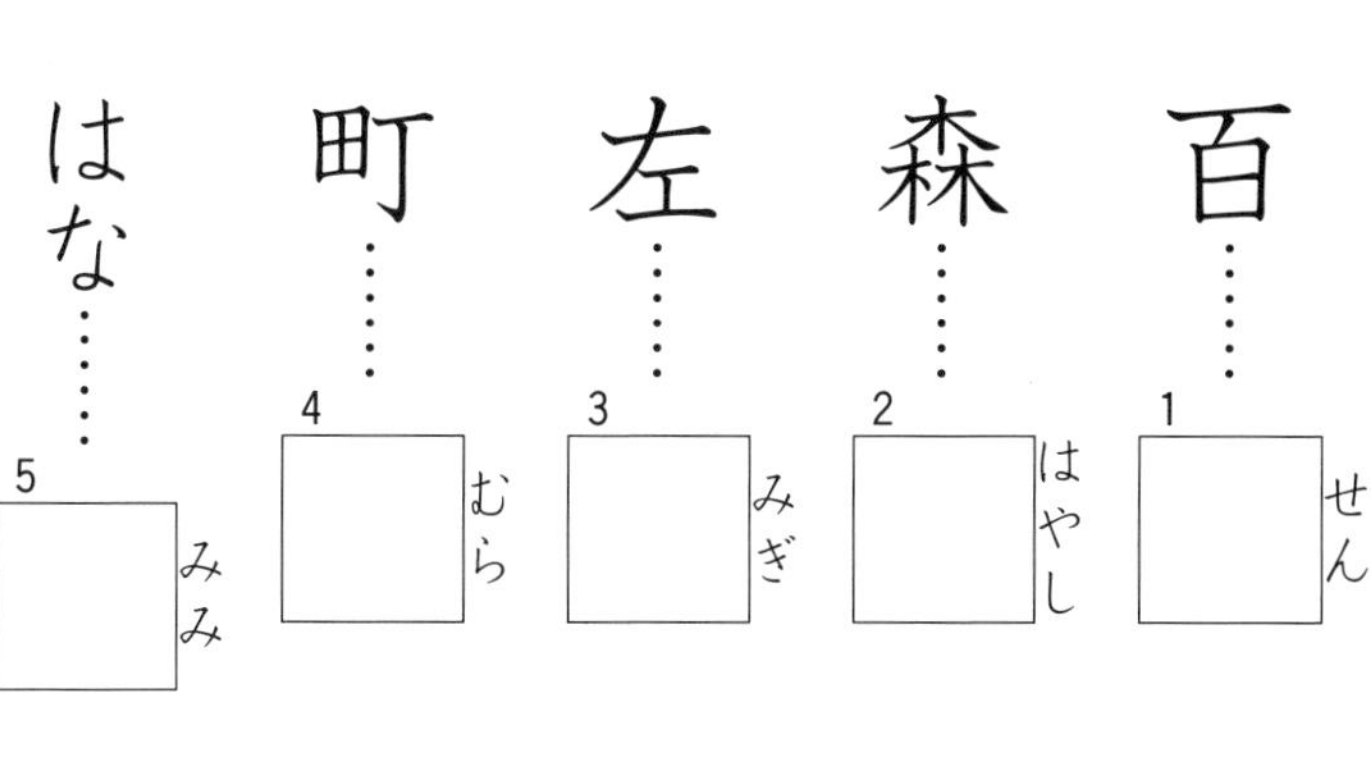

百……1□（せん）

森……2□（はやし）

左……3□（みぎ）

町……4□（むら）

はな……5□（みみ）

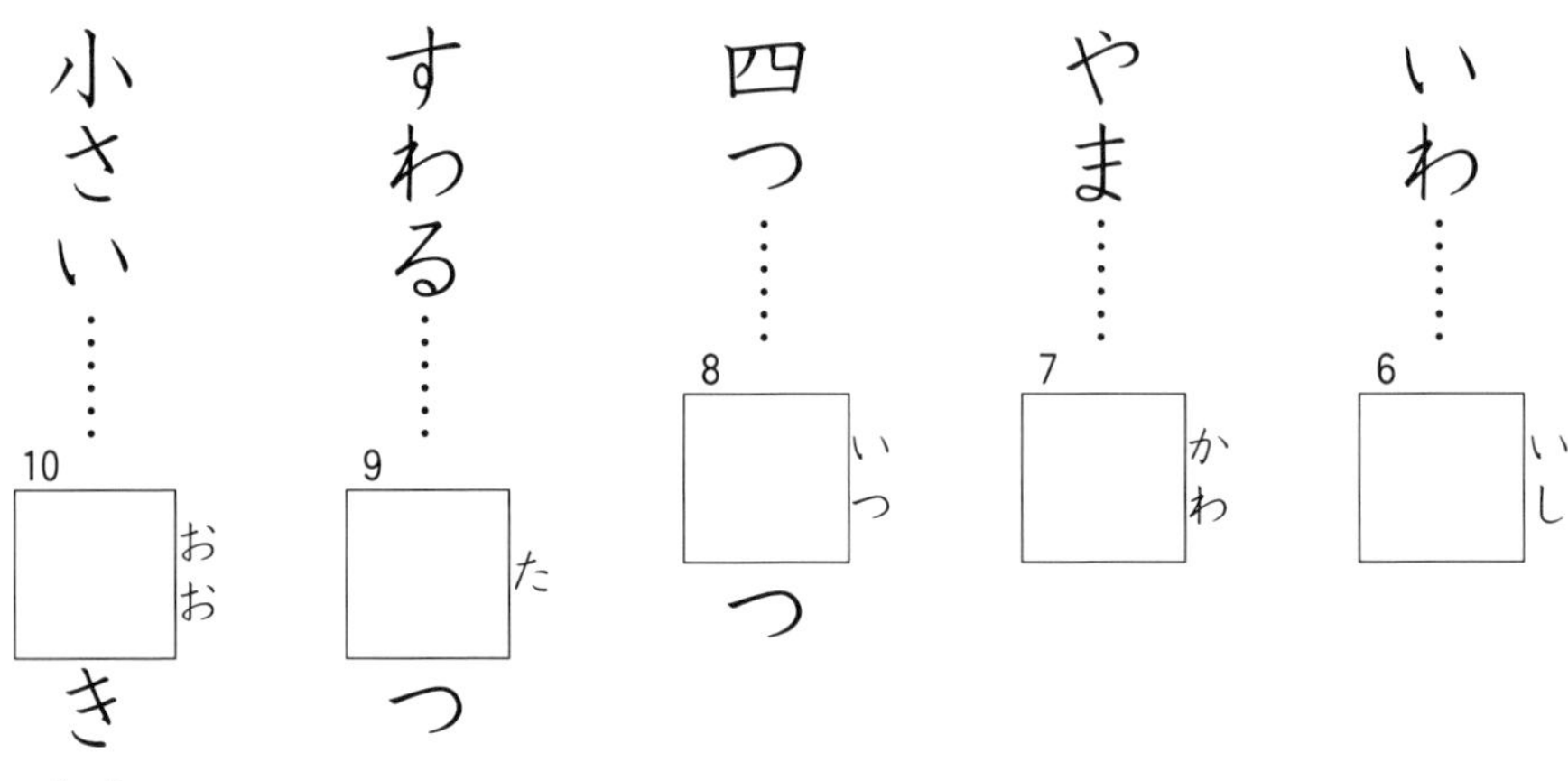
いわ……6 □（いし）
やま……7 □（かわ）
四つ……8 □（いつ）つ
すわる……9 □（た）つ
小さい……10 □（おお）きい

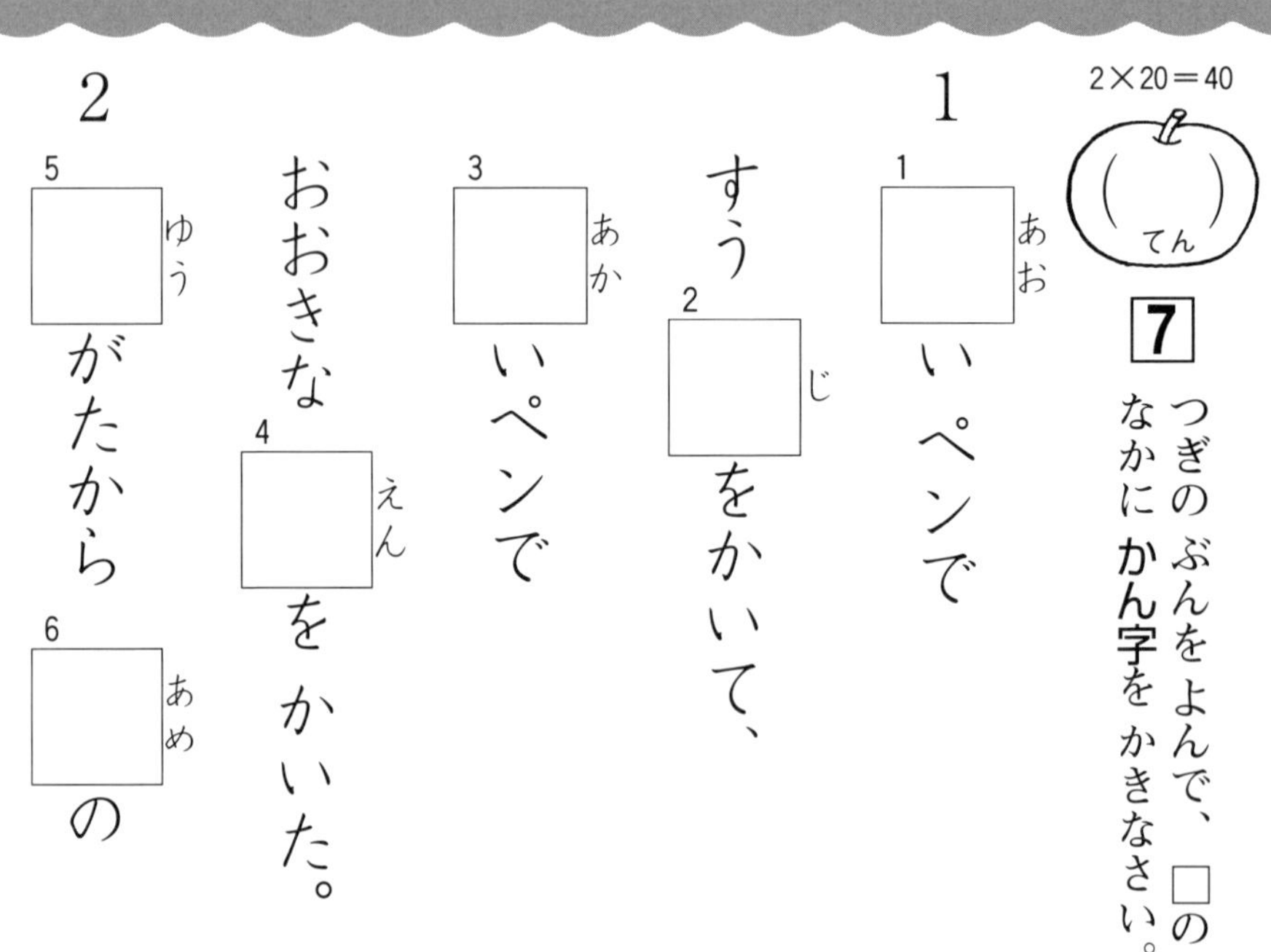
2×20＝40
（　　）てん
7
つぎの ぶんを よんで、□の なかに かん字を かきなさい。
1
1 □（あお）いペンで
すう
2 □（じ）をかいて、
3 □（あか）いペンで
おおきな
4 □（えん）をかいた。
2
5 □（ゆう）がたから
6 □（あめ）の

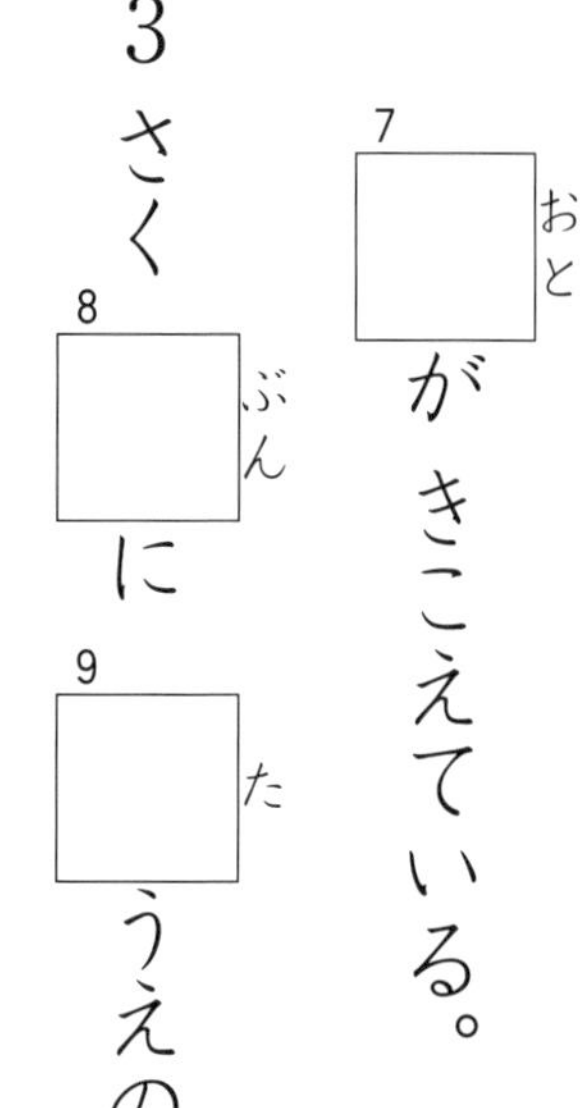

7□（おと）がきこえている。

3 さく8□（ぶん）に9□（た）うえの
ことをかいた。

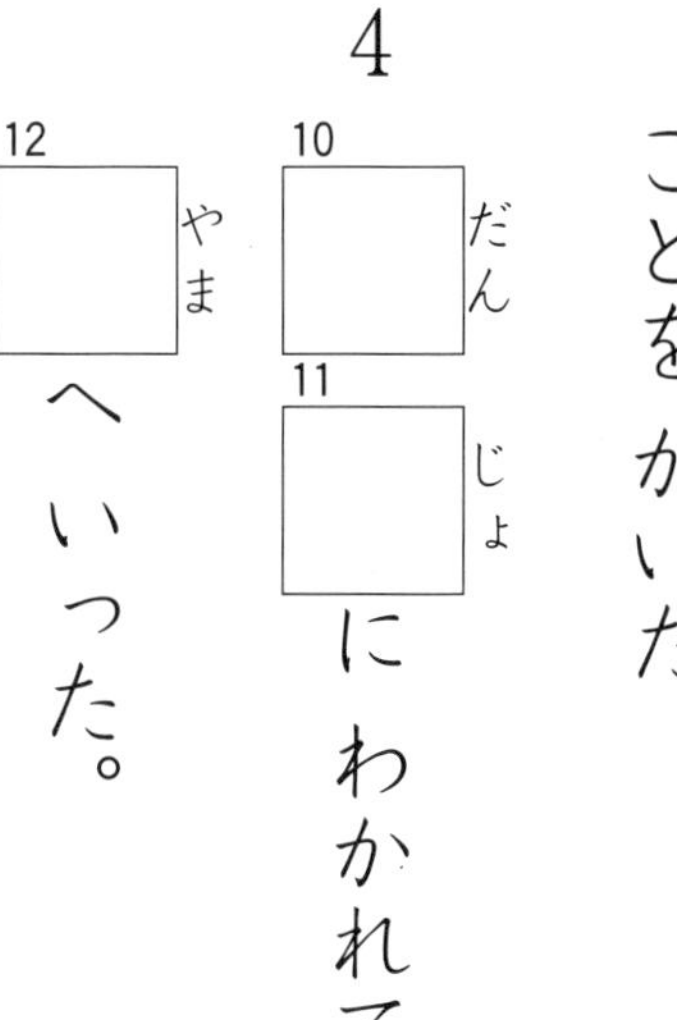

4 10□（だん）11□（じょ）にわかれて
12□（やま）へいった。

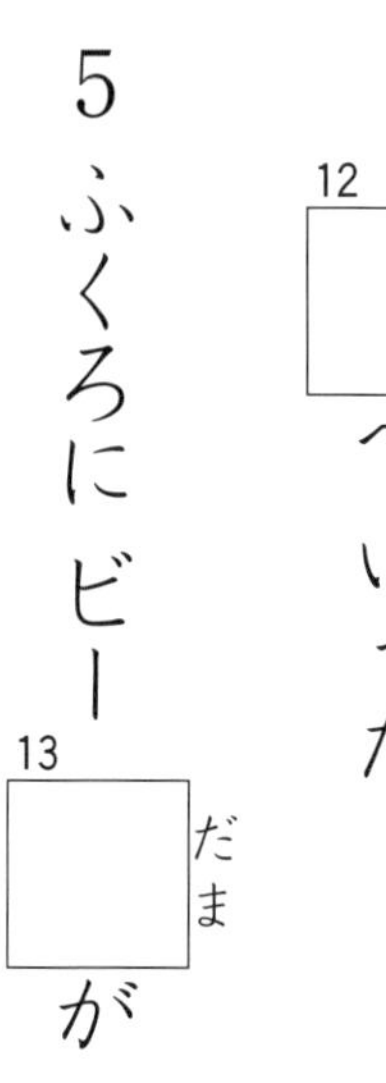

5 ふくろにビー13□（だま）が

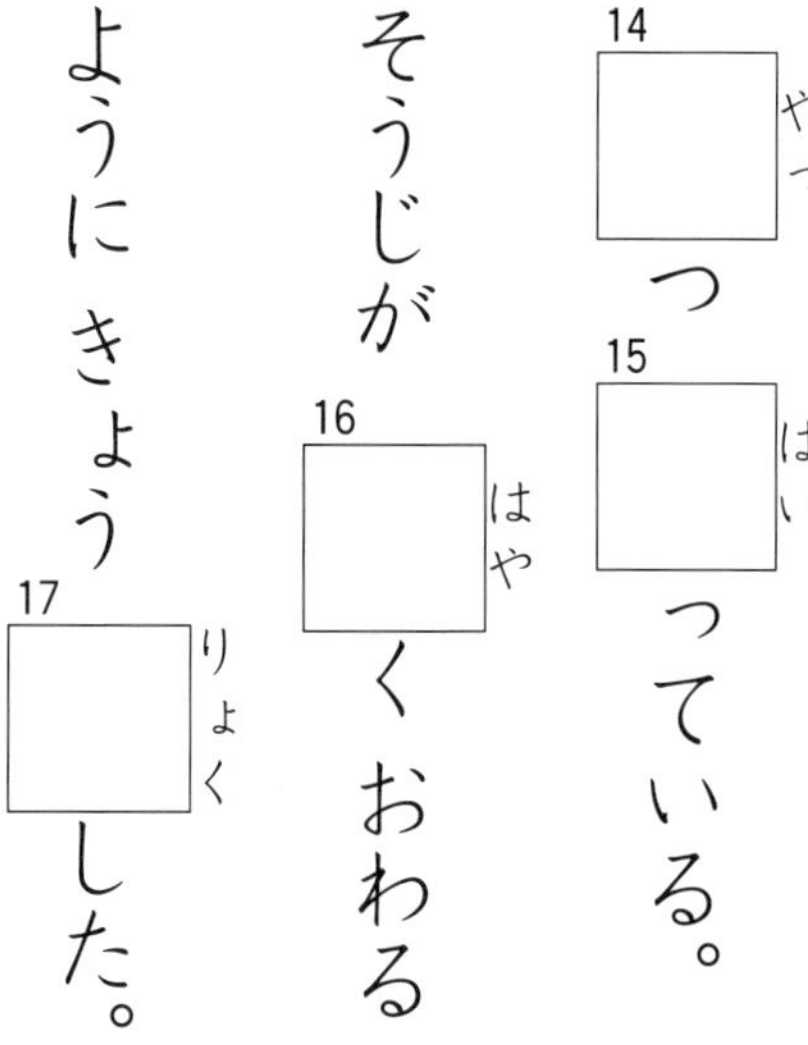

14□（やっ）つ15□（はい）っている。

6 そうじが16□（はや）くおわる
ようにきょう17□（りょく）した。

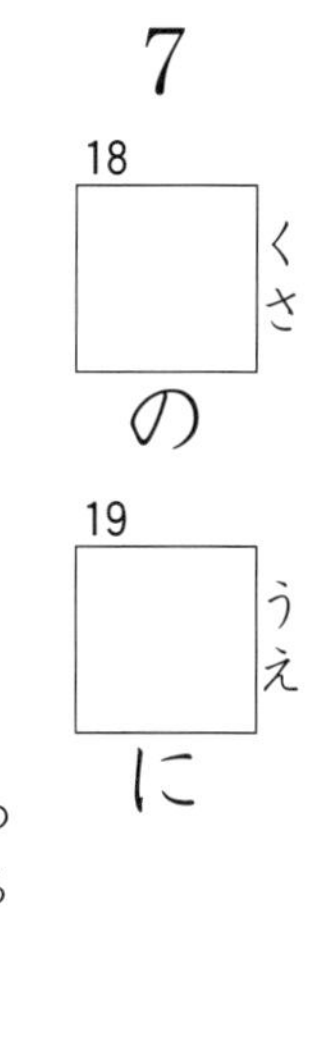

7 18□（くさ）の19□（うえ）に
ねころがると20□（つち）の

においがした。

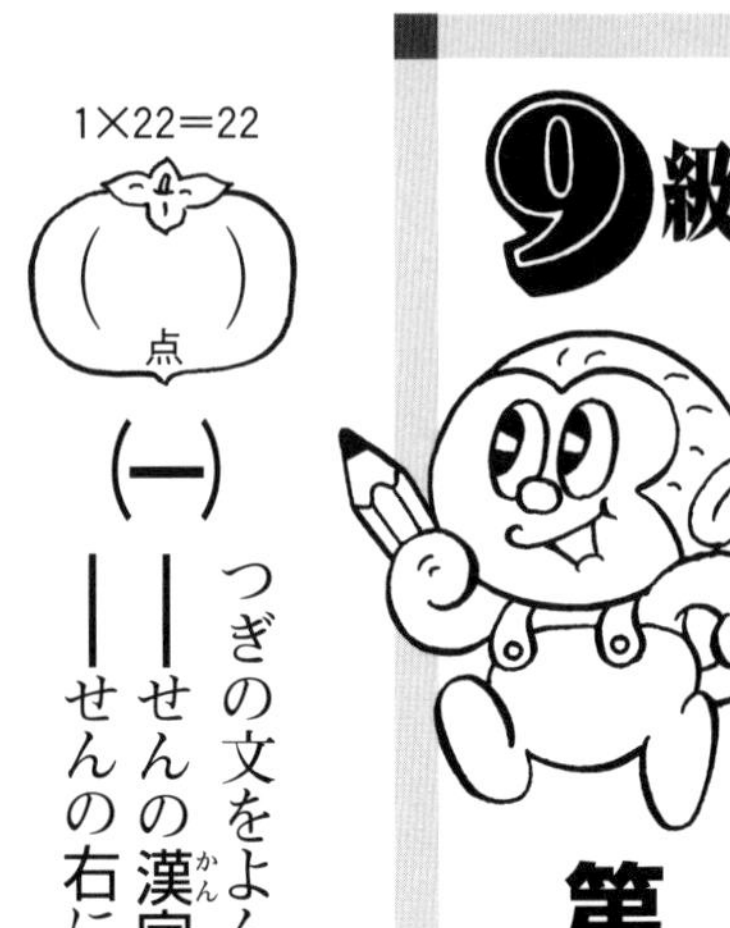

9級 第1回★テスト（40分）

◇合計点◇

（　　点）

150点まん点
120点いじょう ごうかく

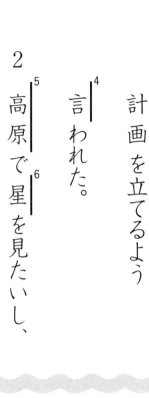

1×22＝22

（　　点）

（一）

つぎの文をよんで、――せんの漢字のよみがなを――せんの右にかきなさい。

1 [1]父さんから、[2]夏休みの[3]計画を立てるよう[4]言われた。

2 [5]高原で[6]星を見たいし、[7]海へもいきたい。[8]絵もかきたいし、アニメのえい[9]画も見たい。

3 [10]楽しいことがいっぱいだ。

4 [11]家の[12]近くの[13]公園で

ぞうの顔[14]ににている
岩石[15]を見つけた。

5 ちょうが羽[16]を広[17]げて
とんでいる。遠[18]くの
山には雲[19]がかかっている。

6 今日[20]は何回[21]も
校歌[22]のれんしゅうをした。

1×10=10

点

(二) つぎの漢字(かん)のふといところはなんばんめにかきますか。○の中にすう字をかきなさい。

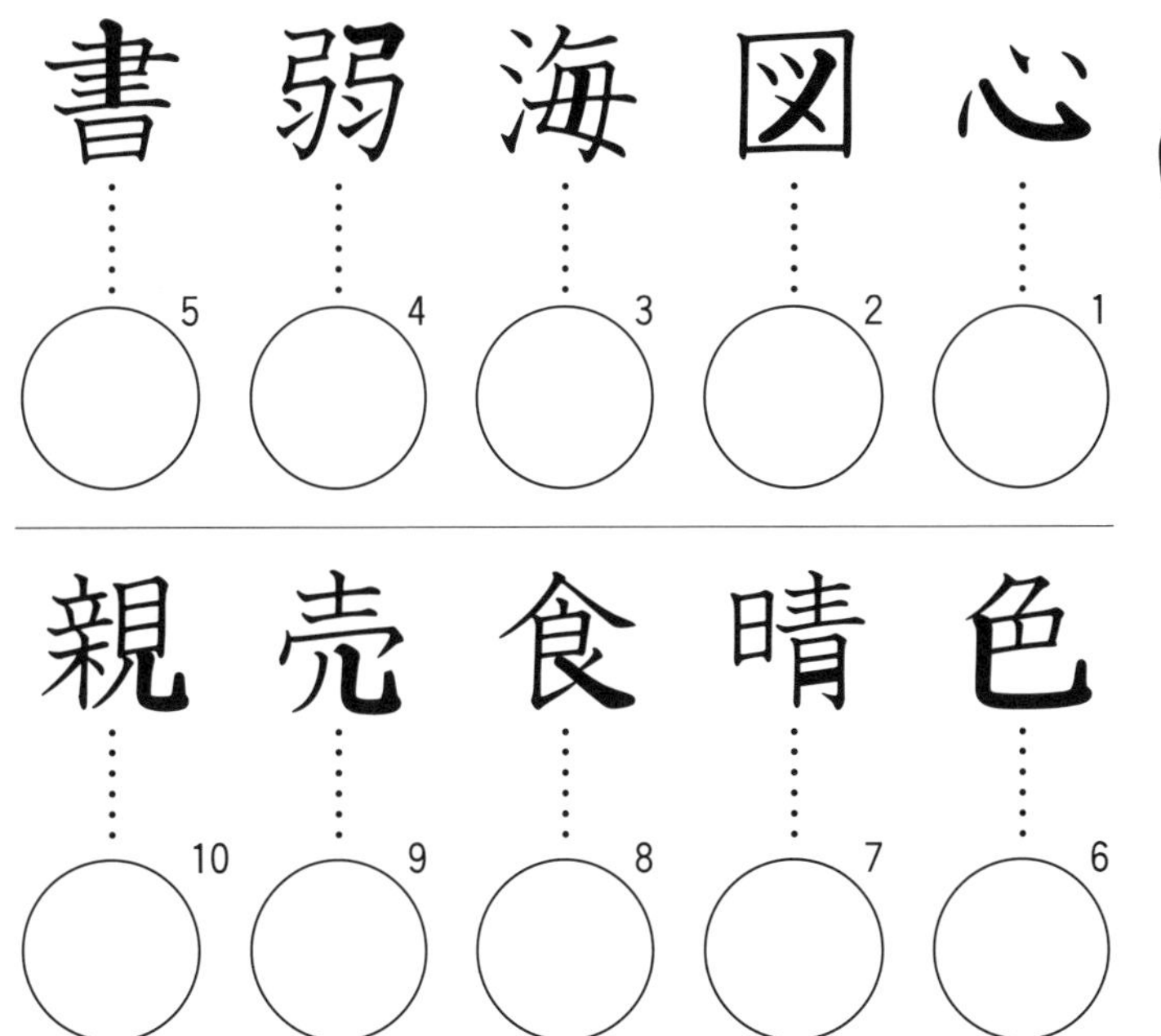

1×8＝8
（　　）点

㈢ □の中にひらがなを一字かいて、つぎのことばのよみをこたえなさい。

（れい　上下……じょ[う]げ）

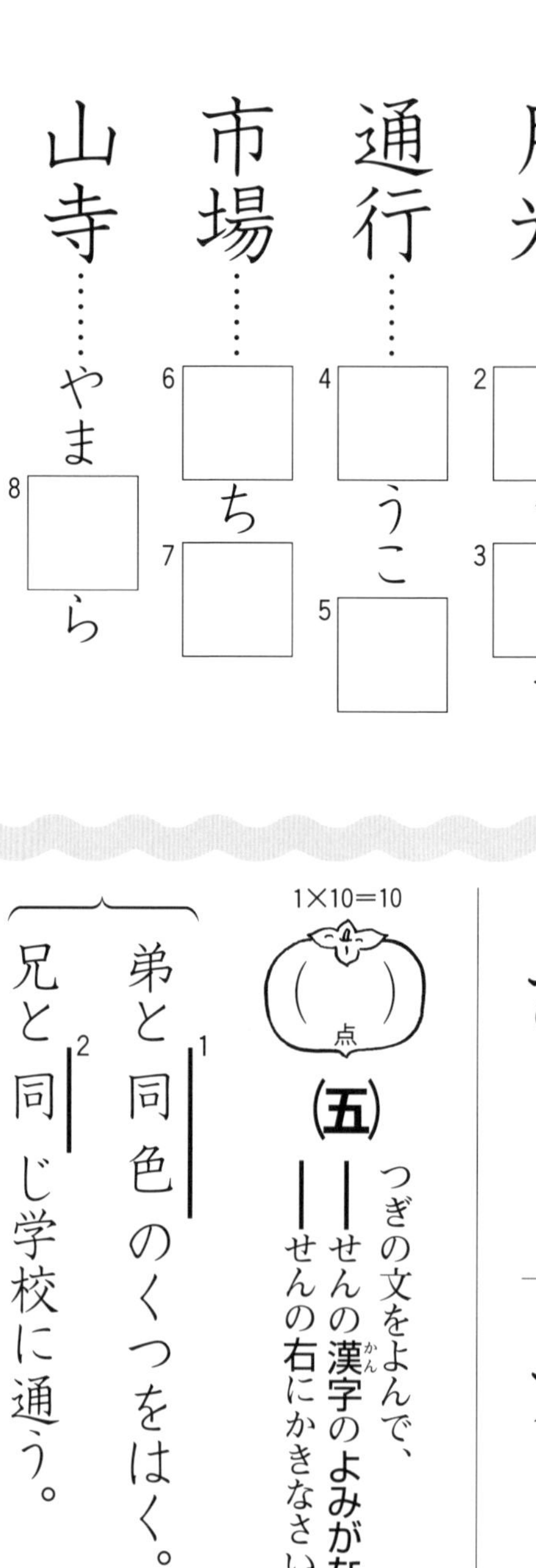

作文……さ[1]ぶん
月光……[2]っ[3]う
通行……[4]うこ[5]
市場……[6]ち[7]
山寺……やま[8]ら

1×4＝4
（　　）点

㈣ ○のところは、はねるか、とめるか、ただしいかきかたで○の中にかきなさい。

（れい　字→字　手→手）

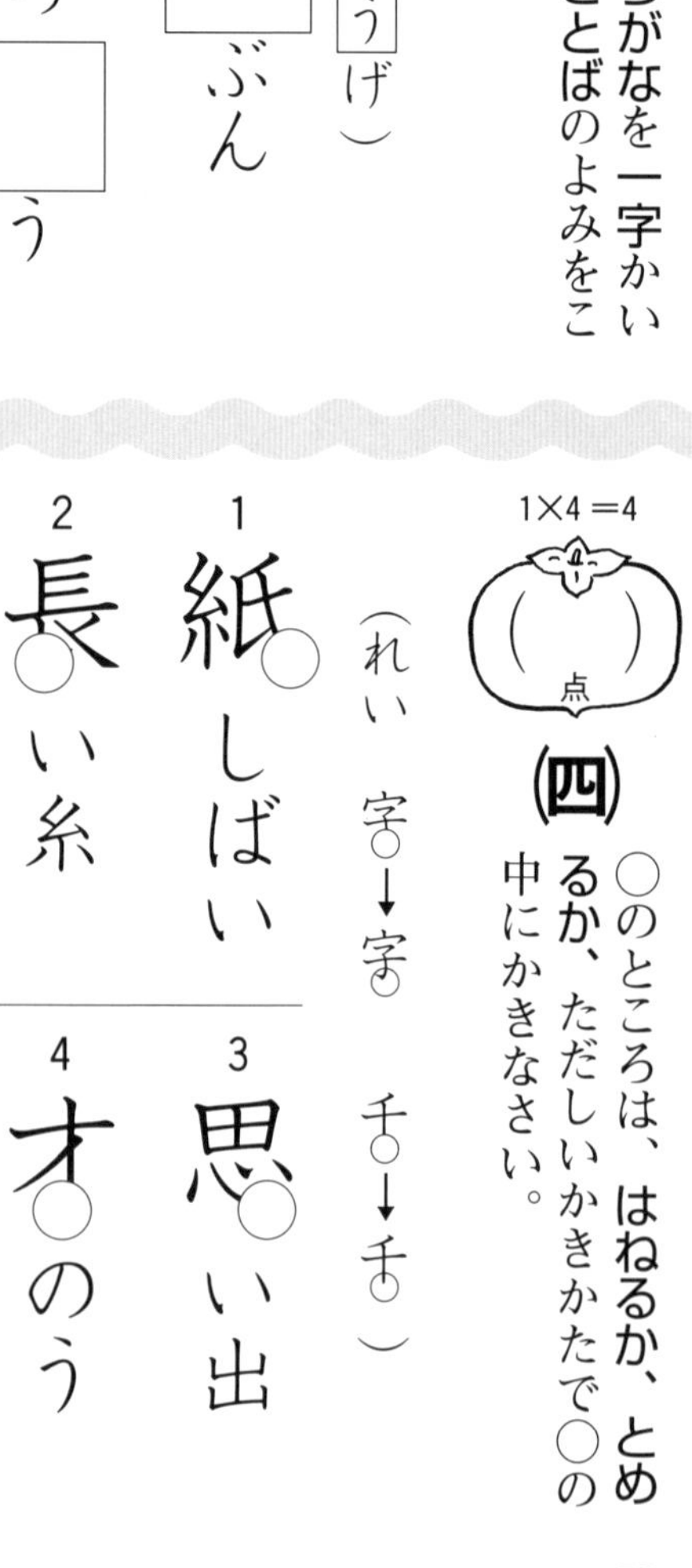

1 紙○しばい
2 長○い糸
3 思○い出
4 才○のう

1×10＝10
（　　）点

㈤ つぎの文をよんで、――せんの漢字（かん）のよみがなを――せんの右にかきなさい。

{
1 弟と同色のくつをはく。
2 兄と同じ学校に通う。

9級 第1回★テスト

べんとうを 3半分 のこした。

五月の 4半 ばに家ができる。

5見当 ちがいのへんじをする。

ここは日がよく 6当 たる。

7答 あんようしがくばられた。

大きな声で 8答 えなさい。

9売店 で本を買った。

たからくじが 10売 りきれた。

1×6＝6

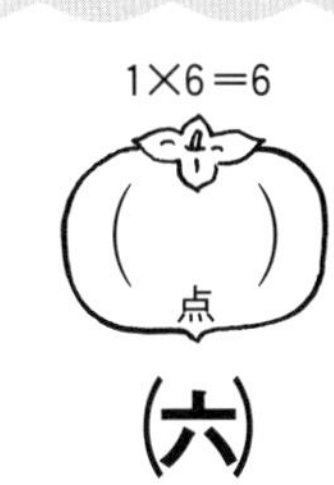

(六)

つぎの〜〜線のひらがなを漢字(かん)でかくと、どちらが正しいですか。正しいほうのばんごうに○をつけなさい。

1 三かく
- 1 三角
- 2 三用

2 十えん
- 1 十円
- 2 十内

3 ご前
- 1 午前
- 2 牛前

4 図こう
- 1 図工
- 2 図土

5 あい間
- 1 谷間
- 2 合間

6 きゅう人
- 1 丸人
- 2 九人

2×10＝20

（　　）点

(七)

れいのようにおなじなかまの漢字(かん)を□の中にかきなさい。

（れい　木……山林(りん)・校(こう)長）

氵……1 □(いけ)・2 □(き)車

艹……3 □(くさ)木・4 □(ちゃ)

口……5 □(みょう)字・6 □(ふる)本

糸……三 7 □(くみ)・8 □(せん)点

田……9 □(おとこ)・10 □(ばん)

2×10＝20

（　　）点

(八)

つぎの□の中に漢字(かん)をかきなさい。

天……1 □(ち)

後……2 □(さき)

千……3 □(まん)

弓……4 □(や)

雨……5 □(かぜ)

つなぐ……6 □(き)る

後ろ……7 □(まえ)

少ない……8 □(おお)い

細い……9 □(ふと)い

歩く……10 □(はし)る

9級 第1回★テスト

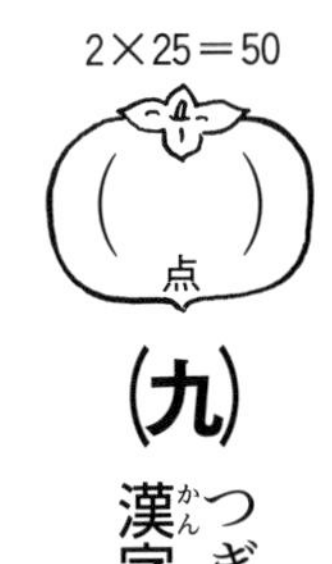

2×25＝50

点

(九) つぎの文をよんで、□の中に漢字(かん)をかきなさい。

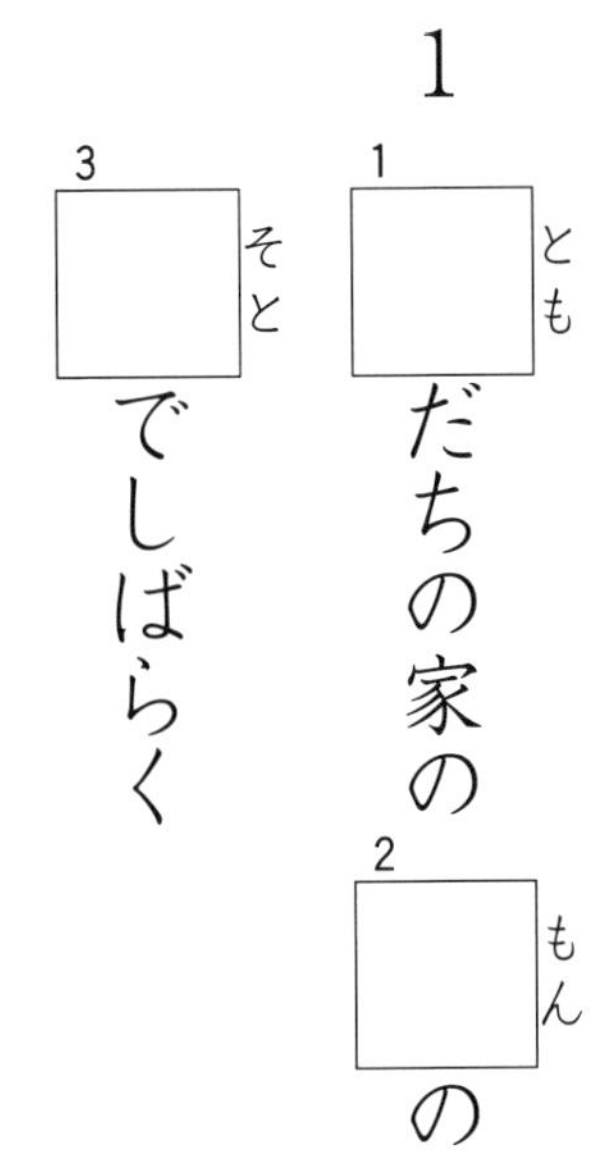

1 □1(とも)だちの家の□2(もん)の□3(そと)でしばらく立ち□4(ばなし)をした。

2 □5(はは)のりょう□6(り)はとてもおいしい。

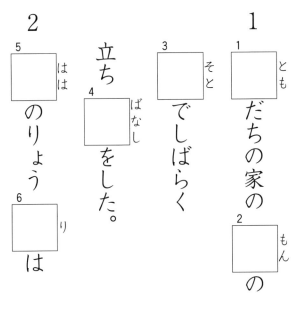

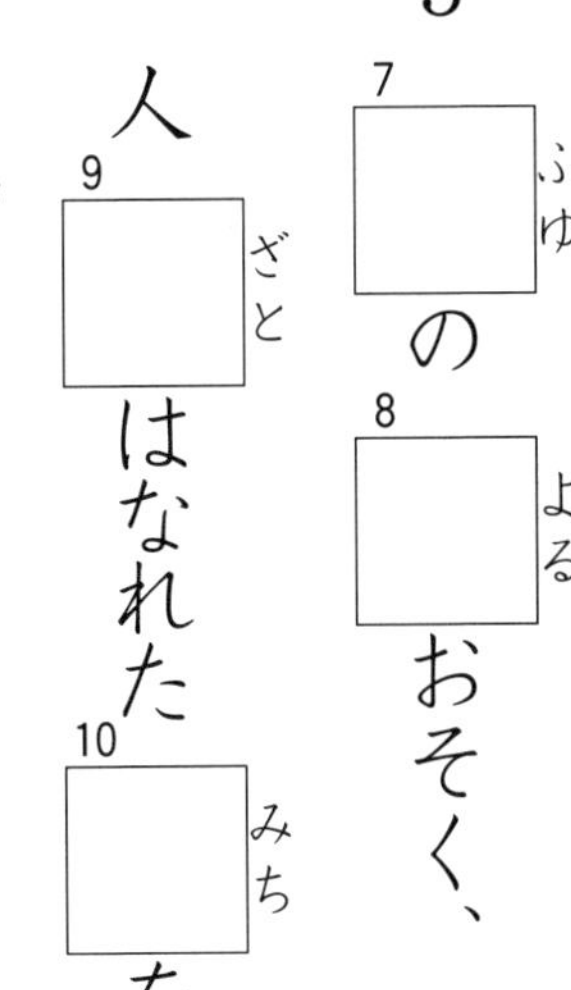

3 □7(ふゆ)の□8(よる)おそく、人□9(ざと)はなれた□10(みち)をすすんだ。

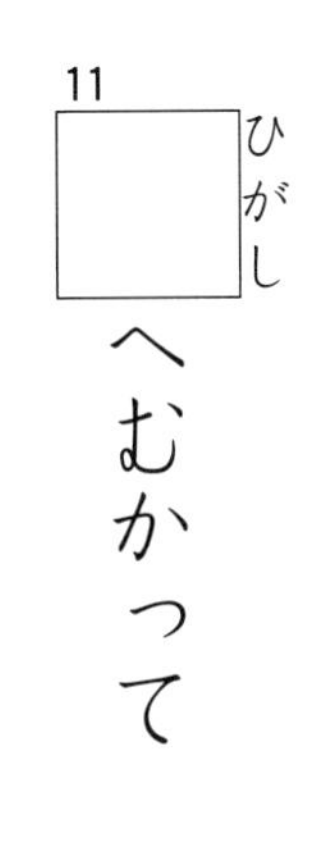

□11(ひがし)へむかってすすんだ。

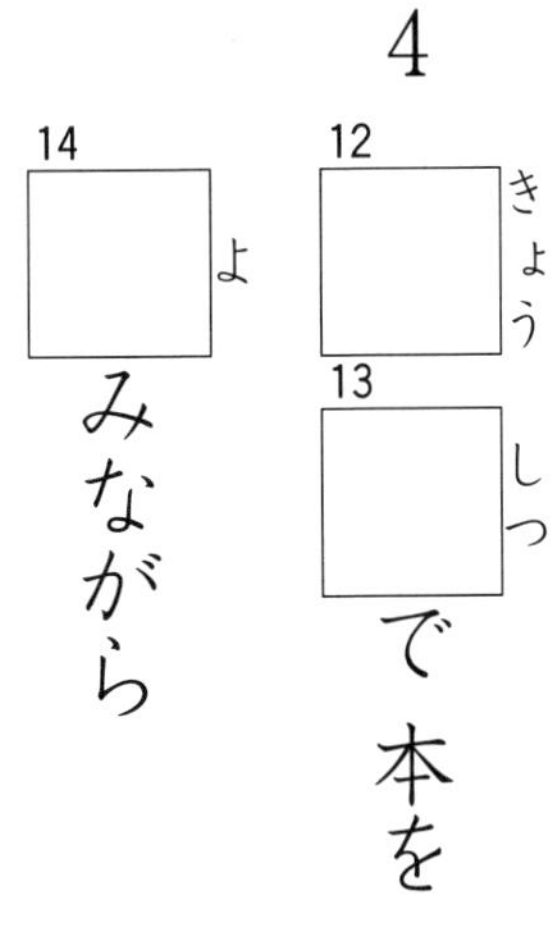

4 □12(きょう)□13(しつ)で本を□14(よ)みながら

先生をまつ。

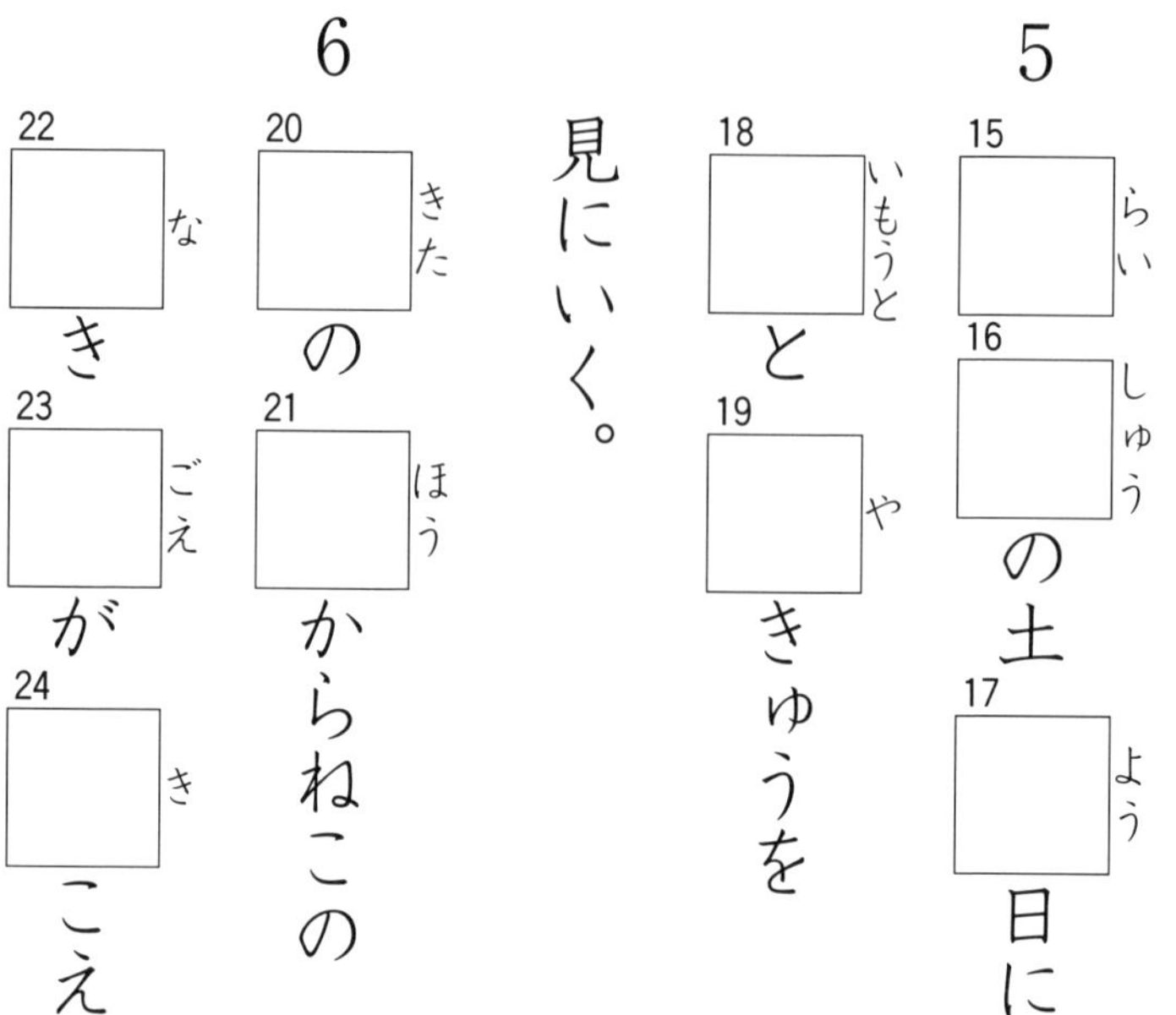

5
15［らい］16［しゅう］の土17［よう］日に
18［いもうと］と19［や］きゅうを
見にいく。
6
20［きた］の21［ほう］からねこの
22［な］き23［ごえ］が24［き］こえ

てくる。

7
25［まい］年クリスマスに
プレゼントをもらう。

べっさつの**14**ページの答えと、
てらしあわせましょう。

9級 第2回★テスト（40分）

◇合計点◇

（　　　　点）

150点まん点
120点いじょう ごうかく

（一） つぎの文をよんで、——せんの漢字のよみがなを——せんの右にかきなさい。

1 金曜日[1]の夜[2]に、昼までのできごとを思[3]い出しながら日記[4]を書[5]いた。

2 今朝[6]、母[7]と電車[8]にのって魚市場[9]へ行[10]った。

3 店[11]のおじさんが魚[12]の名前[13]をいろいろと教[14]えてくれた。

4 古[15]い みなと町に 汽[16]てきが 鳴りひびく。

5 牛[17]が 野原[18]で草を 食べている。

6 雨戸[19]をあけて 西[20]の 空を見ると、弓[21]の 形を した細[22]い月が出ていた。

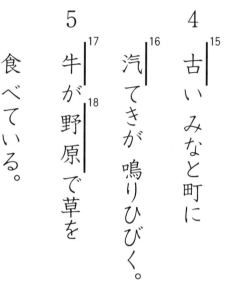

(二) つぎの漢字のふといところはなんばんめにかきますか。○の中にすう字をかきなさい。

1×10=10

点

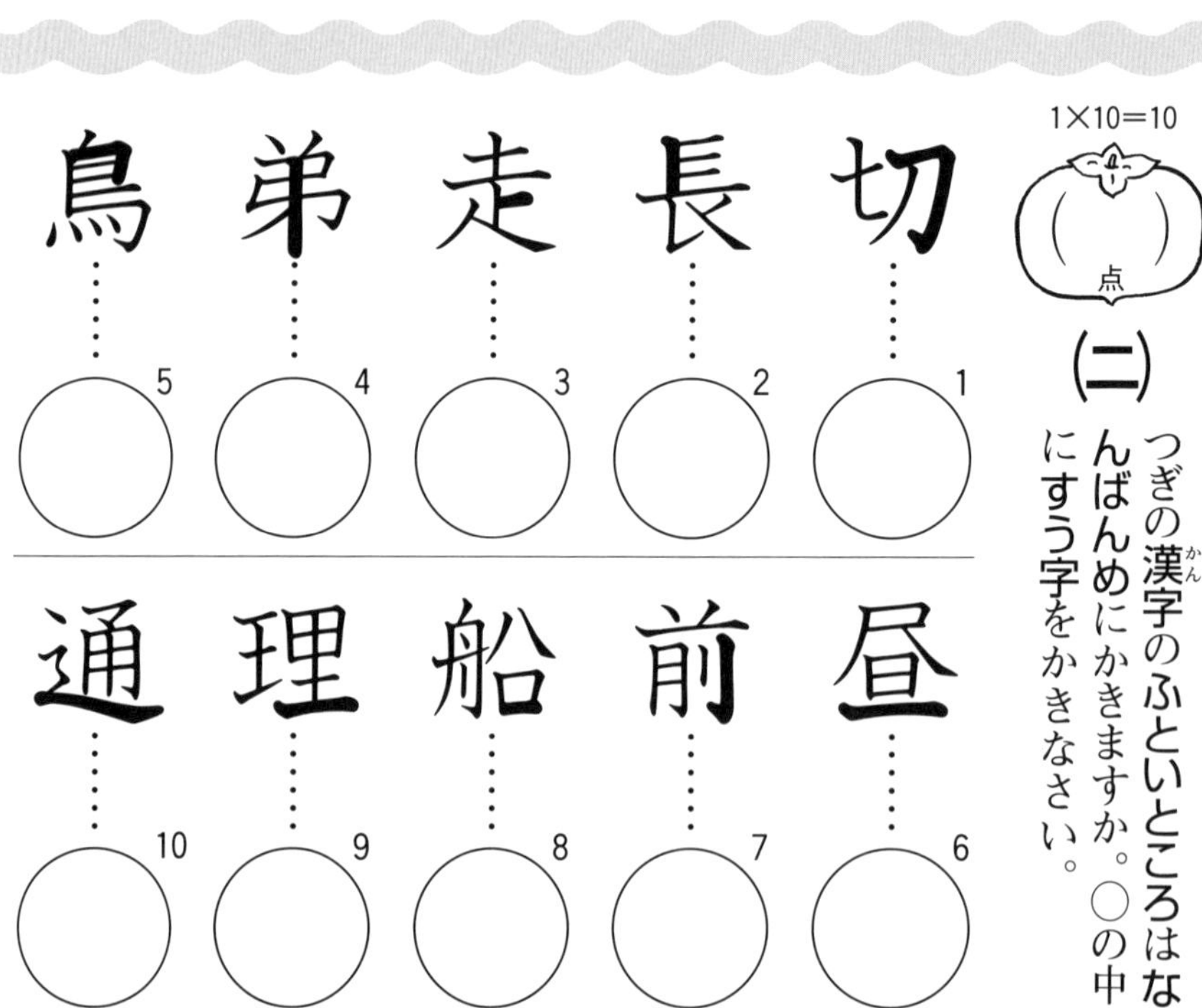

1×8＝8

（　　）点

（三）

□の中にひらがなを一字かいて、つぎのことばのよみをこたえなさい。

（れい　上下……じょ[う]げ）

八時……はち 1□

今週……こ 2□ しゅ 3□

七色……なな 4□ ろ

本心……5□ ん 6□ ん

朝食……7□ よう 8□ よく

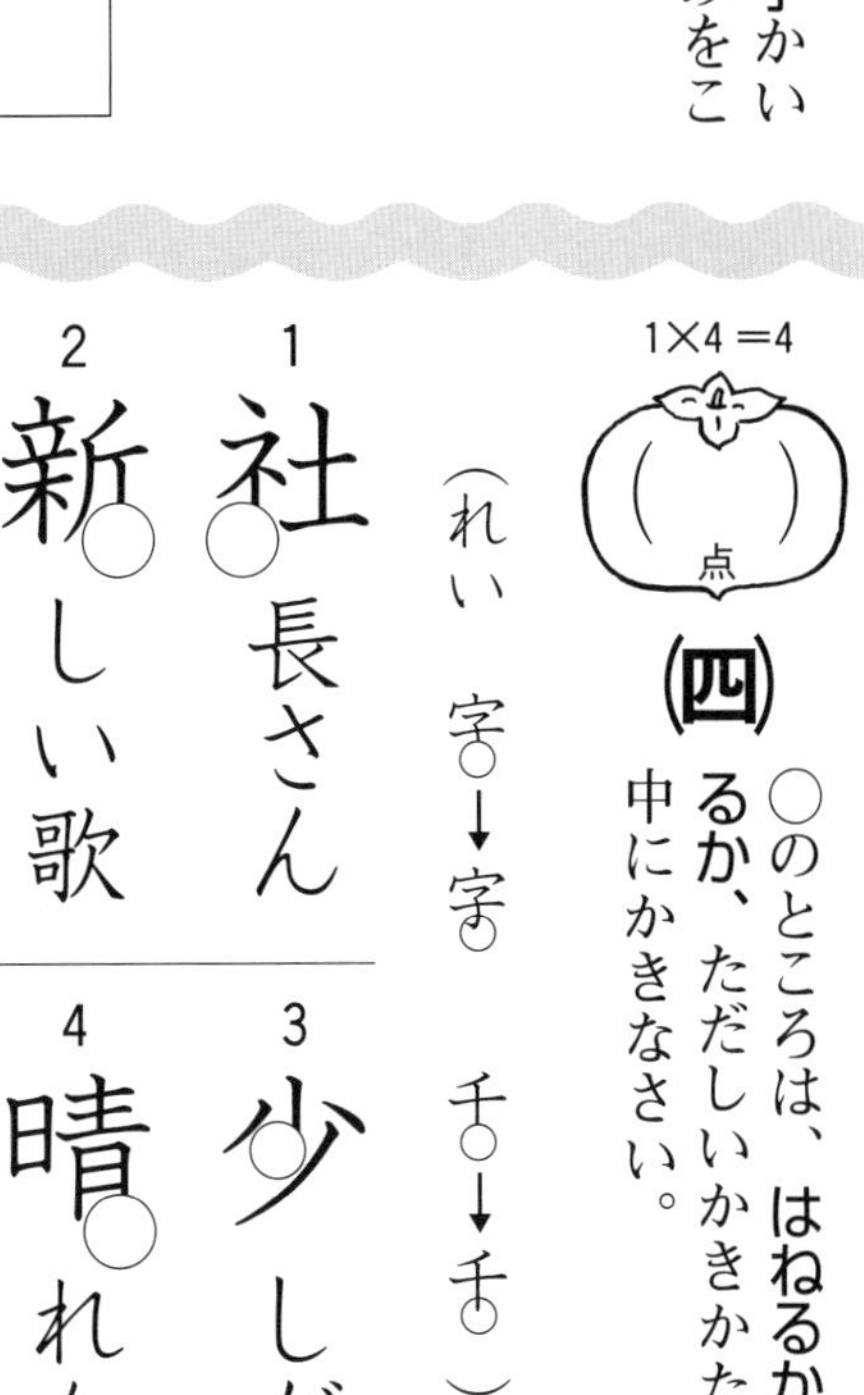

1×4＝4

（　　）点

（四）

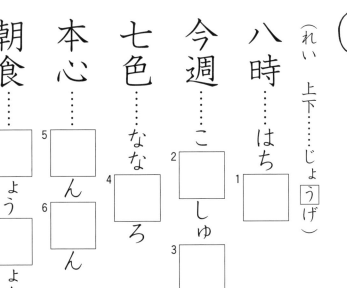

○のところは、はねるか、とめるか、ただしいかきかたで○の中にかきなさい。

（れい　字○→字○　千○→千○）

1 社○長さん

2 新○しい歌

3 少○しだけ

4 晴○れた空

1×10＝10

（　　）点

（五）

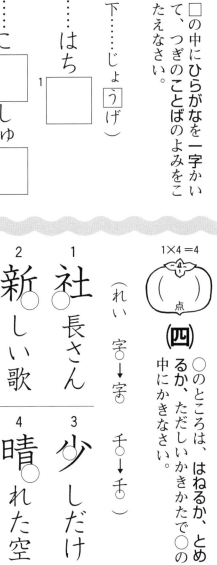

つぎの文をよんで、——せんの漢字のよみがなを——せんの右にかきなさい。

休日は歩行[1]しゃ天国だ。

歩[2]みのおそいカメだ。

ゆめをみてひ鳴[3]をあげた。

たいこの音が鳴[4]りひびく。

米国[5]はアメリカのことだ。

米[6]だわらをかつぐ。

夜食[7]にうどんを食べた。

夜空[8]を見上げる。

来年[9]は三年生だ。

もうすぐ冬が来[10]る。

1×6＝6

（　）点

㈥ つぎの〰線のひらがなを漢字（かん）でかくと、どちらが正しいですか。正しいほうのばんごうに◯をつけなさい。

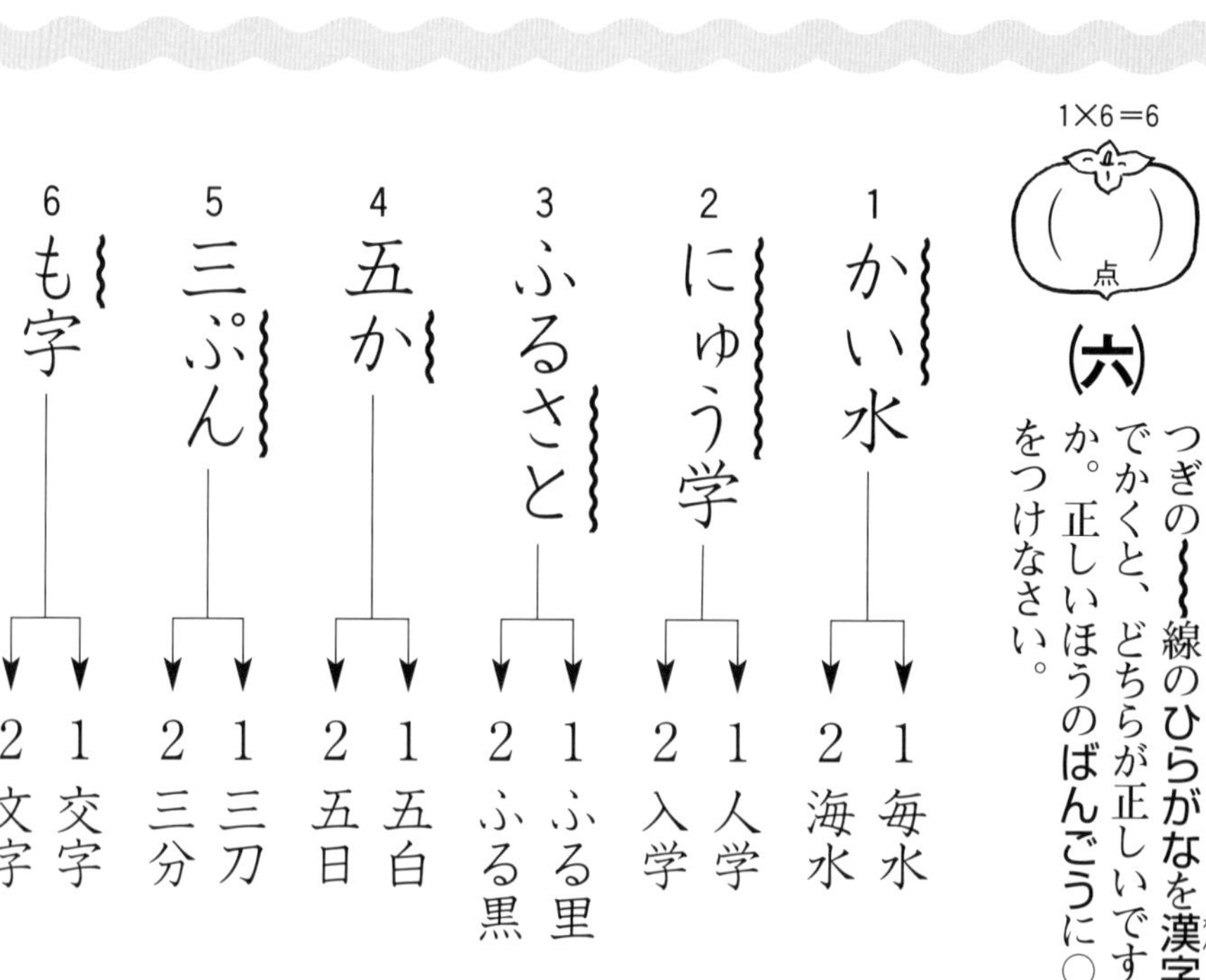

1 かい水　1 毎水　2 海水

2 にゅう学　1 人学　2 入学

3 ふるさと　1 ふる里　2 ふる黒

4 五か　1 五白　2 五日

5 三ぷん　1 三刀　2 三分

6 も字　1 交字　2 文字

2×10＝20
（　）点

(七) れいのように<ruby>おなじなかまの</ruby>漢字(かん)を□の中にかきなさい。

（れい 木……山林(りん)・校(こう)長）

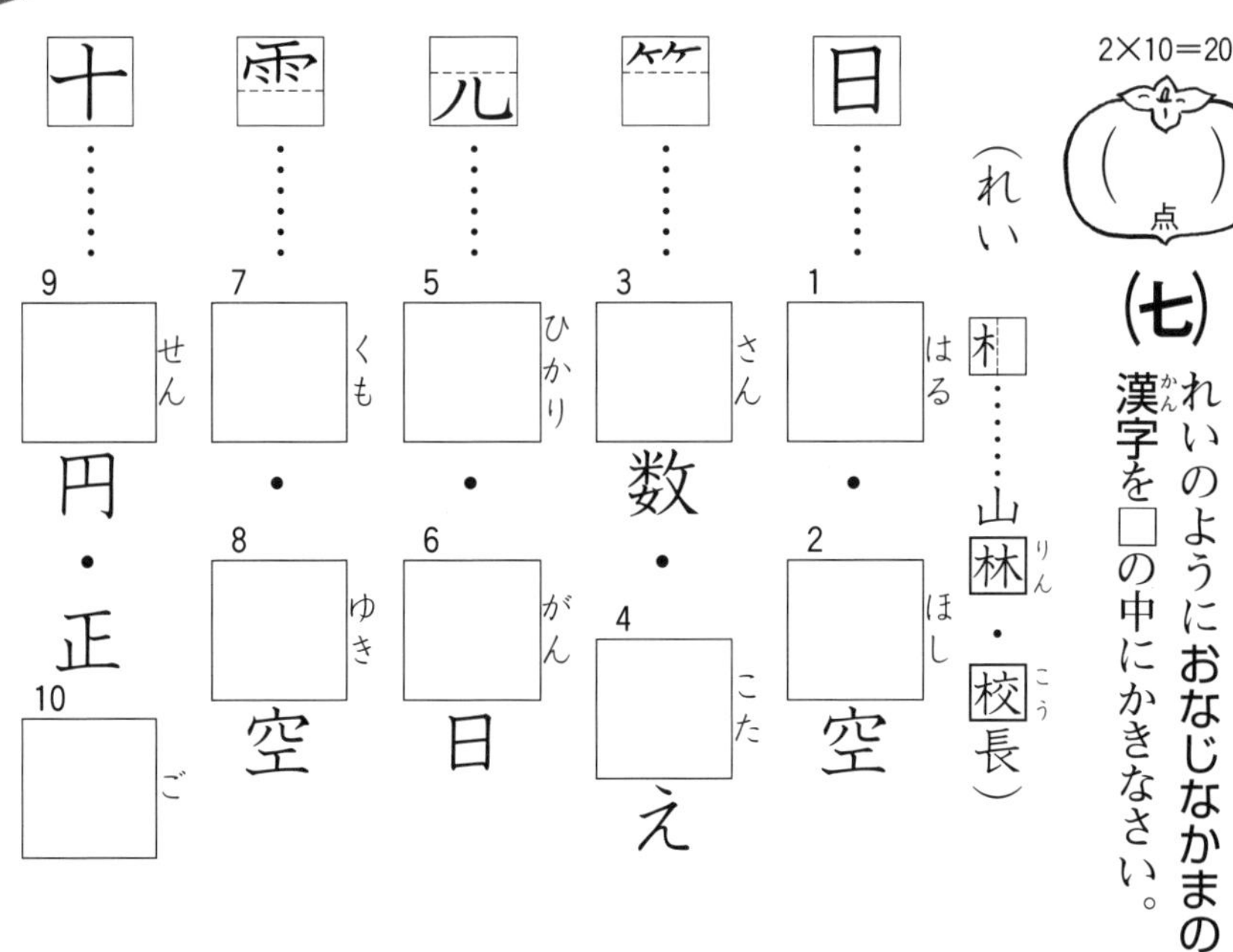

日……1 はる ・2 ほし 空
⺮……3 さん 数・4 こた え
儿……5 ひかり ・6 がん 日
⻗……7 くも ・8 ゆき 空
十……9 せん 円・正 10 ご

2×10＝20
（　）点

(八) つぎの□の中に漢字(かん)をかきなさい。

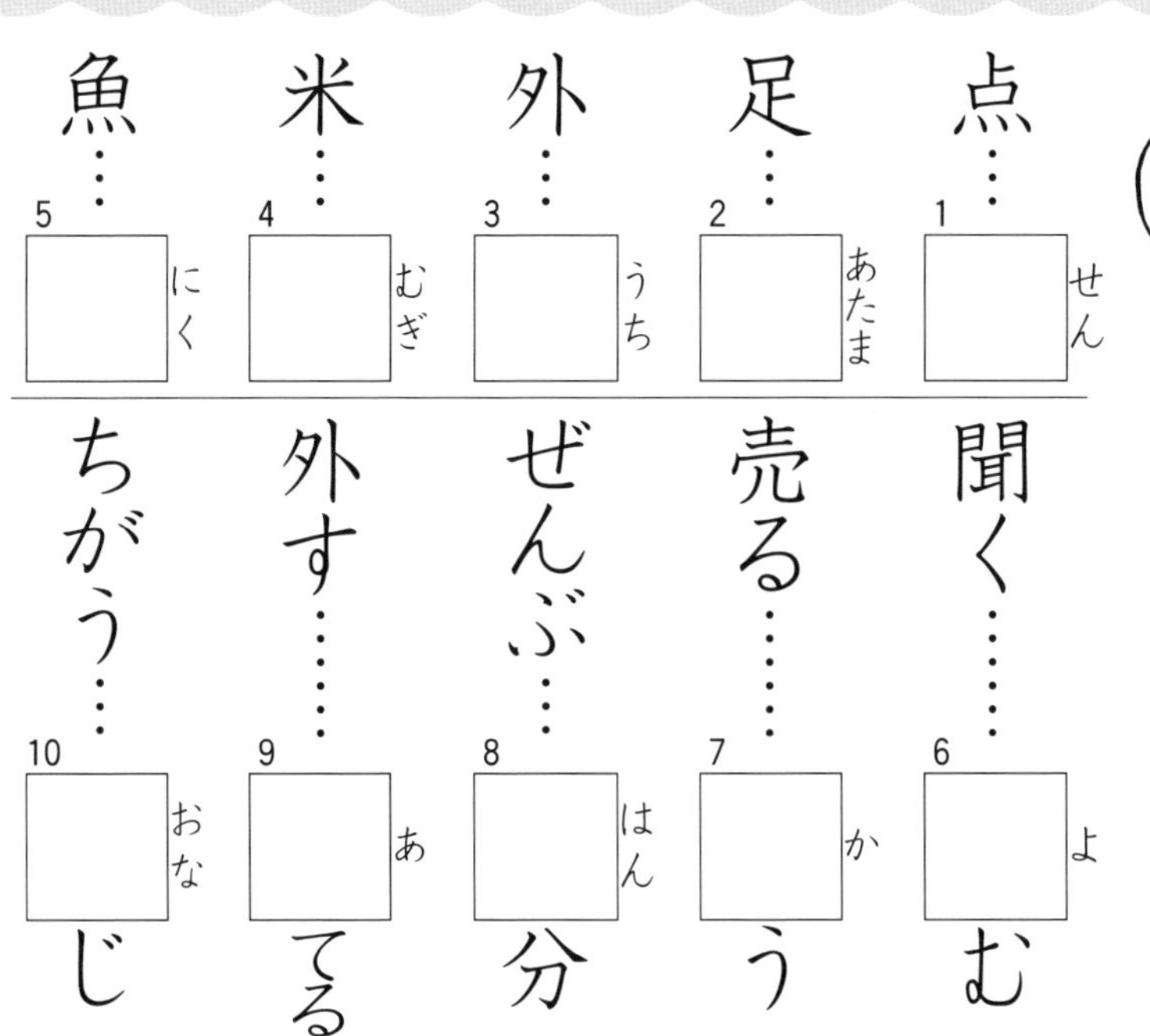

点……1 せん
足……2 あたま
外……3 うち
米……4 むぎ
魚……5 にく

聞く……6 よ む
売る……7 か う
ぜんぶ……8 はん 分
外す……9 あ てる
ちがう……10 おな じ

2×25＝50

（　　）点

（九）

つぎの文をよんで、□の中に漢字（かん字）をかきなさい。

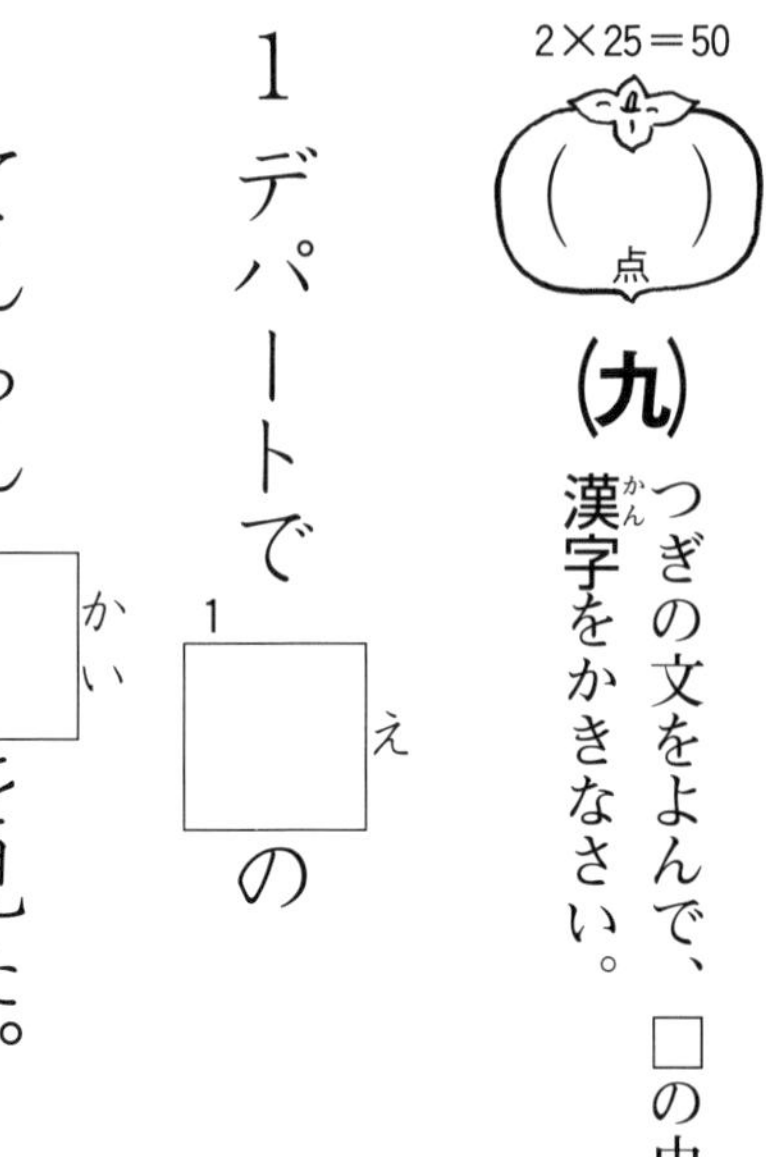

1 デパートで 1□（え）の てんらん 2□（かい）を見た。

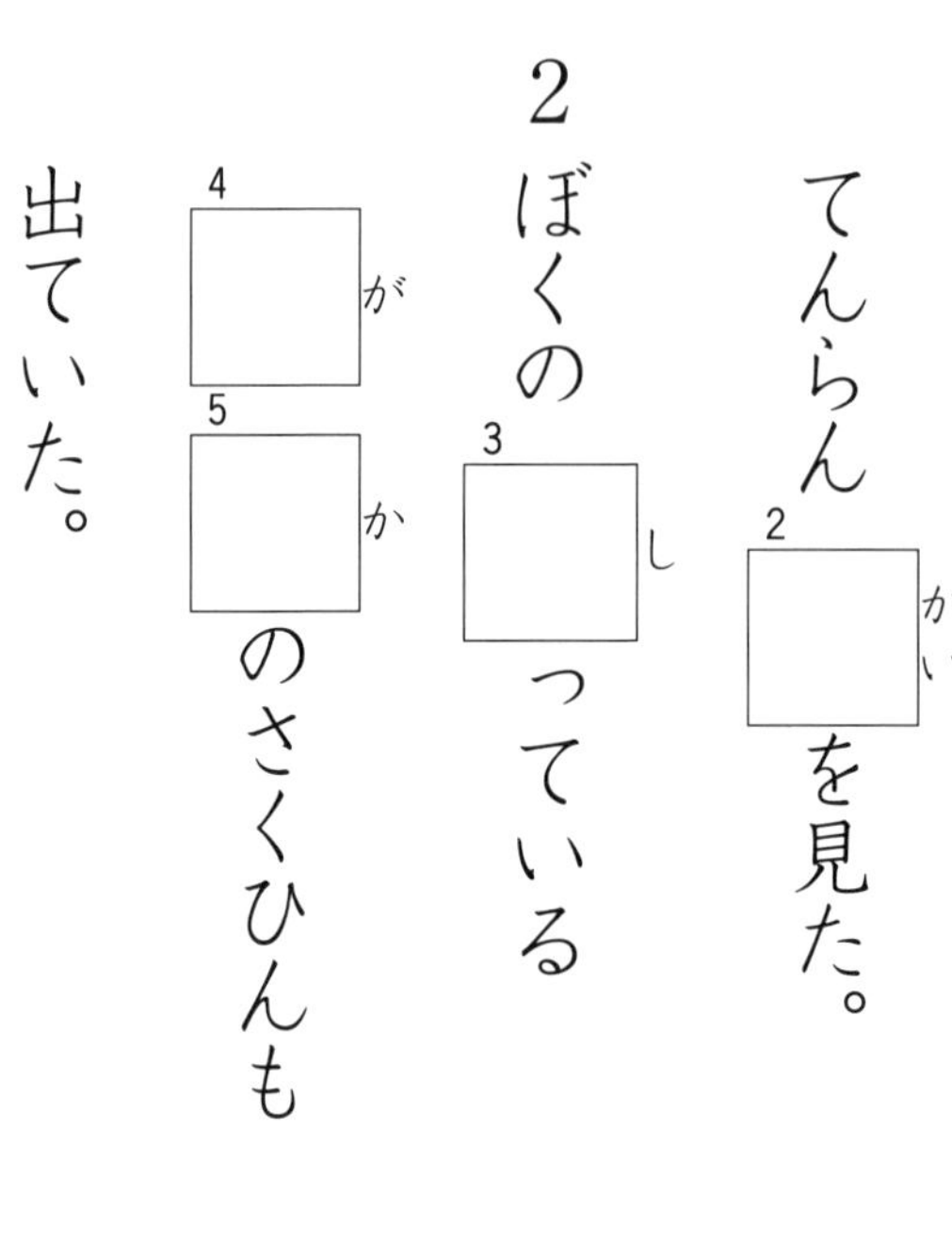

2 ぼくの 3□（し）っている 4□（が）5□（か）のさくひんも出ていた。

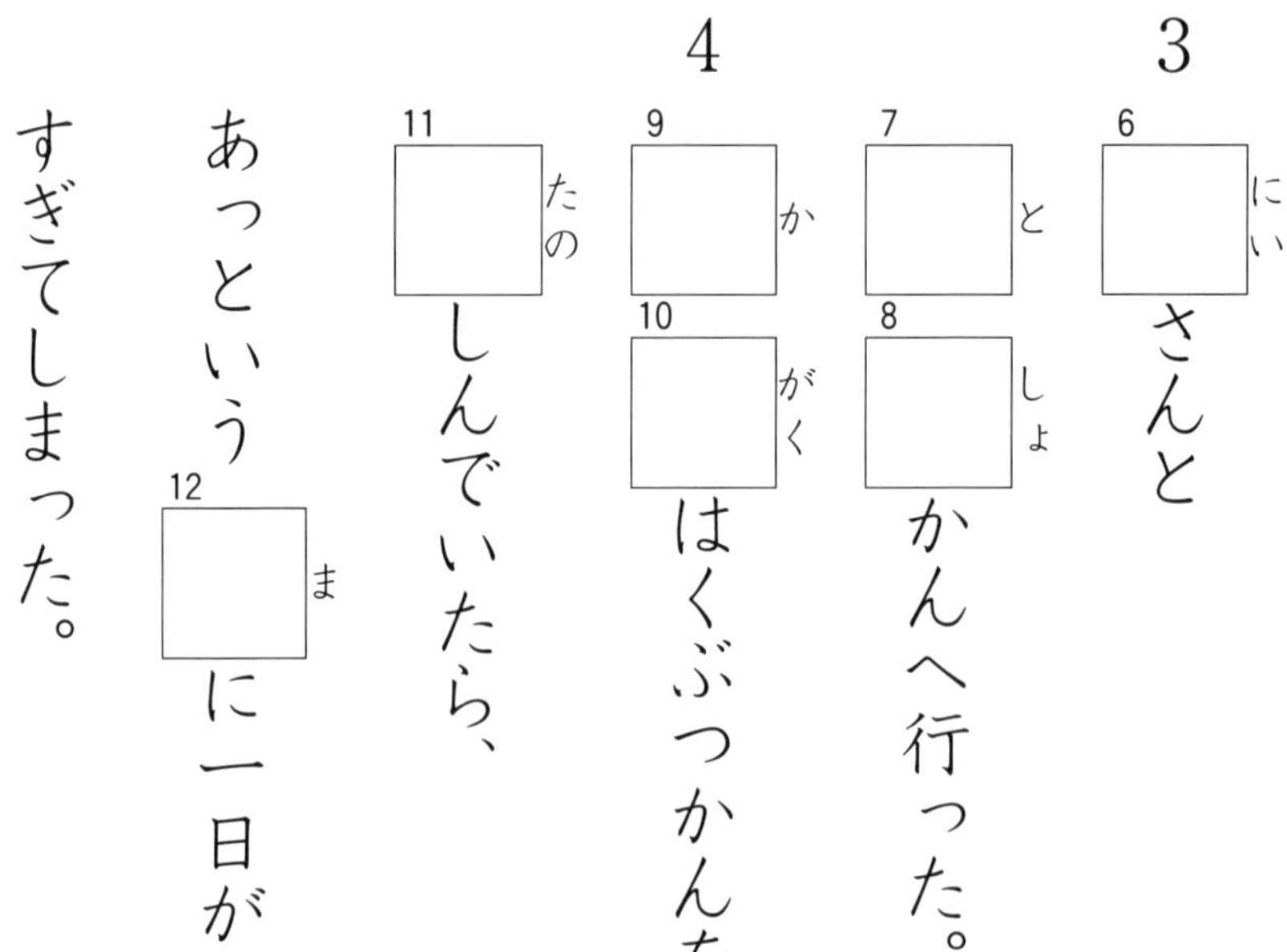

3 6□（にい）さんと 7□（と）8□（しょ）かんへ行った。

4 9□（か）10□（がく）はくぶつかんを 11□（たの）しんでいたら、あっという 12□（ま）に一日がすぎてしまった。

5

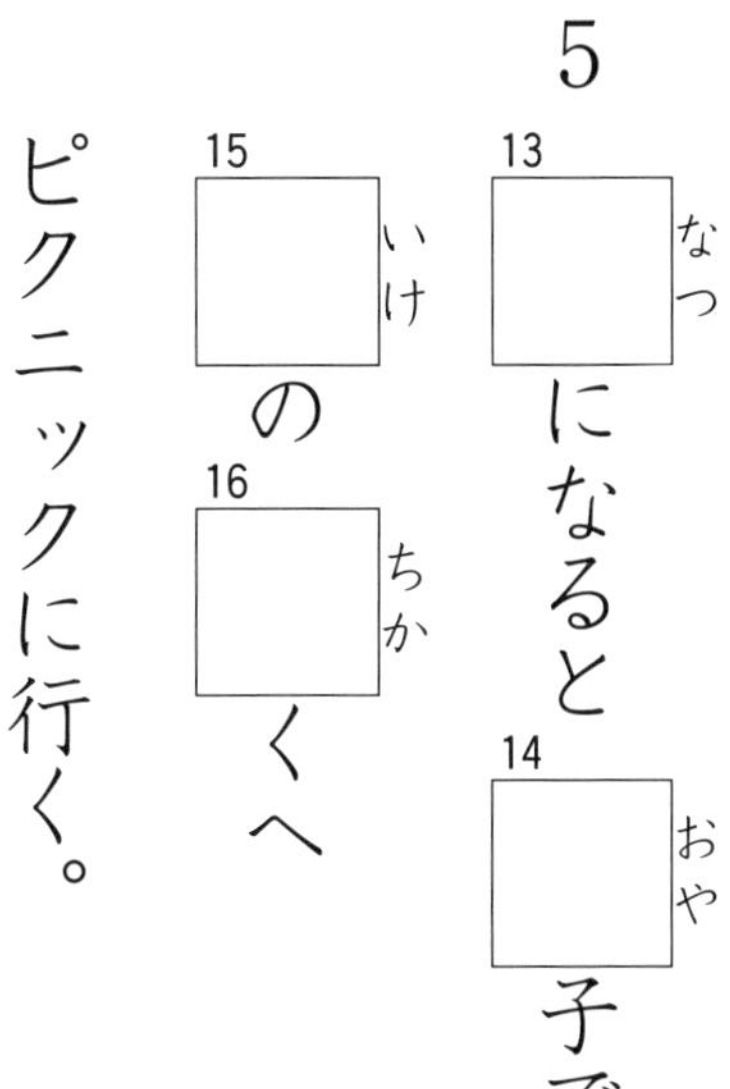

13（なつ）になると14（おや）子で15（いけ）の16（ちか）くへピクニックに行く。

6

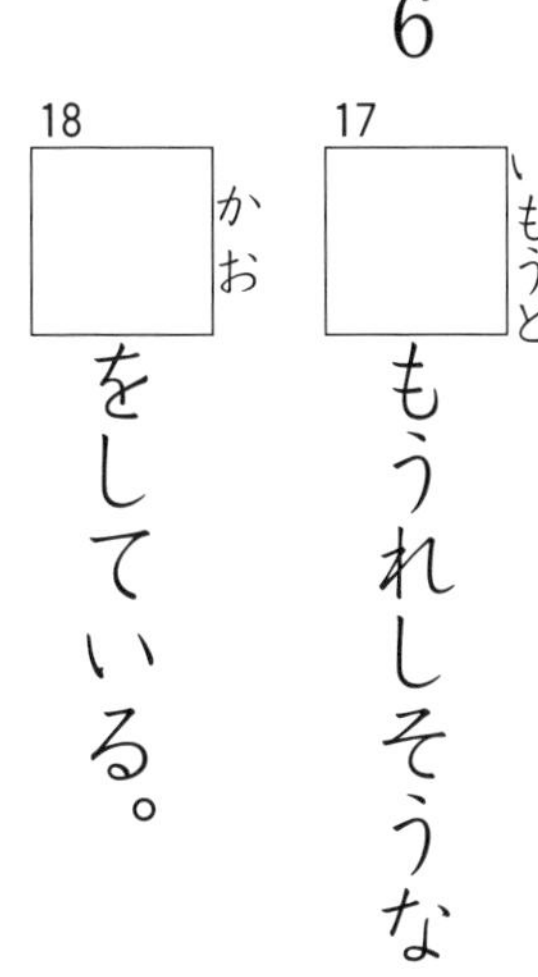

17（いもうと）もうれしそうな18（かお）をしている。

7

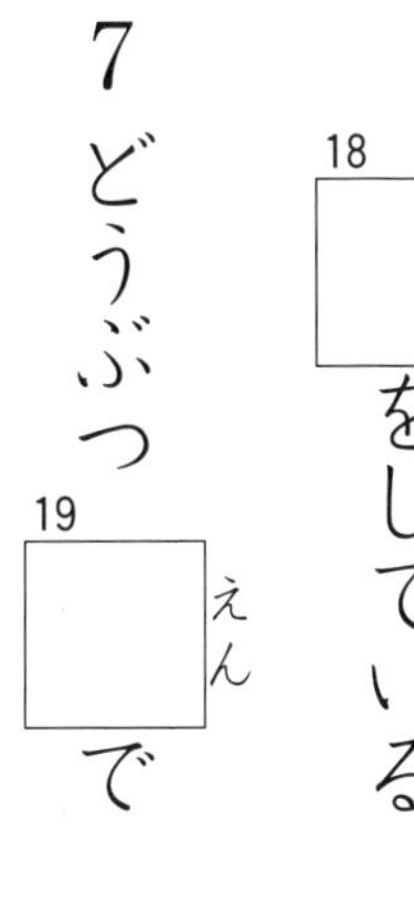

どうぶつ19（えん）で

8

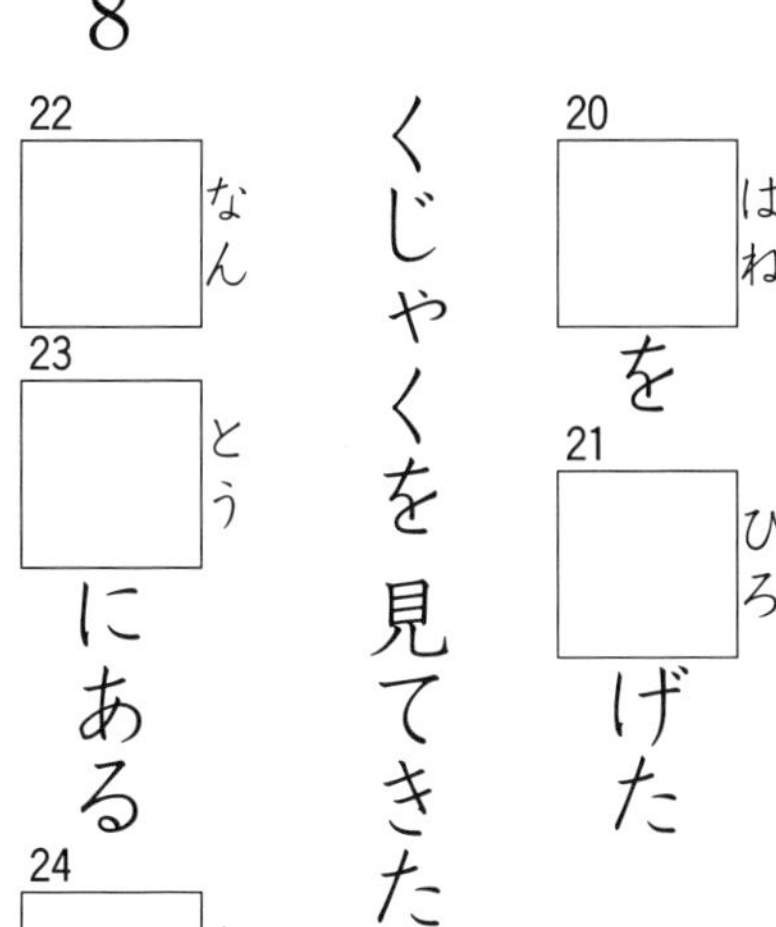

20（はね）を21（ひろ）げたくじゃくを見てきた。22（なん）23（とう）にある24（たか）い山にのぼり、みんなで

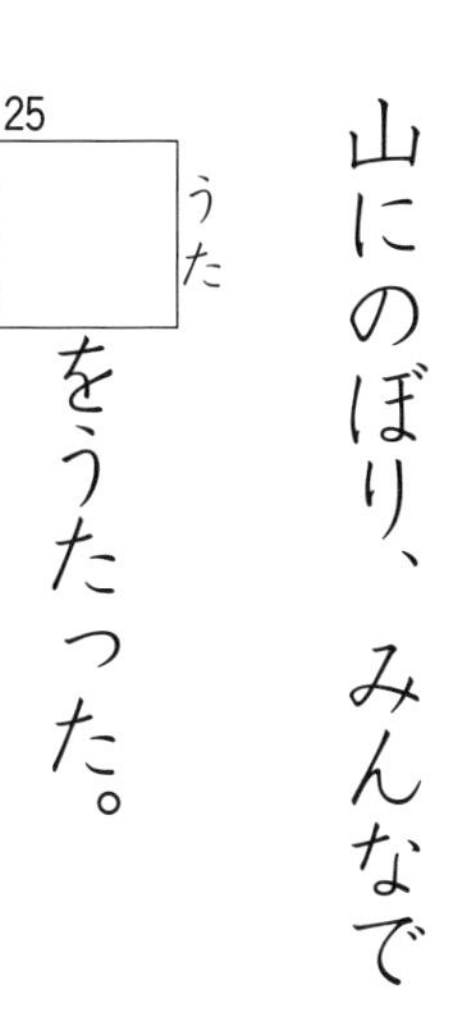

25（うた）をうたった。

べっさつの16ページの答えと、てらしあわせましょう。

9級 第3回★テスト（40分）

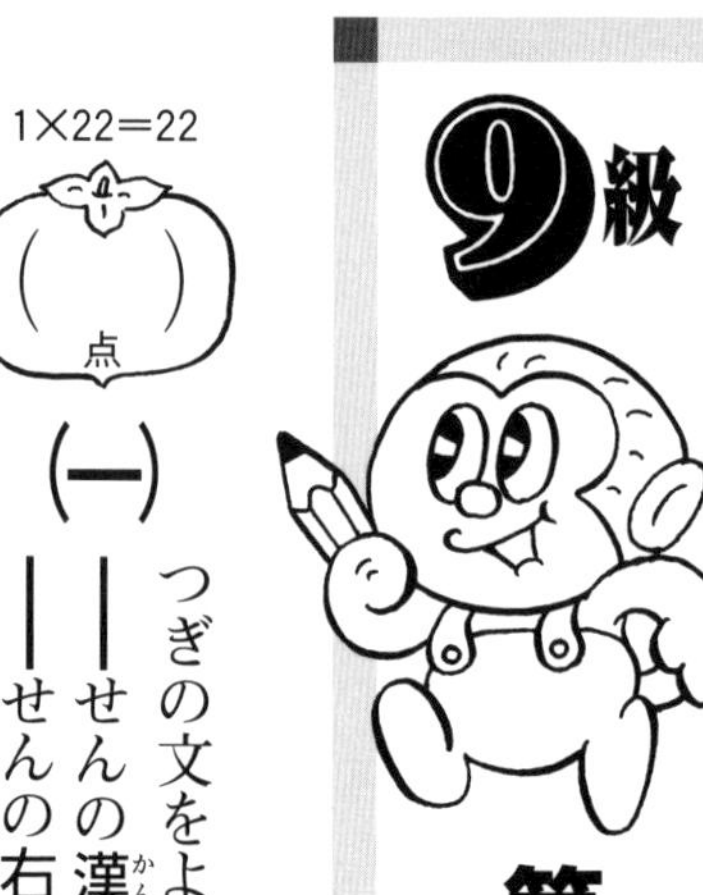

◇合計点◇

（　　点）

150点まん点
120点いじょう ごうかく

1×22＝22

（　　点）

（一）つぎの文をよんで、――せんの漢字のよみがなを――せんの右にかきなさい。

1 今年[1]ぼくは八さいになる。体[2]は細[3]いけれど、せは高[4]い。

2 毎日[5]、算数[6]のテストが行[7]われる。教科書[8]をもういちどよく読[9]もう。

3 矢じるし[10]の方[11]をみると行[12]き止[13]まりになっていて

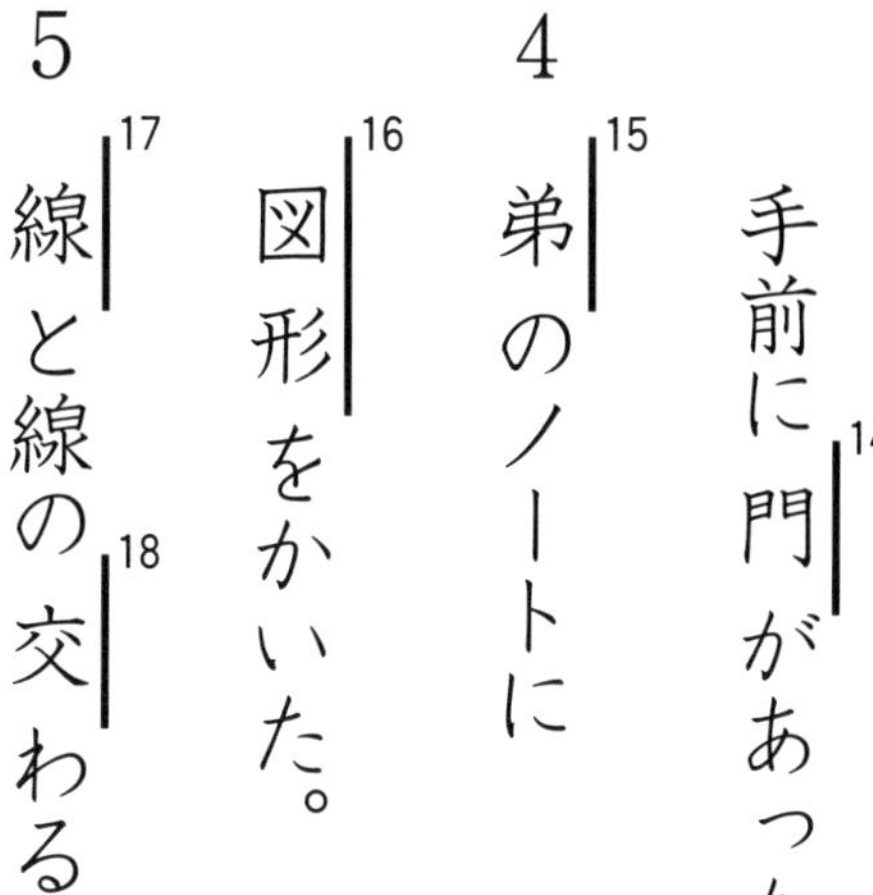

手前に門[14]があった。

4 弟[15]のノートに図形[16]をかいた。

5 線[17]と線の交[18]わるところが点[19]になる。

6 姉[20]さんが自分[21]で作[22]った黄色いシャツをきている。

(二)

つぎの漢字のふといところはなんばんめにかきますか。○の中にすう字をかきなさい。

1×10＝10 点

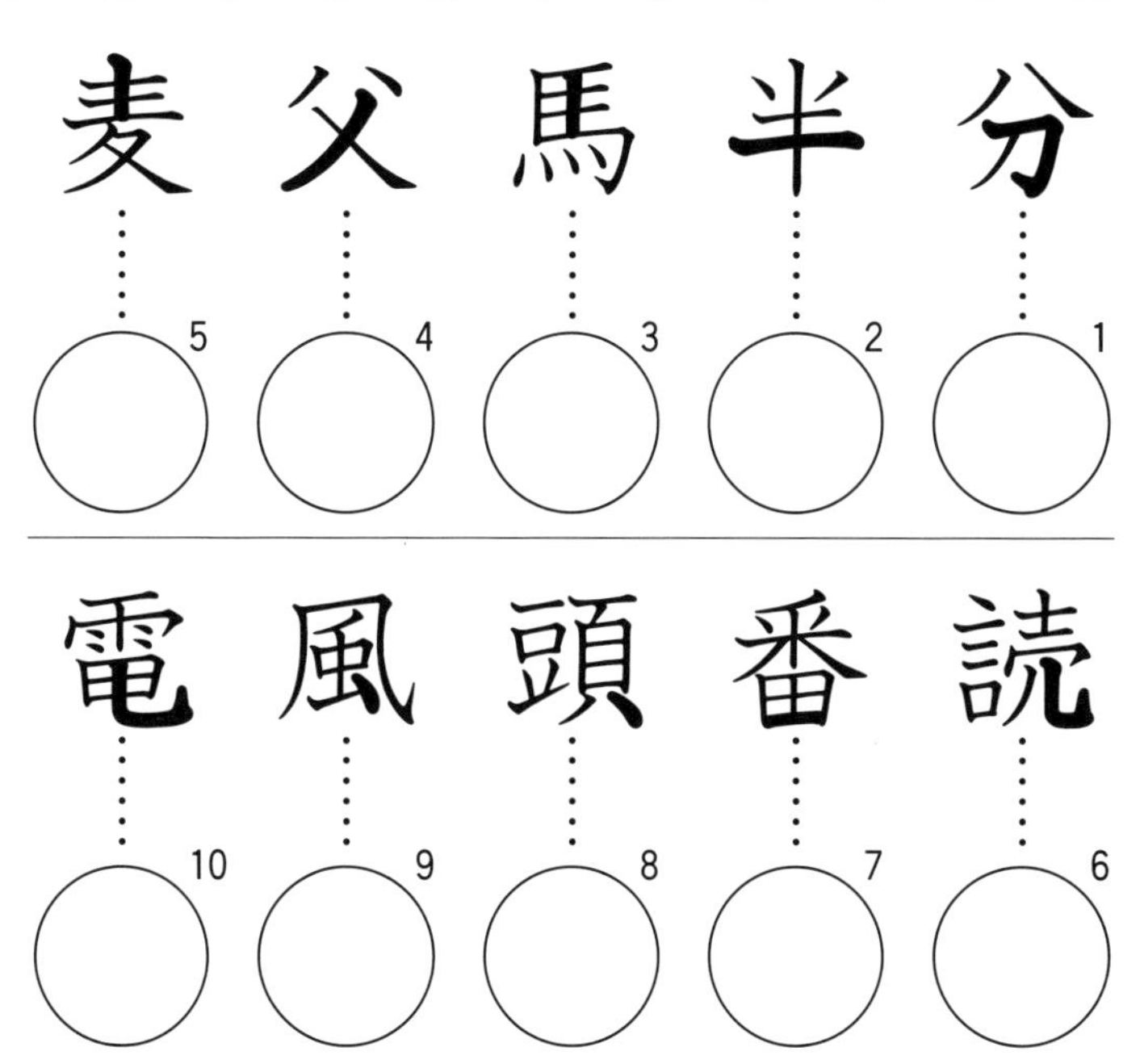

1 分 ○
2 半 ○
3 馬 ○
4 父 ○
5 麦 ○
6 読 ○
7 番 ○
8 頭 ○
9 風 ○
10 電 ○

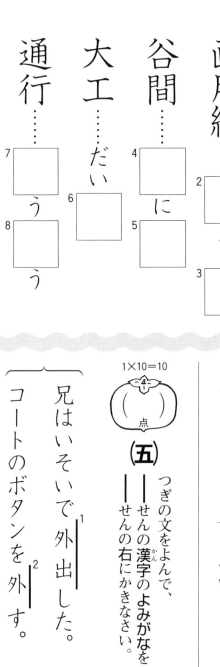

1×8＝8

（　　）点

三

□の中にひらがなを一字かいて、つぎのことばのよみをこたえなさい。

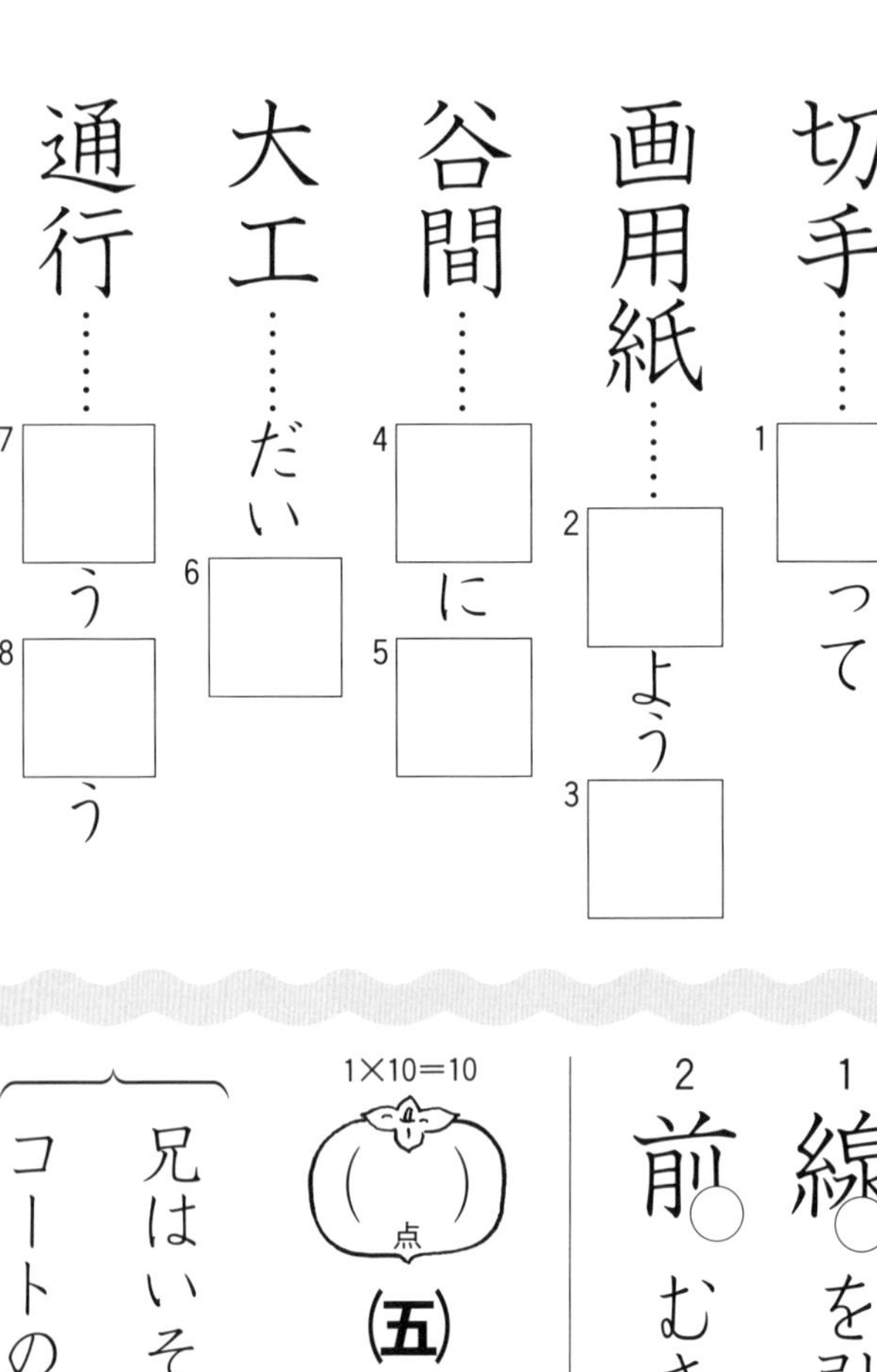

（れい　上下……じょ[う]げ）

切手……1□って

画用紙……2□よう3□

谷間……4□に5□

大工……だい6□

通行……7□う8□う

1×4＝4

（　　）点

四

○のところは、はねるか、とめるか、ただしいかきかたで○の中にかきなさい。

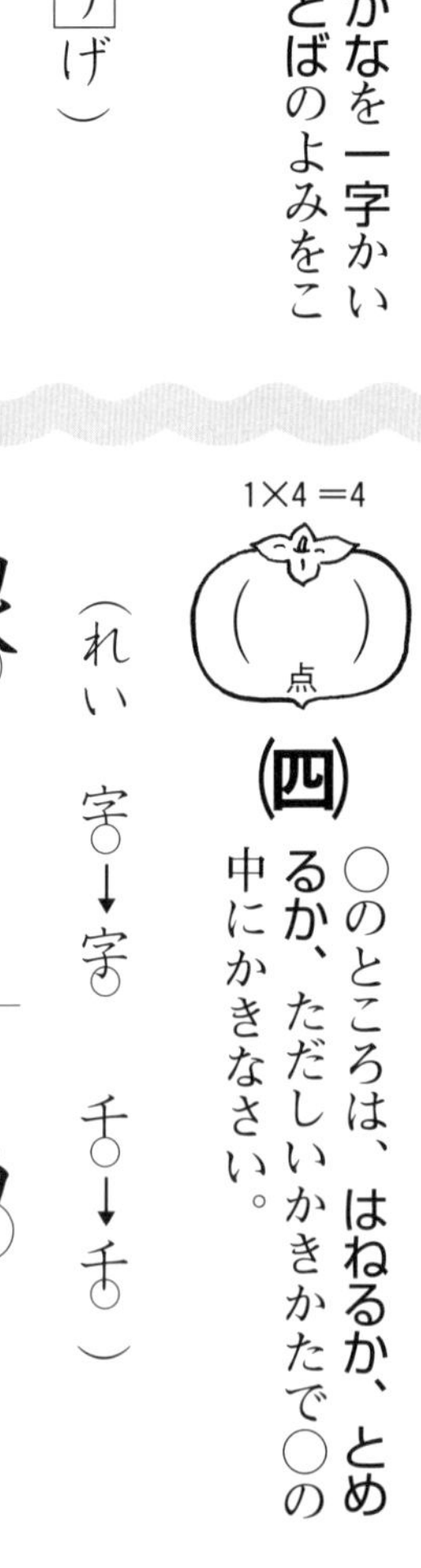

（れい　字○→字○　手○→手○）

1 線○を引く

2 前○むき

3 鳥○かご

4 地○元の人

1×10＝10

（　　）点

五

つぎの文をよんで、——せんの漢字のよみがなを——せんの右にかきなさい。

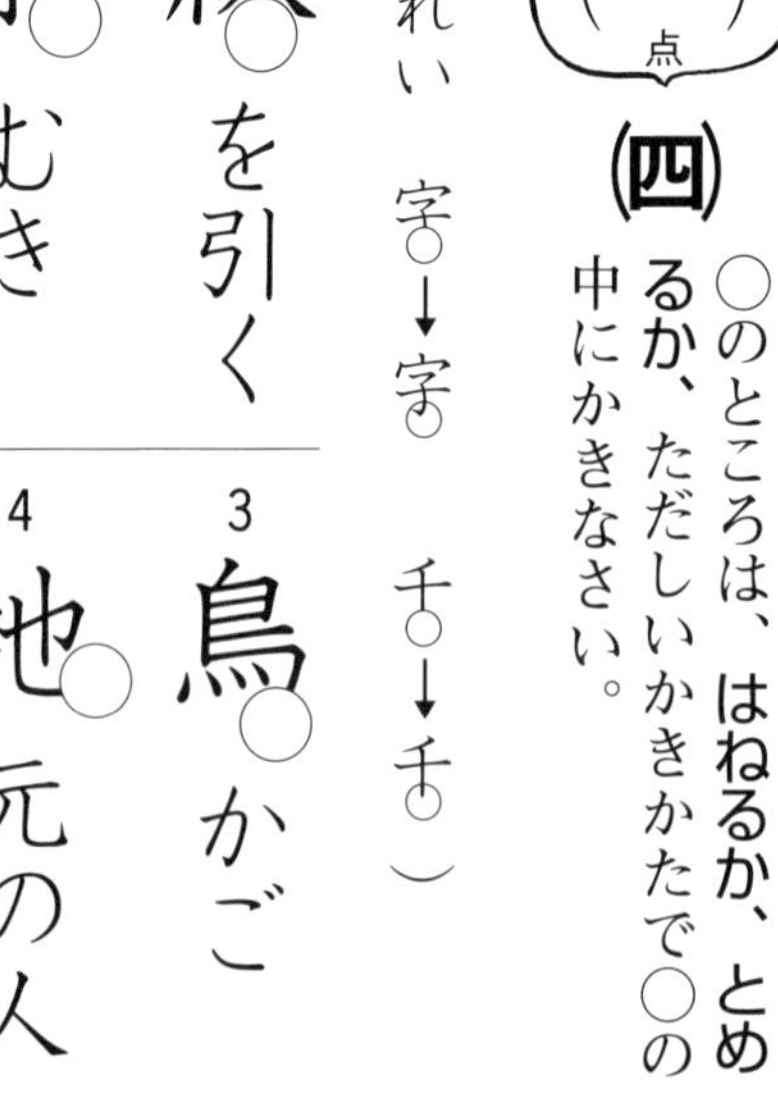

兄はいそいで外出[1]した。

コートのボタンを外[2]す。

となりの 一家[3] に会った。

家[4] を出て プールへ行く。

よこづなが 引[5] たいした。

ゲームは 引[6] き分けた。

つめたい水でせん 顔[7] する。

わらった 顔[8] がかわいい。

チームが 一丸[9] となる。

リンゴを 丸[10] ごとかじる。

1×6＝6 点

(六) つぎの〰線のひらがなを漢字(かん)でかくと、どちらが正しいですか。正しいほうのばんごうに○をつけなさい。

1 おちゃ　1 お茶　2 お答

2 ひゃく人　1 百人　2 白人

3 しょう直　1 正直　2 生直

4 三まん円　1 三方円　2 三万円

5 け糸　1 手糸　2 毛糸

6 き車　1 気車　2 汽車

2×10＝20

点

(七)

れいのようにおなじなかまの漢字(かん)を□の中にかきなさい。

(れい　木……山林(りん)・校(こう)長)

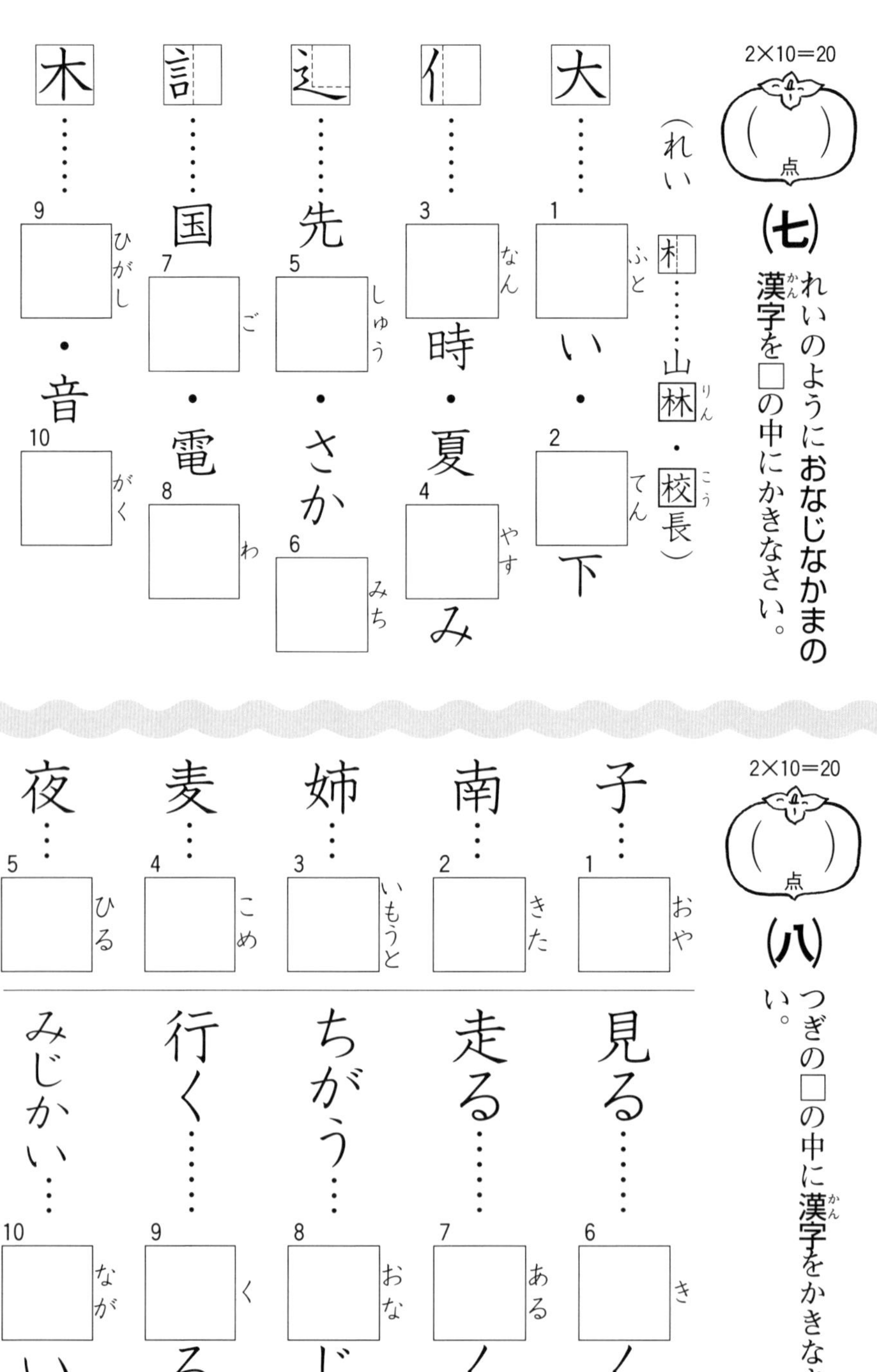

大……1 ふと い・2 てん 下

亻……3 なん 時・夏・4 やす み

辶……先・5 しゅう ・さか・6 みち

言……国・7 ご ・電・8 わ

木……9 ひがし ・音・10 がく

2×10＝20

点

(八)

つぎの□の中に漢字(かん)をかきなさい。

子……1 おや

南……2 きた

姉……3 いもうと

麦……4 こめ

夜……5 ひる

見る……6 き く

走る……7 ある く

ちがう……8 おな じ

行く……9 く る

みじかい……10 なが い

2×25＝50

（　　）点

(九)

つぎの文をよんで、□の中に漢字(かん じ)をかきなさい。

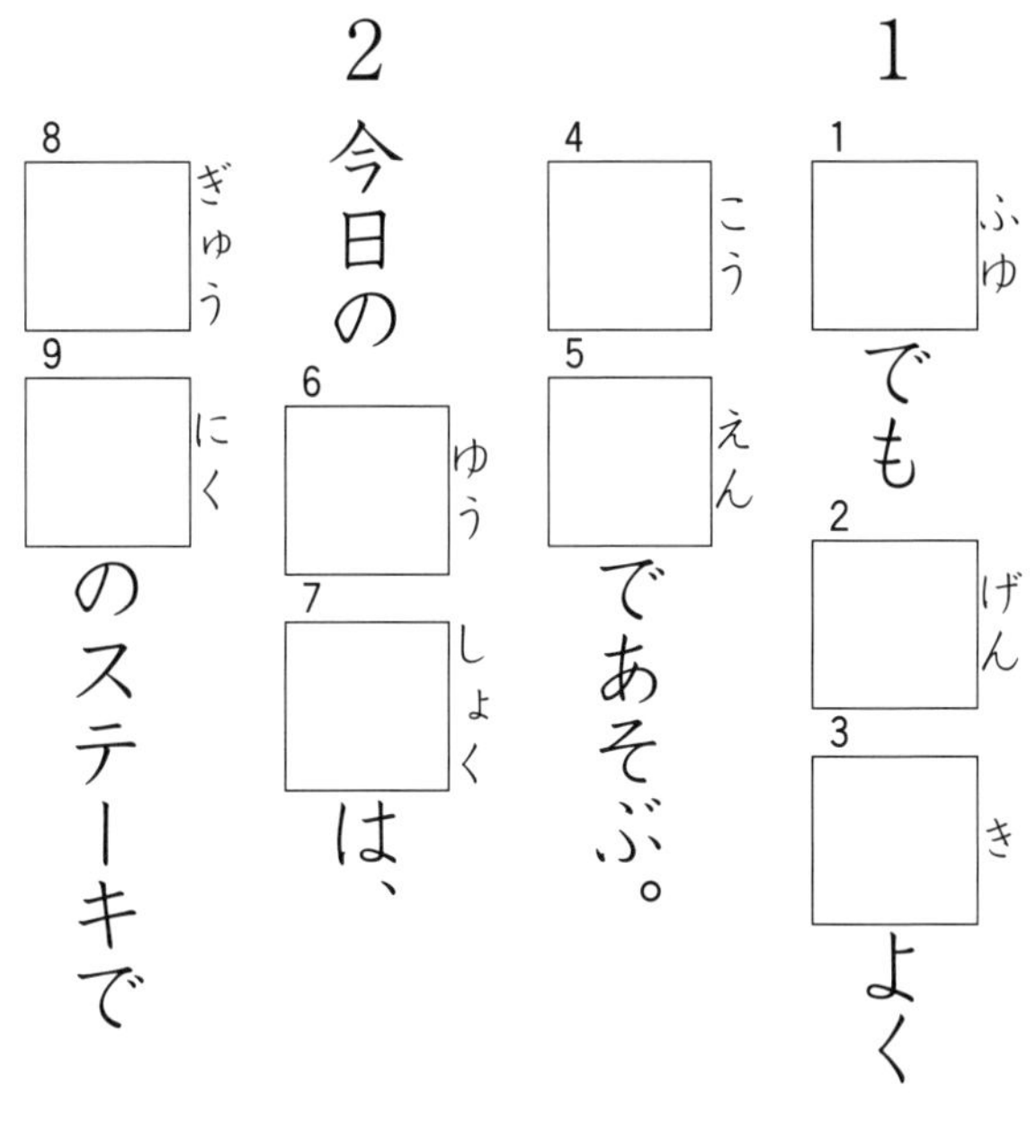

1 [1 ふゆ]でも[2 げん][3 き]よく[4 こう][5 えん]であそぶ。

2 今日の[6 ゆう][7 しょく]は、[8 ぎゅう][9 にく]のステーキでおいしかった。

3 [10 うし]ろから[11 こえ]をかけられてふりむくと、

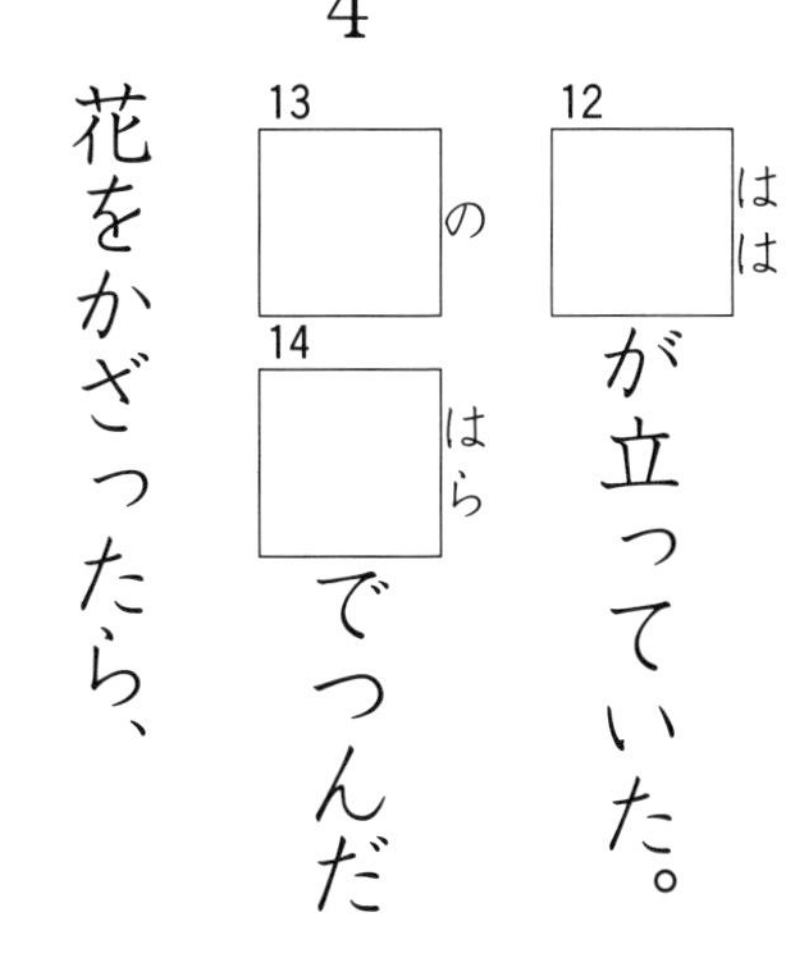

[12 はは]が立っていた。

4 [13 の][14 はら]でつんだ花をかざったら、

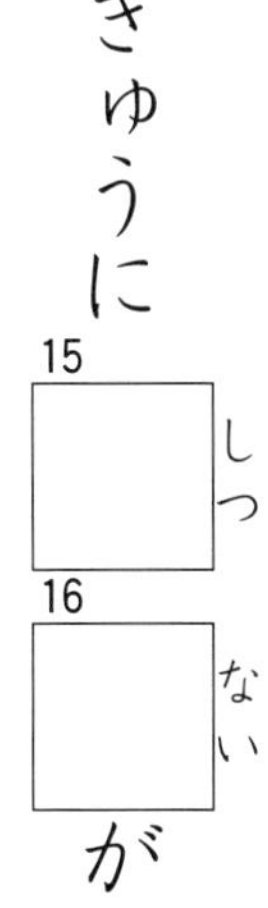

きゅうに[15 しっ][16 ない]が

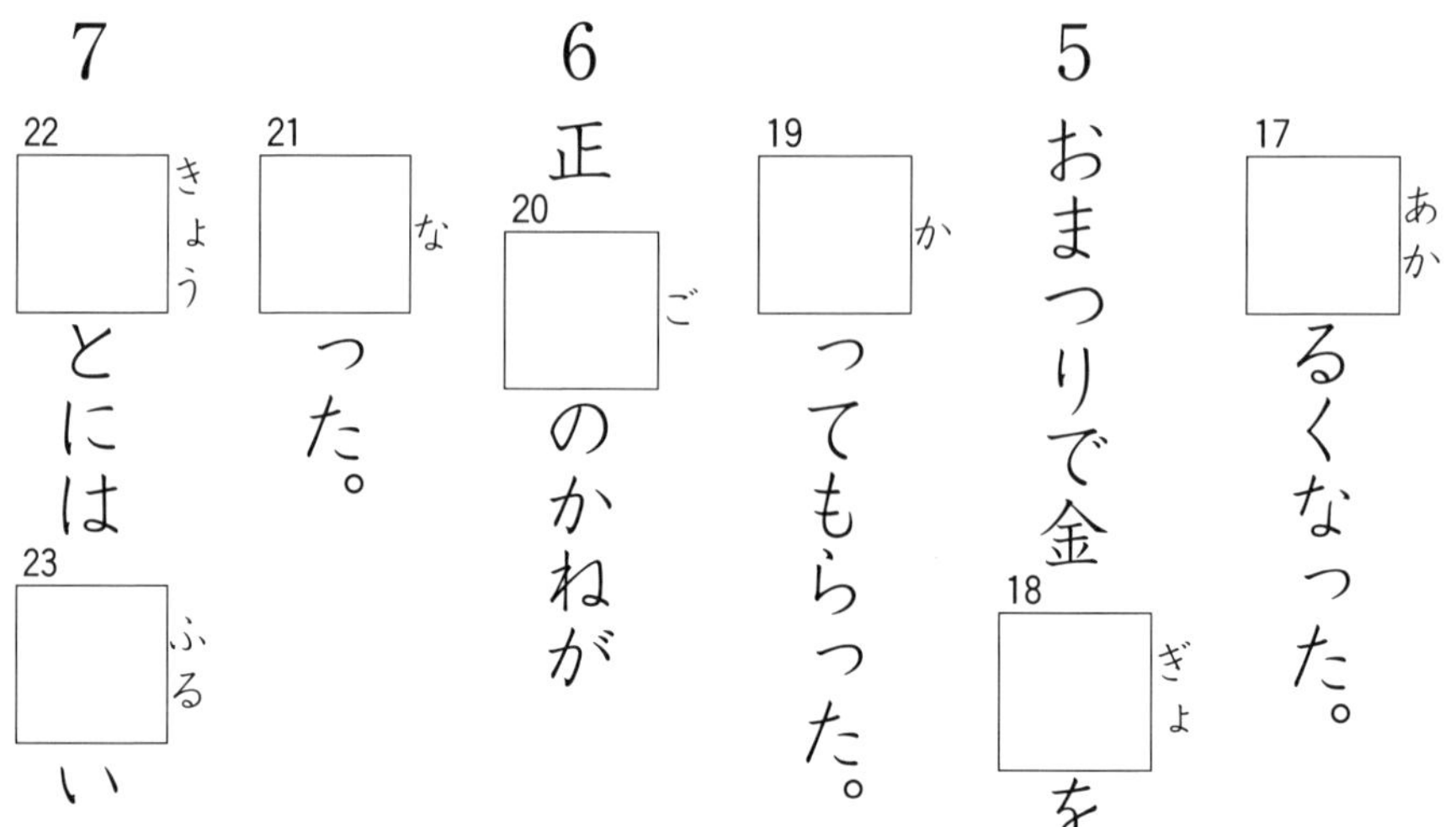

17 [　]（あか）るくなった。
5 おまつりで金 18 [　]（ぎょ）を
19 [　]（か）ってもらった。
6 正 20 [　]（ご）のかねが
21 [　]（な）った。
7 22 [　]（きょう）とには 23 [　]（ふる）い

お 24 [　]（てら）がたくさんある。

8 わすれないようにすぐに

ノートに 25 [　]（しる）した。

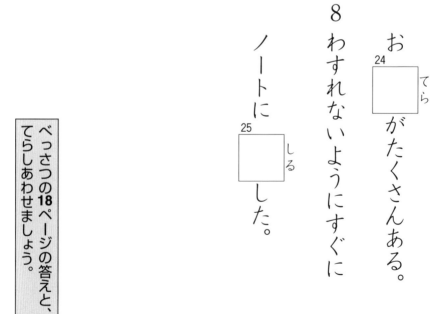

べっさつの**18**ページの答えと、
てらしあわせましょう。

9級 第4回★テスト（40分）

◇合計点◇
（　　点）
150点まん点
120点いじょう ごうかく

1×22＝22
（　　点）

（一）つぎの文をよんで、――せんの漢字のよみがなを――せんの右にかきなさい。

1 北[1]からの風[2]がやみ、雪[3]がとけて冬[4]から春[5]へ時[6]がうつった。

2 教室[7]から友[8]だちの元気[9]な声[10]が聞[11]こえる。心[12]がうきうきする。

3 お社[13]のやねに黒[14]い頭[15]のからすがいる。

4 秋の読書[16]週間[17]がはじまった。

5 ぼくは昼休[18]みにとても多[19]くの本を読んだ。

6 夕やけで西[20]の空が赤くなった。時計[21]を見ると午後[22]六時だった。

1×10＝10
点

(二)

つぎの漢字のふといところはなんばんめにかきますか。○の中にすう字をかきなさい。

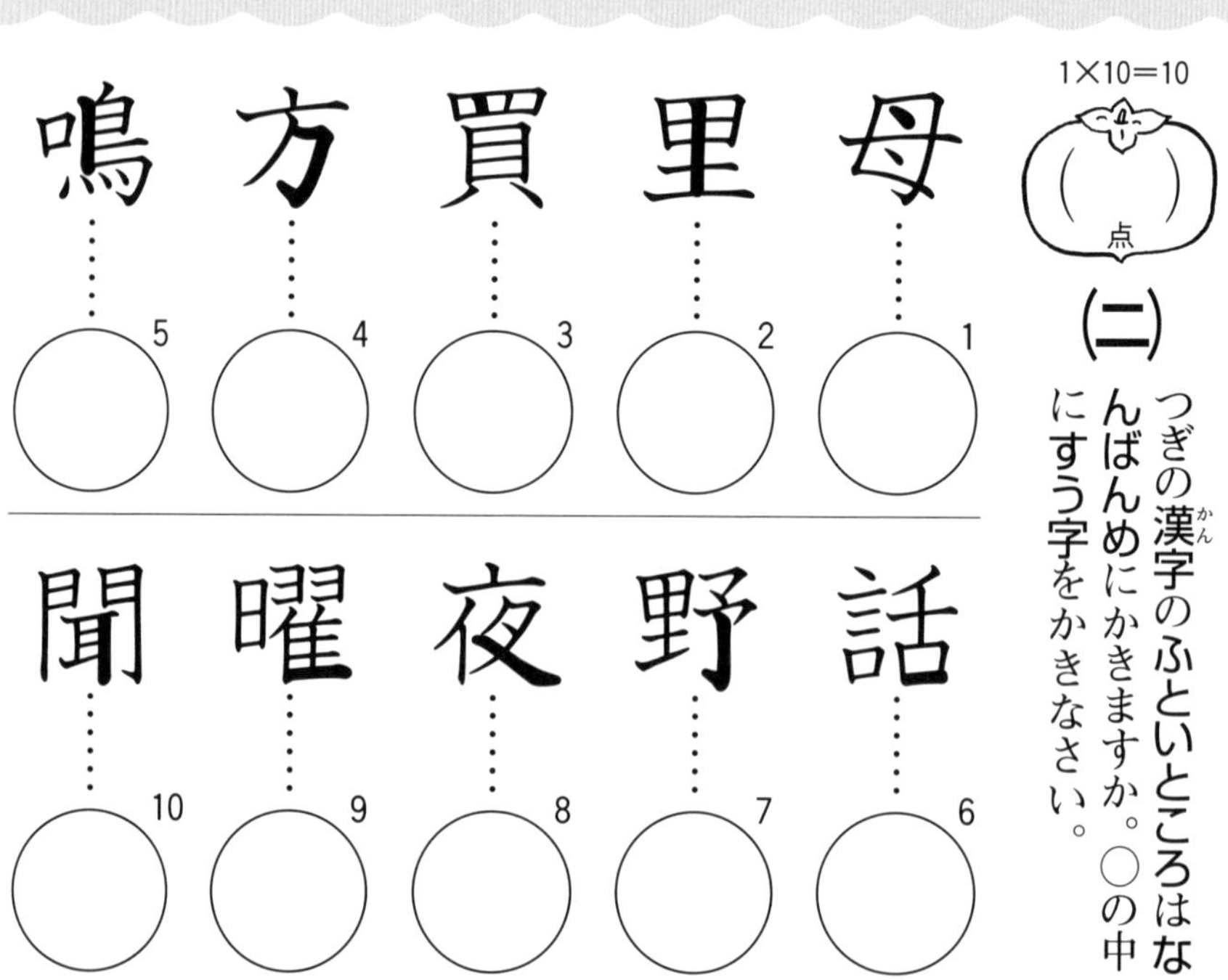

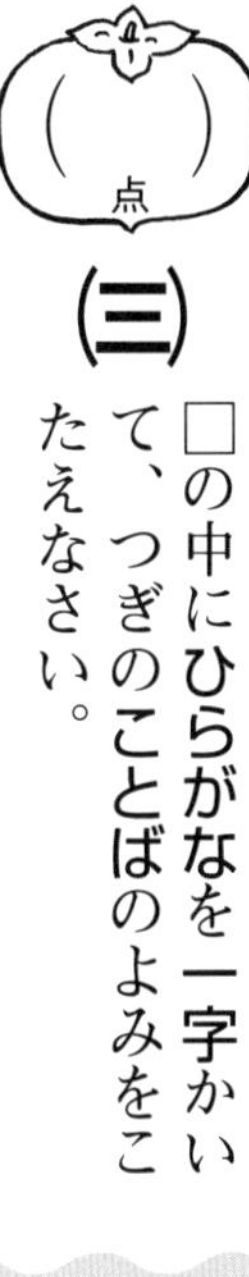

(三)

□の中にひらがなを一字かいて、つぎのことばのよみをこたえなさい。

1×8＝8 （　）点

（れい　上下……じょ［う］げ）

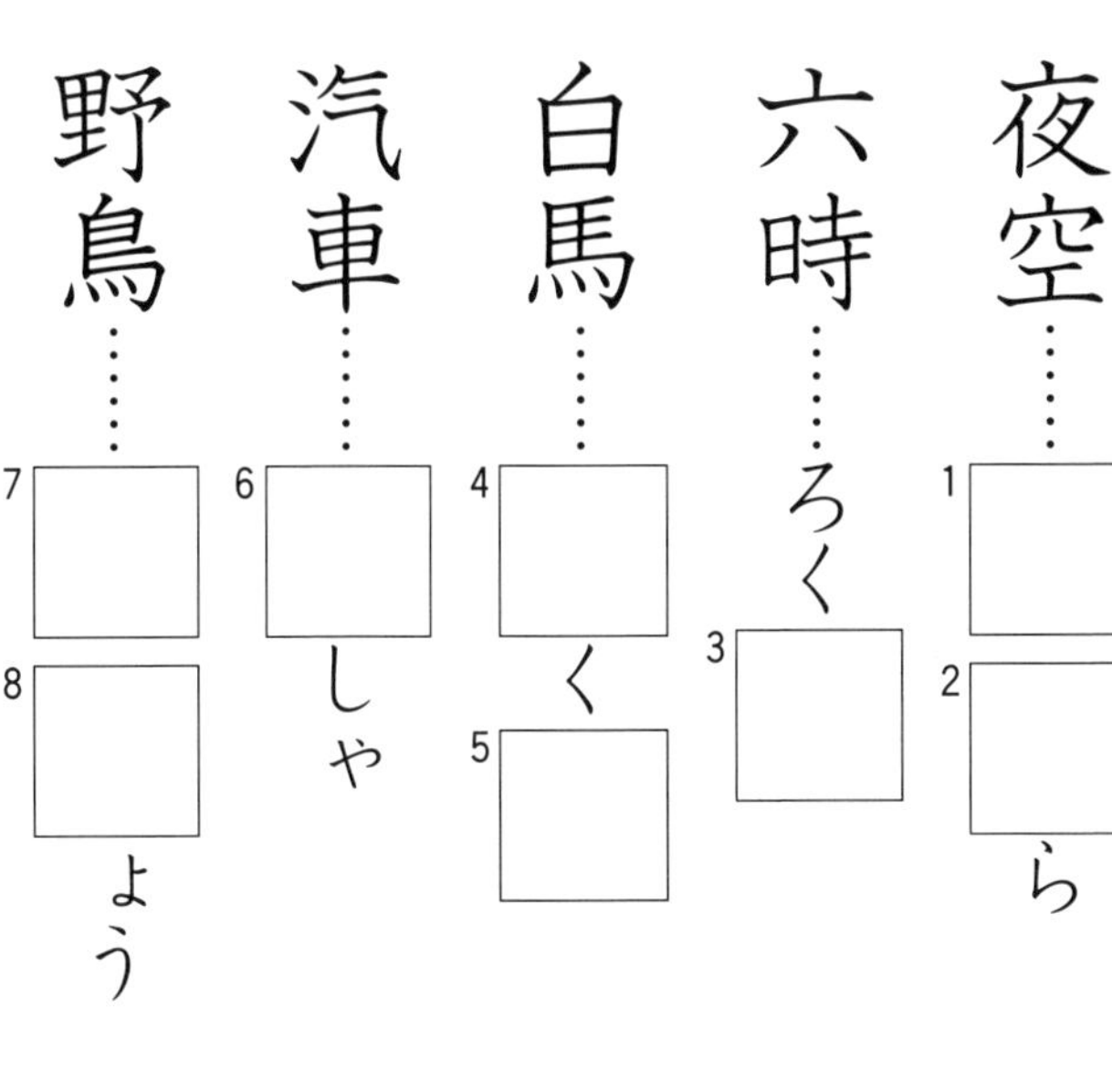

夜空……［1］［2］ら

六時……ろく［3］

白馬……［4］く［5］

汽車……［6］しゃ

野鳥……［7］［8］よう

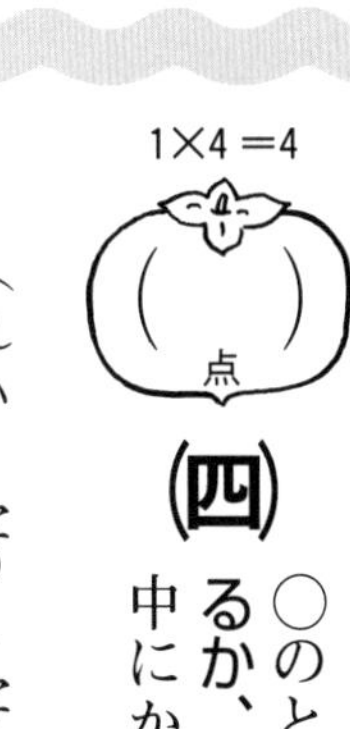

(四)

○のところは、はねるか、とめるか、ただしいかきかたで○の中にかきなさい。

1×4＝4 （　）点

（れい　字→字　千→千）

1 刀をぬく

2 東の空

3 分け前

4 南きょく

(五)

つぎの文をよんで、――せんの漢字(かん)のよみがなを――せんの右にかきなさい。

1×10＝10 （　）点

アメリカは強大[1]な国だ。

だんだんと風が強[2]くなる。

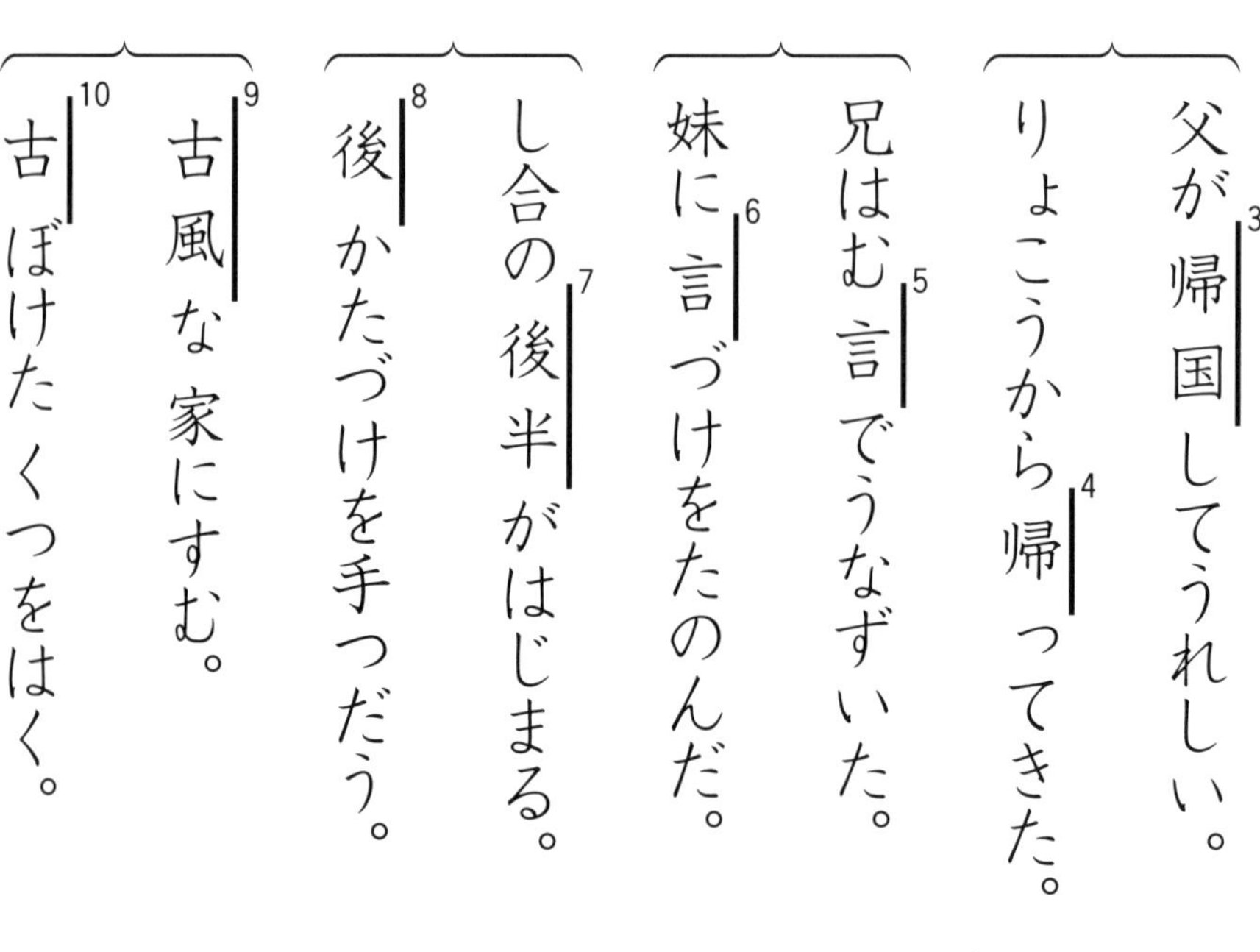

3 父が帰国してうれしい。

4 りょこうから帰ってきた。

5 兄はむ言でうなずいた。

6 妹に言づけをたのんだ。

7 し合の後半がはじまる。

8 後かたづけを手つだう。

9 古風な家にすむ。

10 古ぼけたくつをはく。

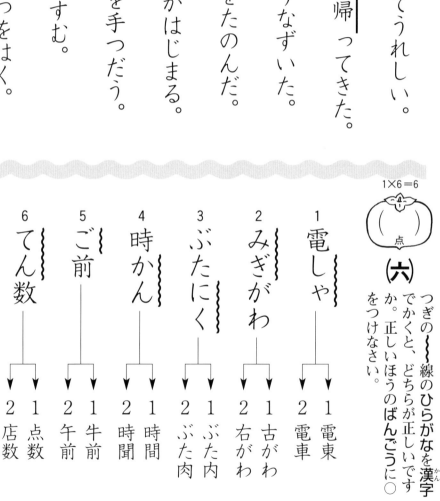

(六)

1×6＝6 点

つぎの〜〜線のひらがなを漢字(かん)でかくと、どちらが正しいですか。正しいほうのばんごうに○をつけなさい。

1 電しゃ
- 1 電東
- 2 電車

2 みぎがわ
- 1 古がわ
- 2 右がわ

3 ぶたにく
- 1 ぶた内
- 2 ぶた肉

4 時かん
- 1 時間
- 2 時聞

5 ご前
- 1 牛前
- 2 午前

6 てん数
- 1 点数
- 2 店数

(七) れいのようにおなじなかまの漢字(かん)を□の中にかきなさい。

2×10=20

（れい　木……山林(りん)・校(こう)長）

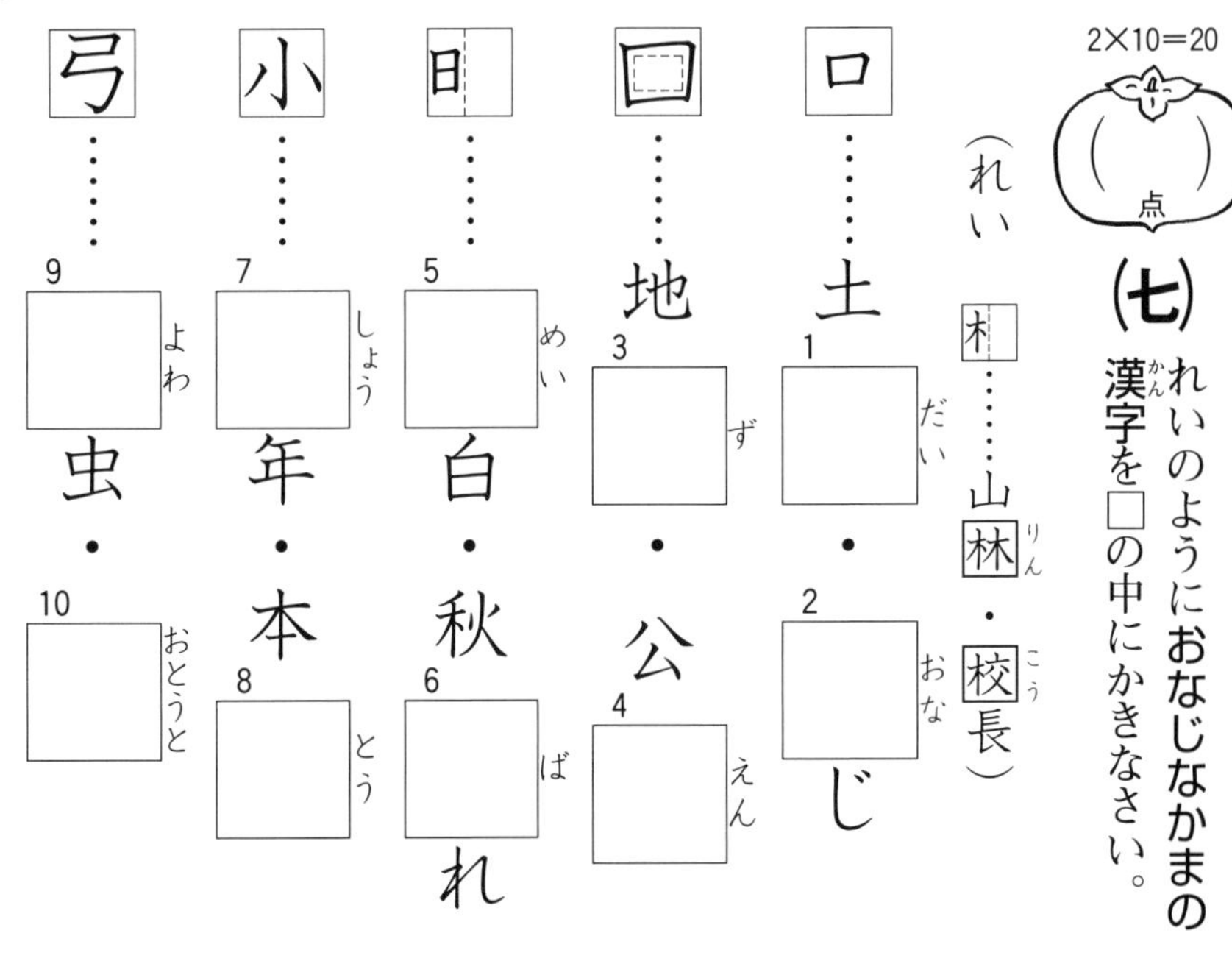

(八) つぎの□の中に漢字(かん)をかきなさい。

2×10=20

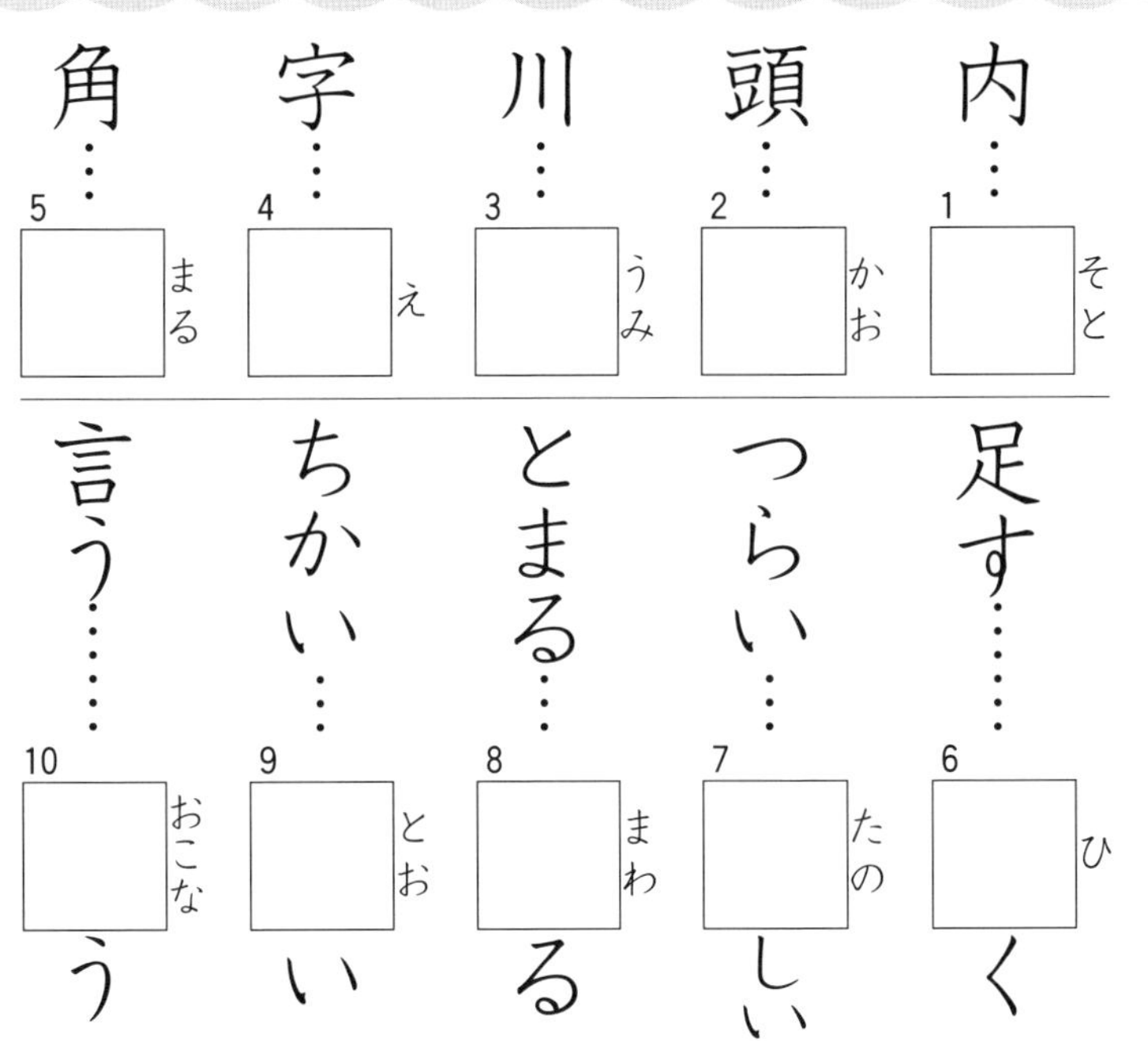

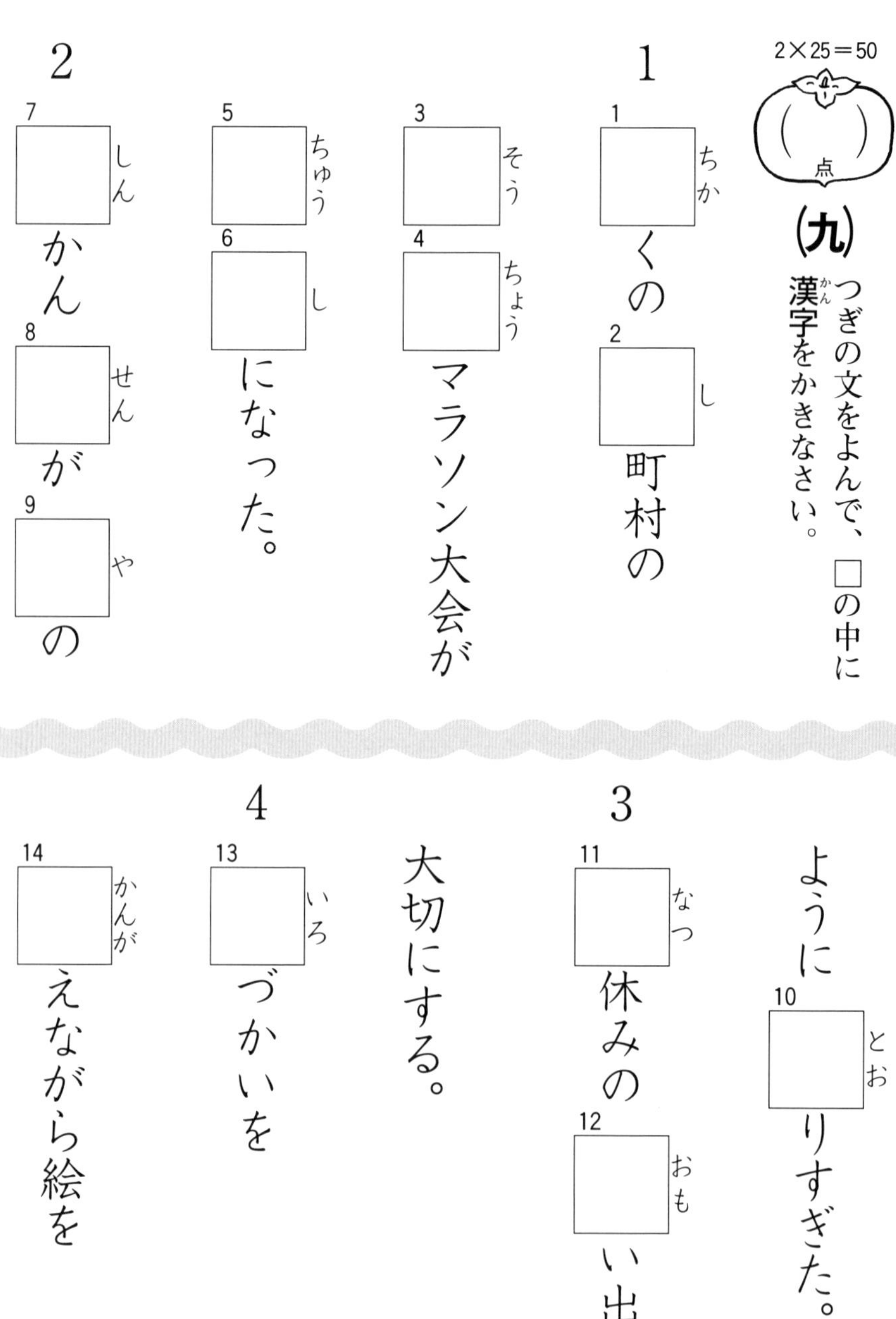

2×25＝50

（　　）点

(九) つぎの文をよんで、□の中に漢字（かんじ）をかきなさい。

1 [1 ちか]くの[2 し]町村の
[3 そう][4 ちょう]マラソン大会が
[5 ちゅう][6 し]になった。

2 [7 しん]かん[8 せん]が[9 や]の
ように[10 とお]りすぎた。

3 [11 なつ]休みの[12 おも]い出を
大切にする。

4 [13 いろ]づかいを
[14 かんが]えながら絵を

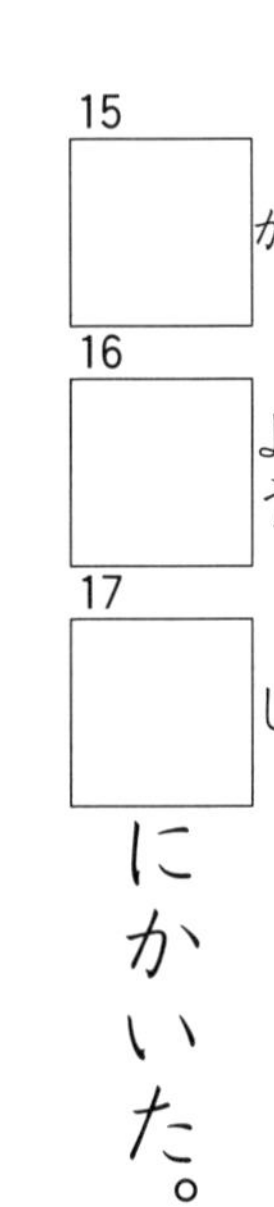
15［が］16［よう］17［し］にかいた。

5

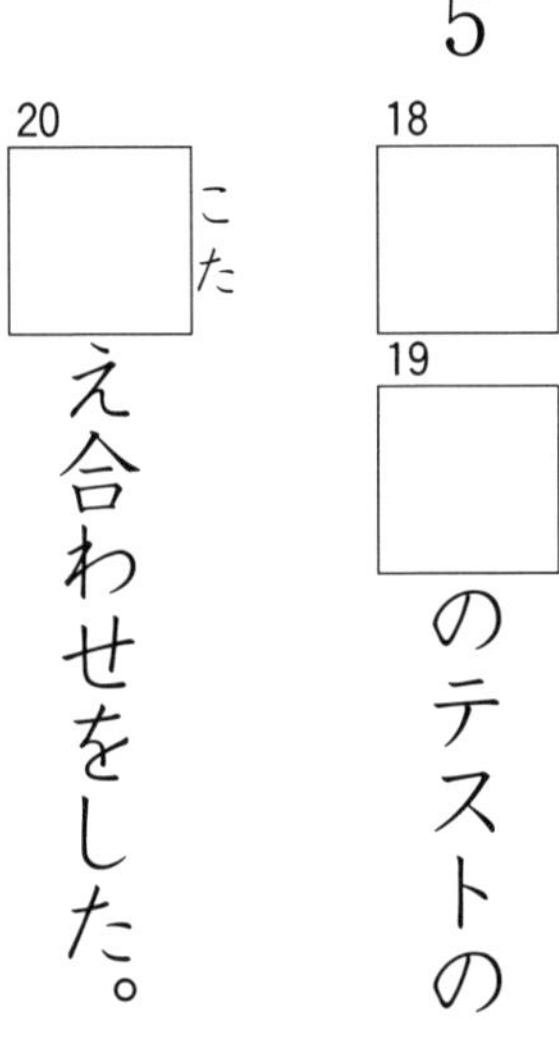
18［さん］19［すう］のテストの20［こた］え合わせをした。

6

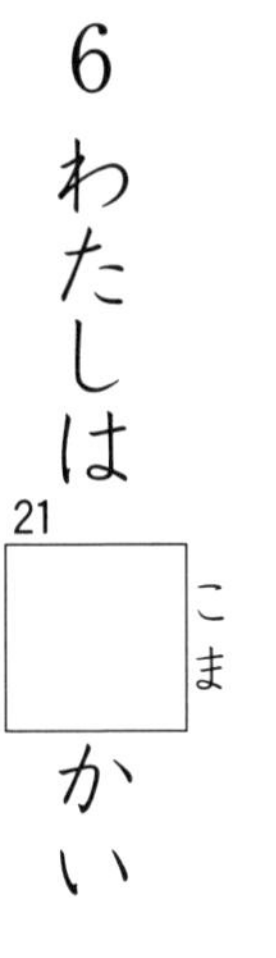
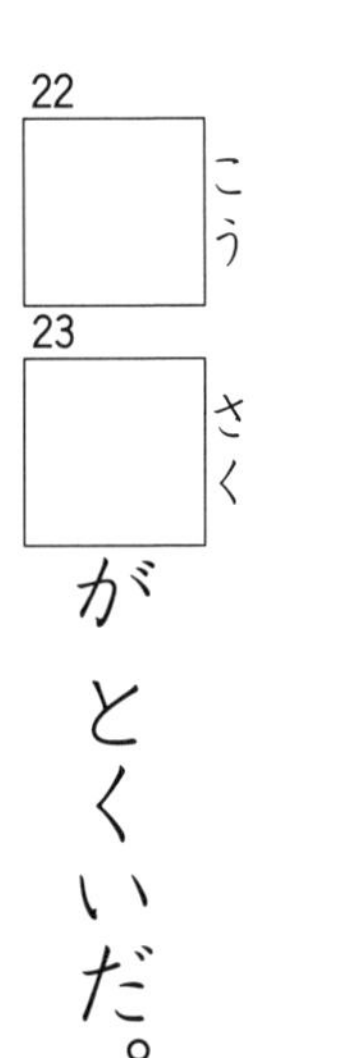
わたしは21［こま］かい22［こう］23［さく］がとくいだ。

7

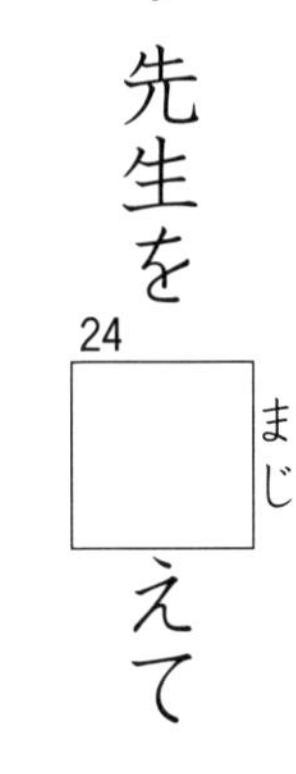
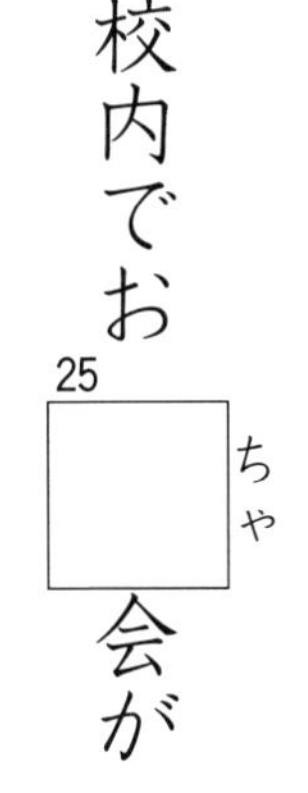
先生を24［まじ］えて校内でお25［ちゃ］会がひらかれた。

べっさつの**20**ページの答えと、てらしあわせましょう。

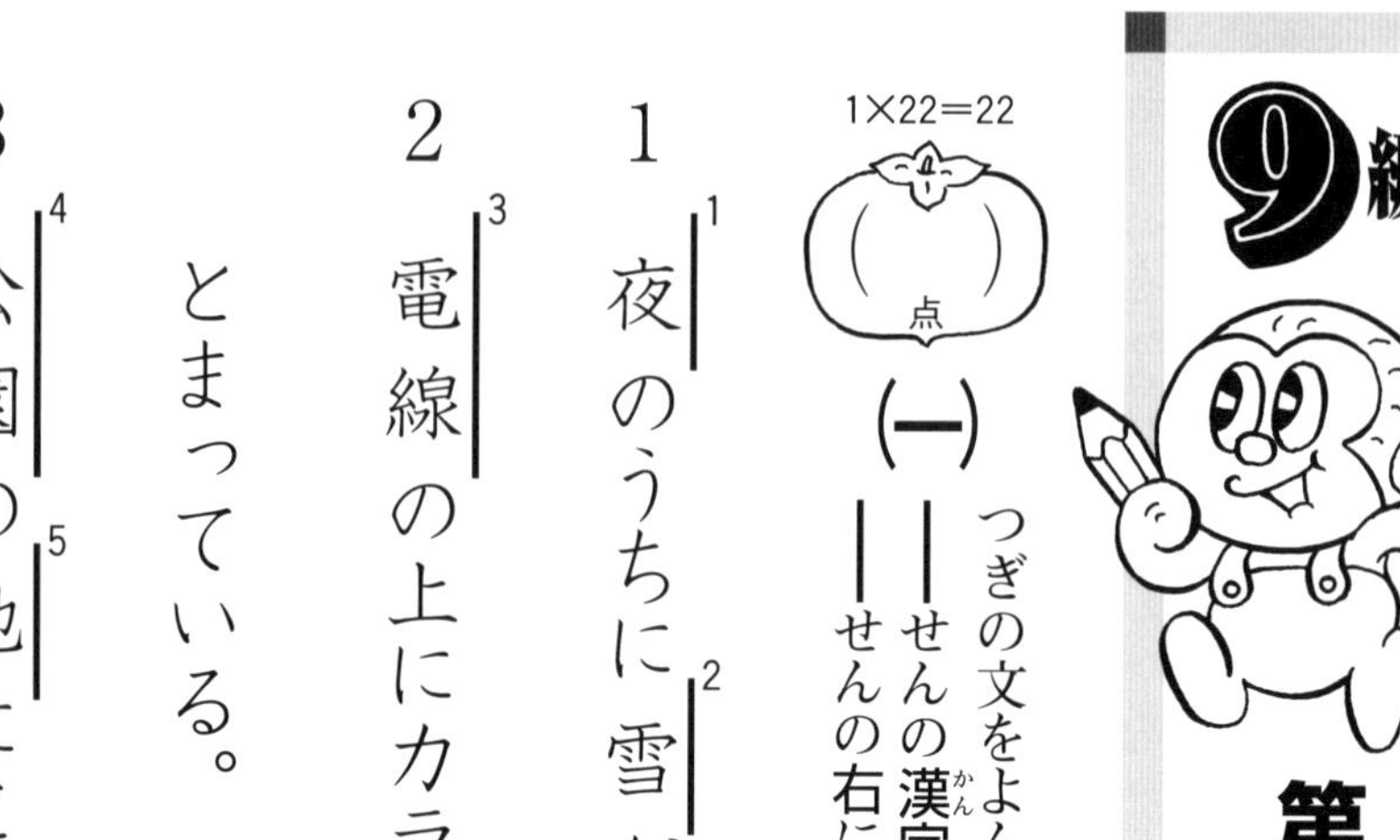

9級 第5回★テスト（40分）

◇合計点◇

（　　　点）

150点まんてん
120点いじょうごうかく

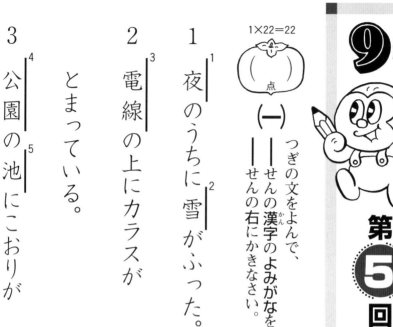

1×22＝22

（　　　点）

(一) つぎの文をよんで、――せんの漢字(かん)のよみがなを――せんの右にかきなさい。

1 [1]夜のうちに[2]雪がふった。

2 [3]電線の上にカラスがとまっている。

3 [4]公園の[5]池にこおりがはった。[6]白鳥がこおりの上にまいおりた。

4 [7]雪原で大きな[8]体の犬が[9]引くそりのきょう[10]走があった。

5
船(11)のもけいを組(12)み立てた。船長(13)さんも紙(14)を切(15)って作(16)った。

6
今日(17)の朝食(18)はトースト、昼食(19)はうどんだった。

7
弟(20)をつれて金魚(21)を買(22)いに行った。

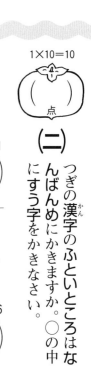

1×10＝10 点

(二)

つぎの漢字のふといところはなんばんめにかきますか。◯の中にすう字をかきなさい。

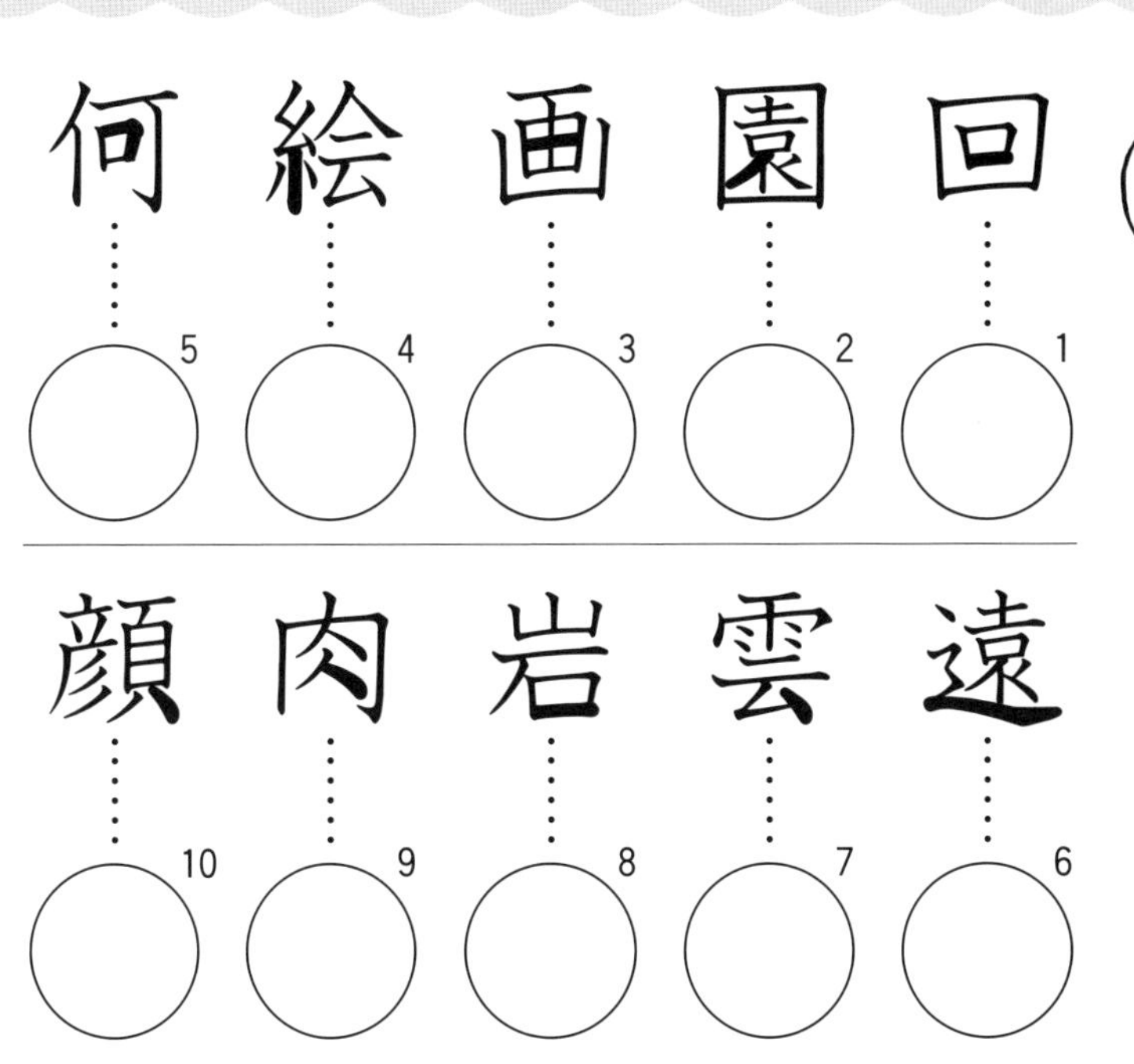

1×8＝8

（　　）点

三

□の中にひらがなを一字かいて、つぎのことばのよみをこたえなさい。

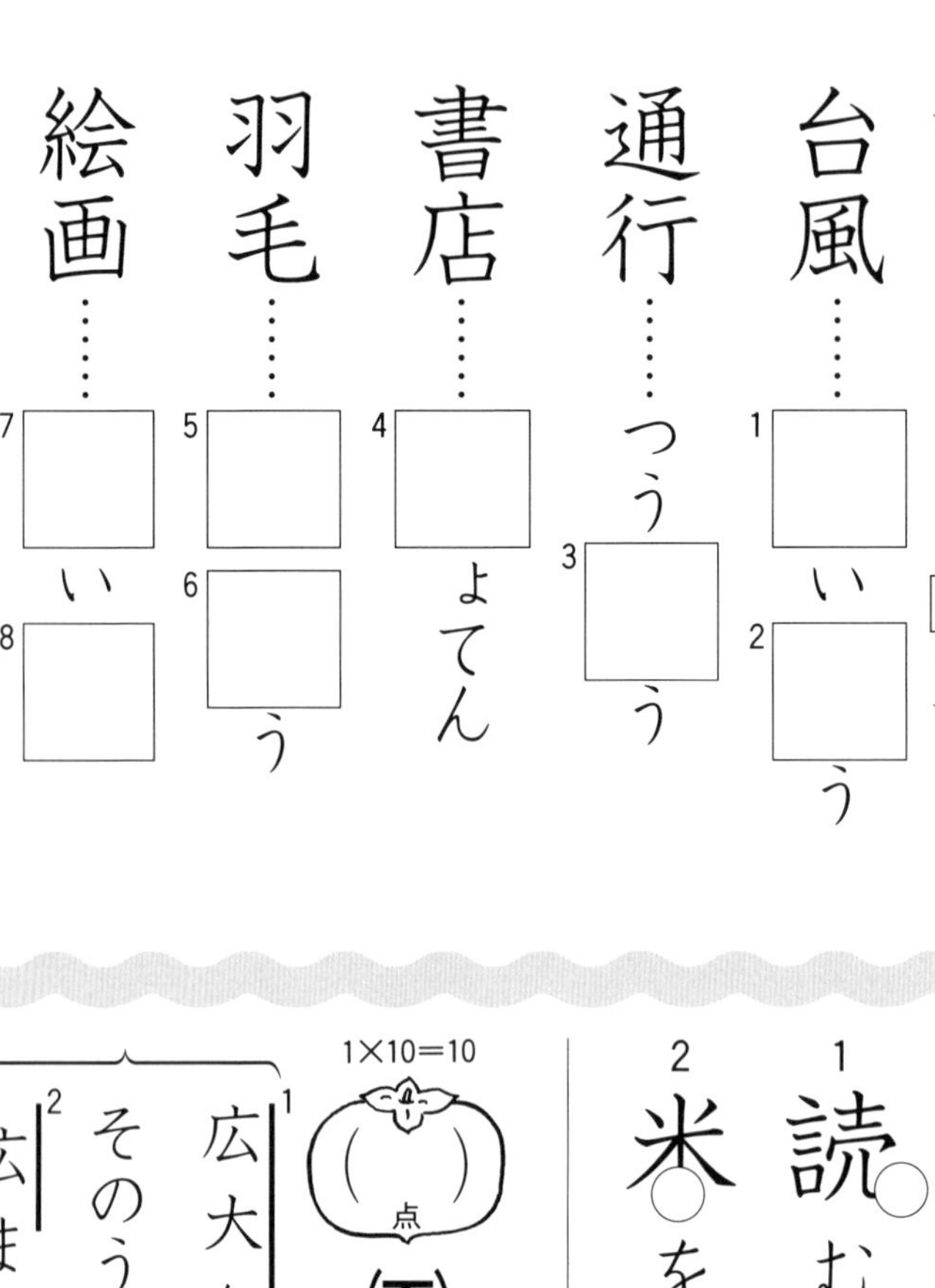

（れい　上下……じょうげ）

台風……1□い2□う

通行……つう3□う

書店……4□よてん

羽毛……5□6□う

絵画……7□い8□

1×4＝4

（　　）点

四

○のところは、はねるか、とめるか、ただしいかきかたで○の中にかきなさい。

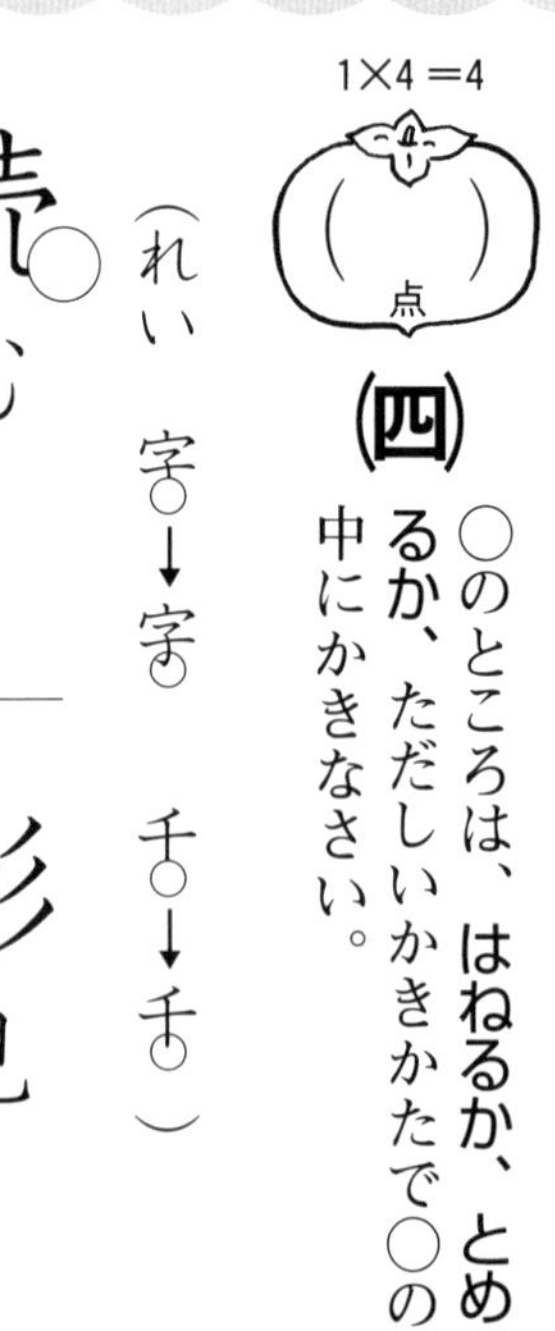

（れい　字○→字○　千○→千○）

1 読○む

2 米○をとぐ

3 形○見

4 元○日

1×10＝10

（　　）点

五

つぎの文をよんで、──せんの漢字のよみがなを──せんの右にかきなさい。

1 広大な土地がつづく。

2 そのうわさはすぐに広まった。

3 細心のちゅういをはらう。
4 細かい字で日記をつける。
5 黒ばんの字をけす。
6 黒山の人だかりだ。
7 行れつを作って店に入る。
正しい 8 行いをする。
9 高地をサイクリングする。
10 高台から町をながめる。

1×6＝6

（　）点

(六)

つぎの〰線のひらがなを漢字(かんじ)でかくと、どちらが正しいですか。正しいほうのばんごうに○をつけなさい。

1 こたえ　1 茶え　2 答え
2 ち下　1 池下　2 地下
3 もっ工　1 才工　2 木工
4 てん国　1 天国　2 矢国
5 らい年　1 来年　2 米年
6 どう点　1 同点　2 何点

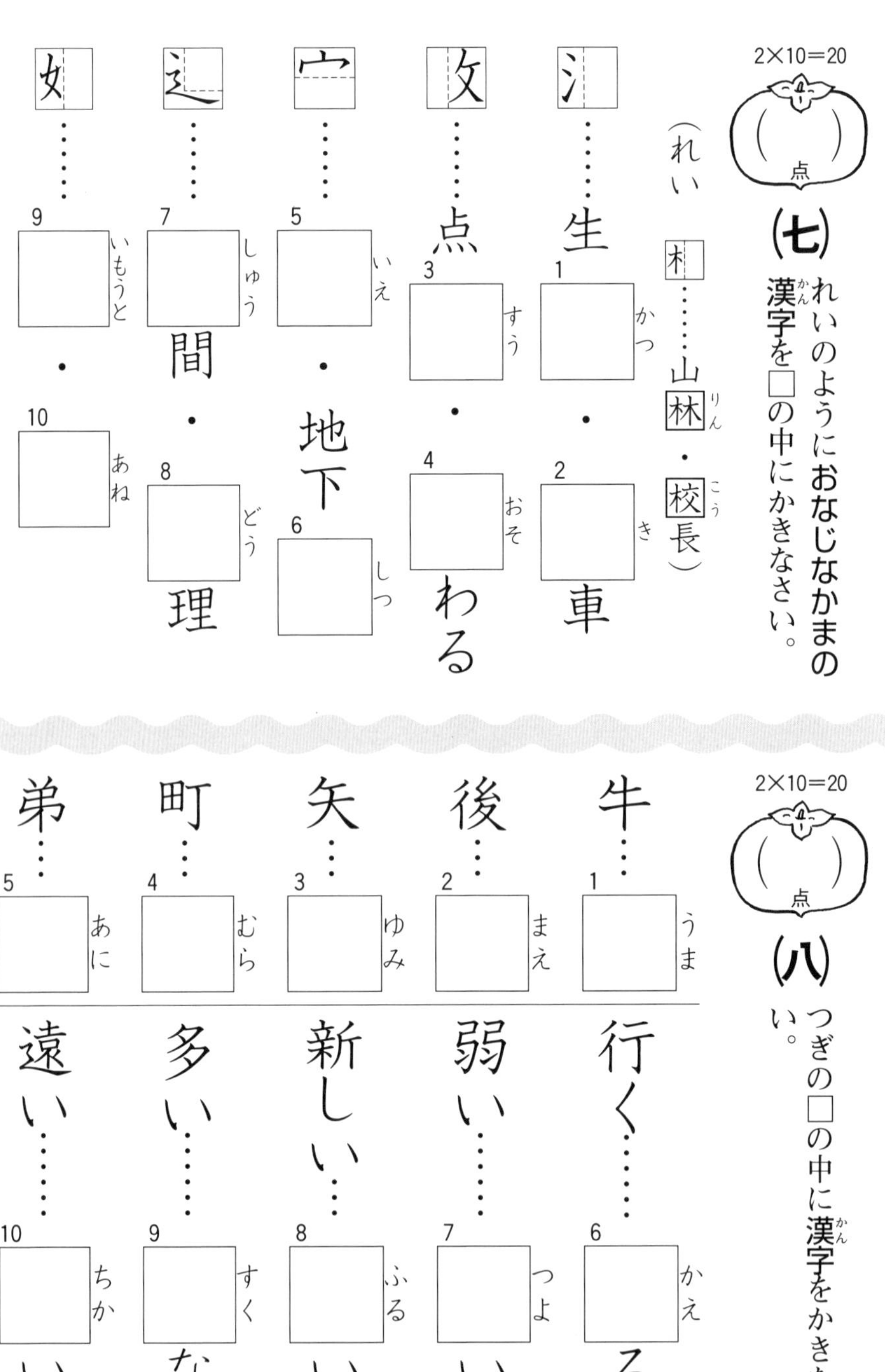

2×10＝20

（　）点

(七)

れいのようにおなじなかまの漢字(かん)を□の中にかきなさい。

（れい　木……山林(りん)・校(こう)長）

氵……生・1 □(かつ)・2 □(き)車

攵……点・3 □(すう)・4 □(おそ)わる

宀……5 □(いえ)・地下・6 □(しつ)

辶……7 □(しゅう)間・8 □(どう)理

女……9 □(いもうと)・10 □(あね)

2×10＝20

（　）点

(八)

つぎの□の中に漢字(かん)をかきなさい。

牛……1 □(うま)

後……2 □(まえ)

矢……3 □(ゆみ)

町……4 □(むら)

弟……5 □(あに)

行く……6 □(かえ)る

弱い……7 □(つよ)い

新しい……8 □(ふる)い

多い……9 □(すく)ない

遠い……10 □(ちか)い

2×25＝50

点

(九) つぎの文をよんで、□の中に漢字（かんじ）をかきなさい。

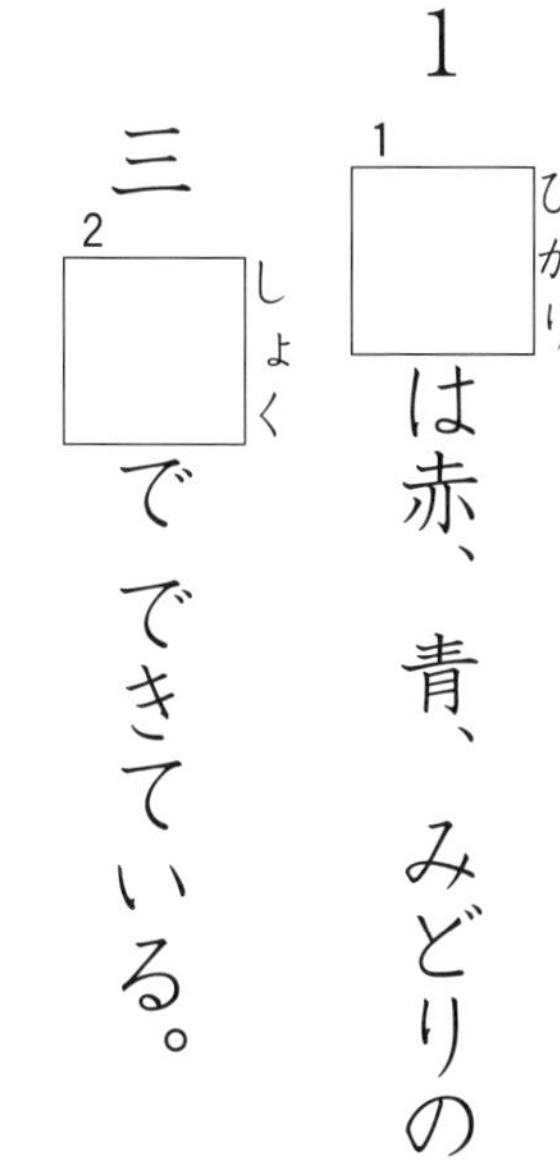

1 [1 ひかり]は赤、青、みどりの三[2 しょく]でできている。

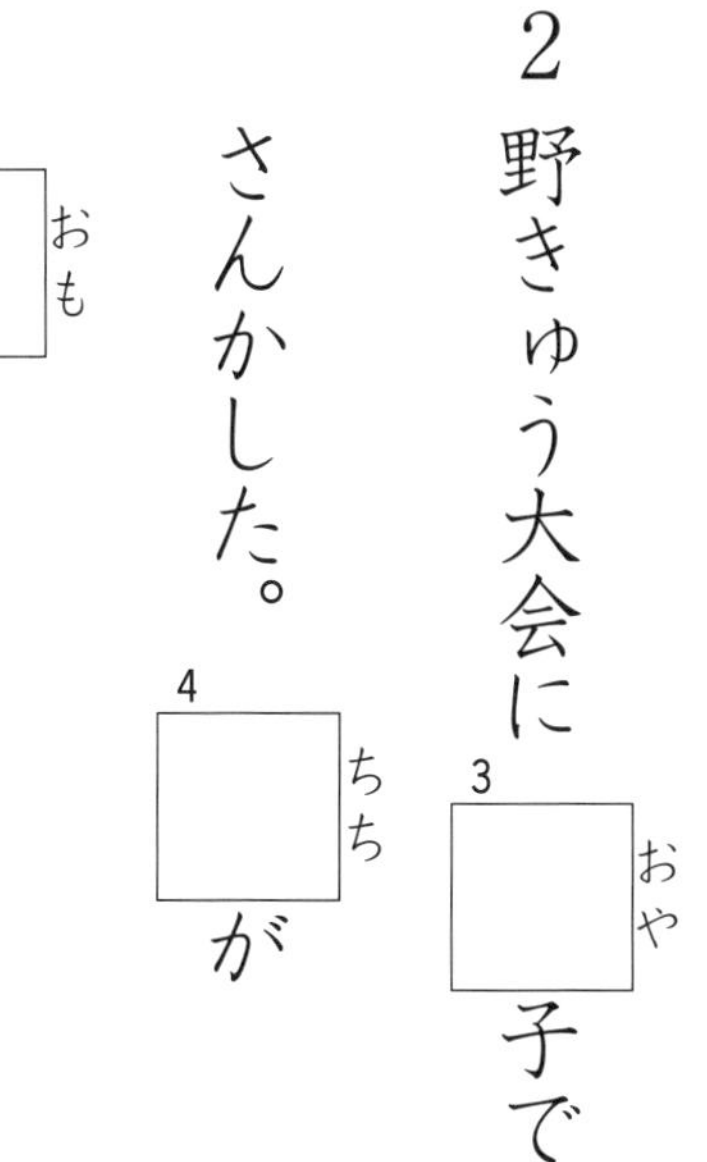

2 野きゅう大会に[3 おや]子で[4 ちち]がさんかした。

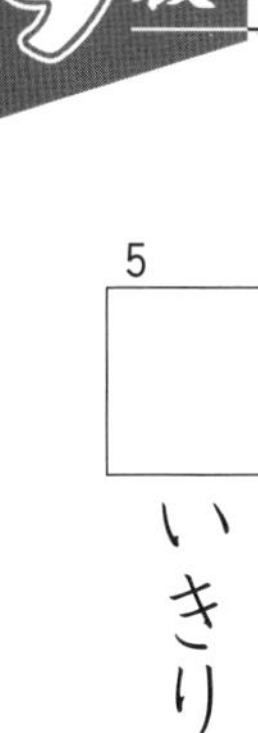

[5 おも]いきりうつと

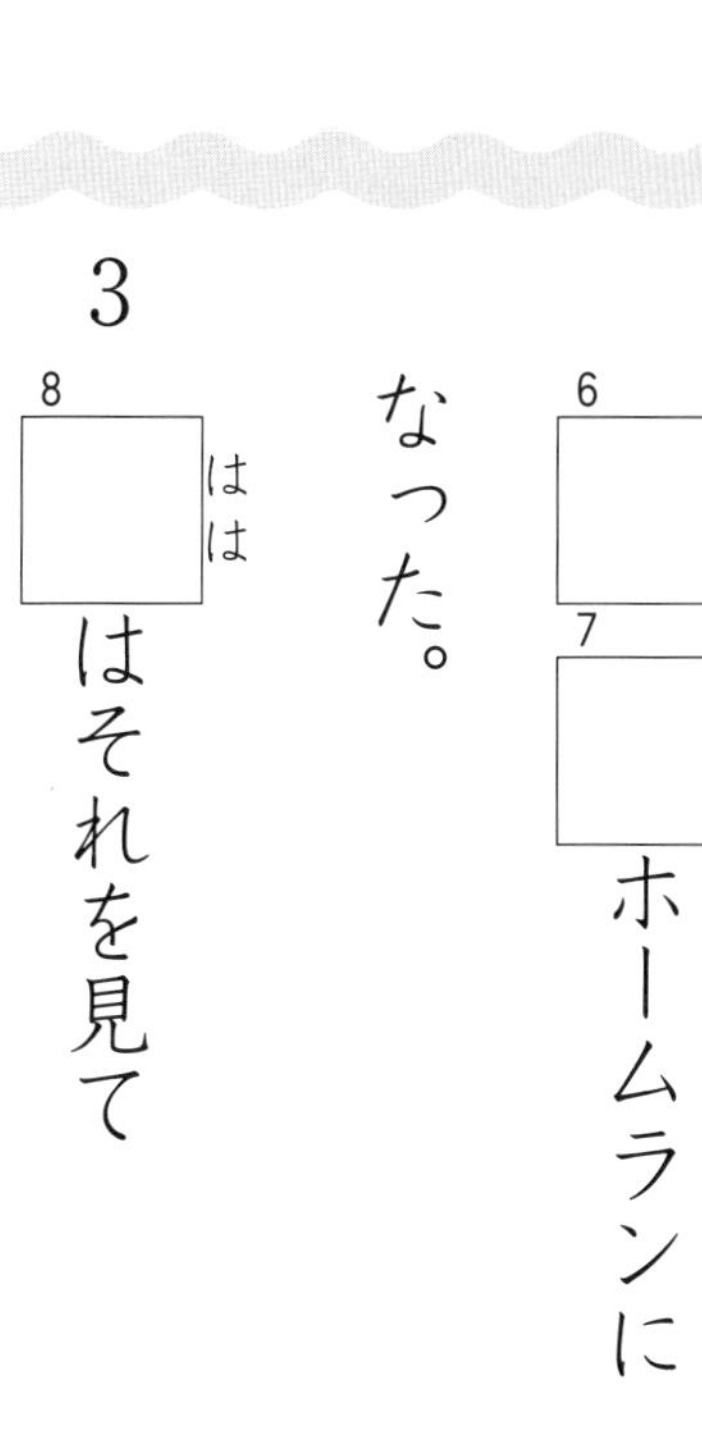

[6 じょう][7 がい]ホームランになった。

3 [8 はは]はそれを見てよろこんだ。

4 お正月に[9 は]れぎをきて百人一[10 しゅ]かるたを

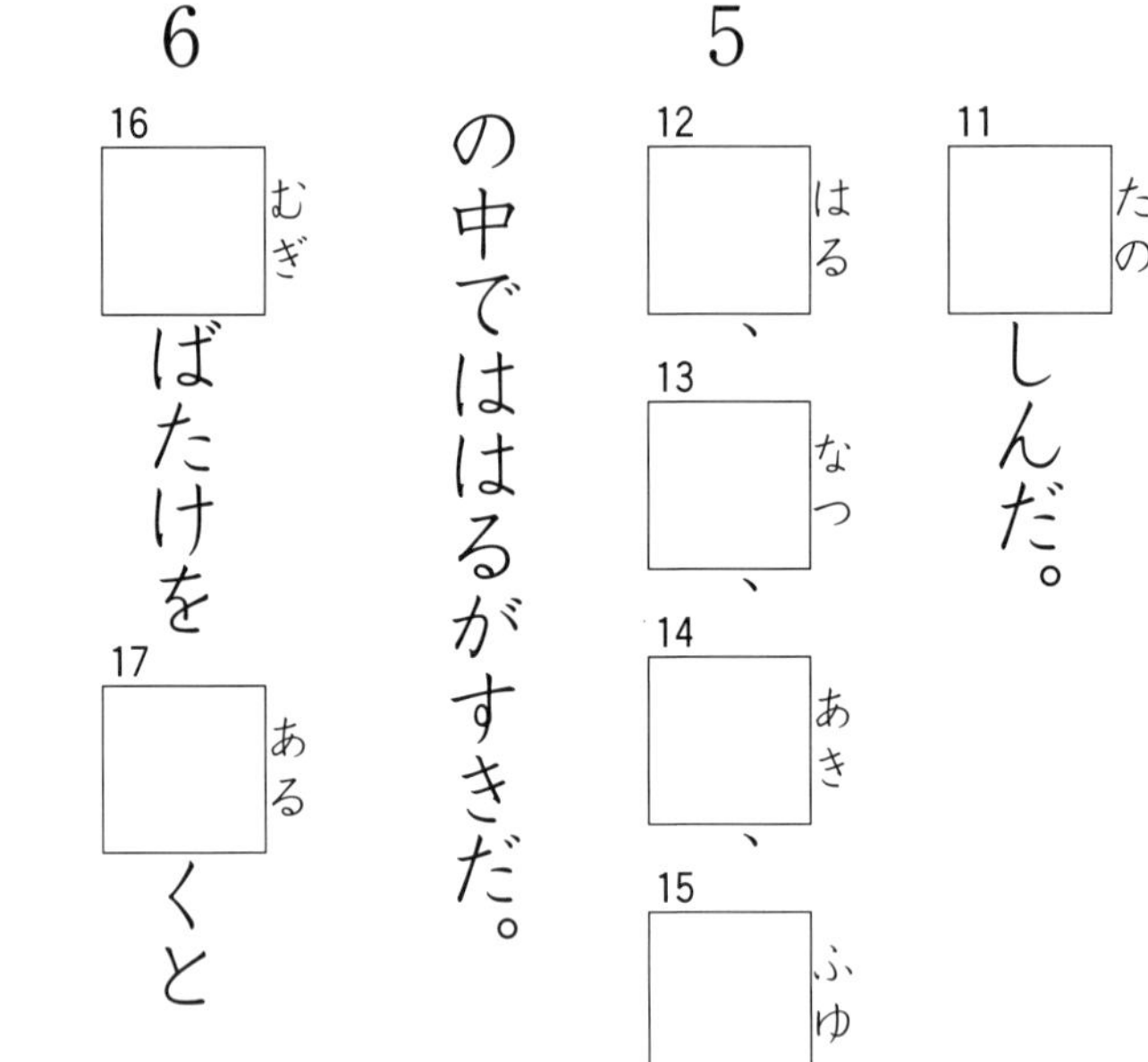

11（たの）しんだ。

5 12（はる）、13（なつ）、14（あき）、15（ふゆ）の中ではるがすきだ。

6 16（むぎ）ばたけを17（ある）くとてんとう虫が見つかった。

7 ひばりが空高くのぼって

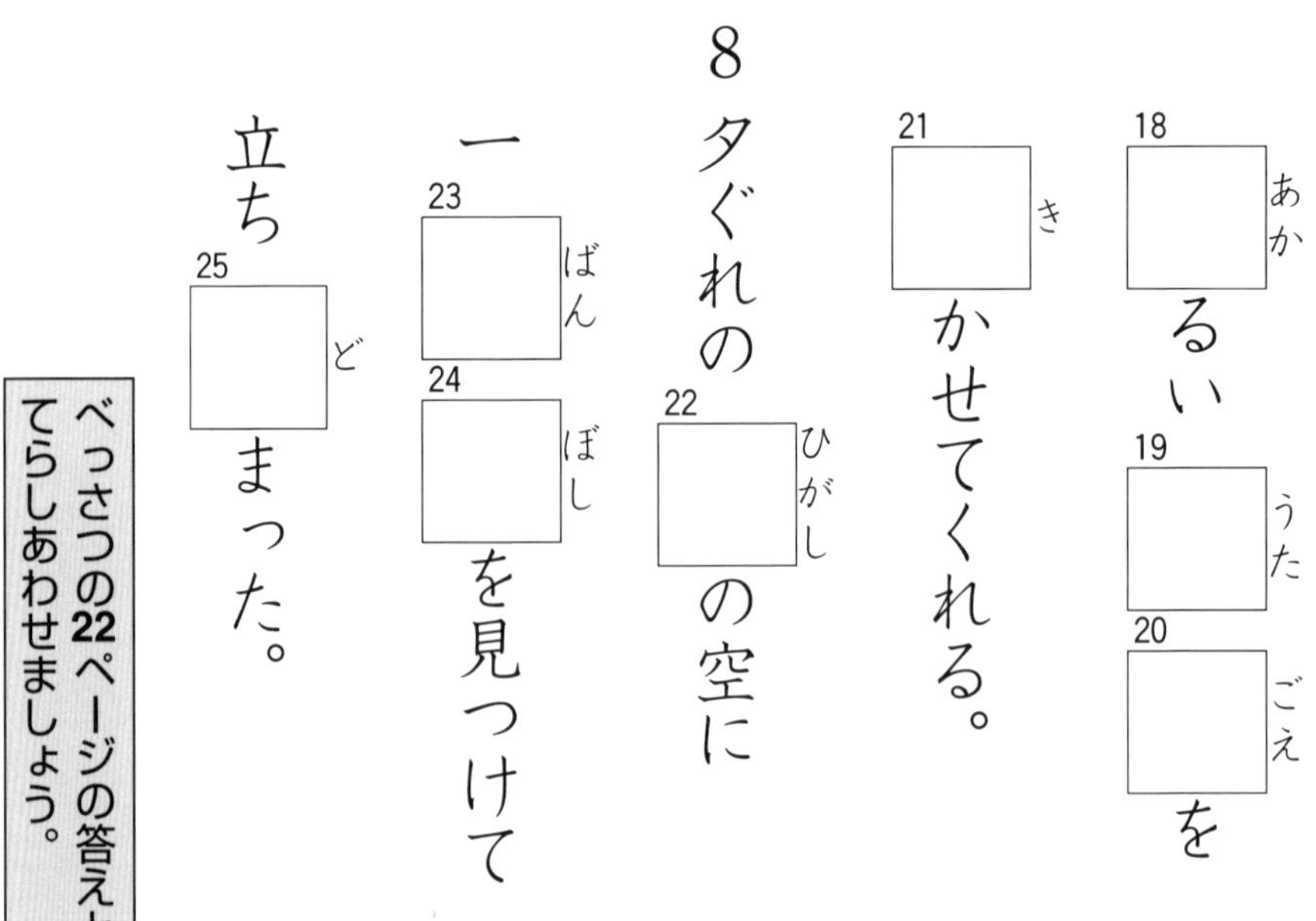

18（あか）るい19（うた）20（ごえ）を21（き）かせてくれる。

8 夕ぐれの22（ひがし）の空に一23（ばん）24（ぼし）を見つけて立ち25（ど）まった。

べっさつの**22**ページの答えと、てらしあわせましょう。

9級 第6回★テスト（40分）

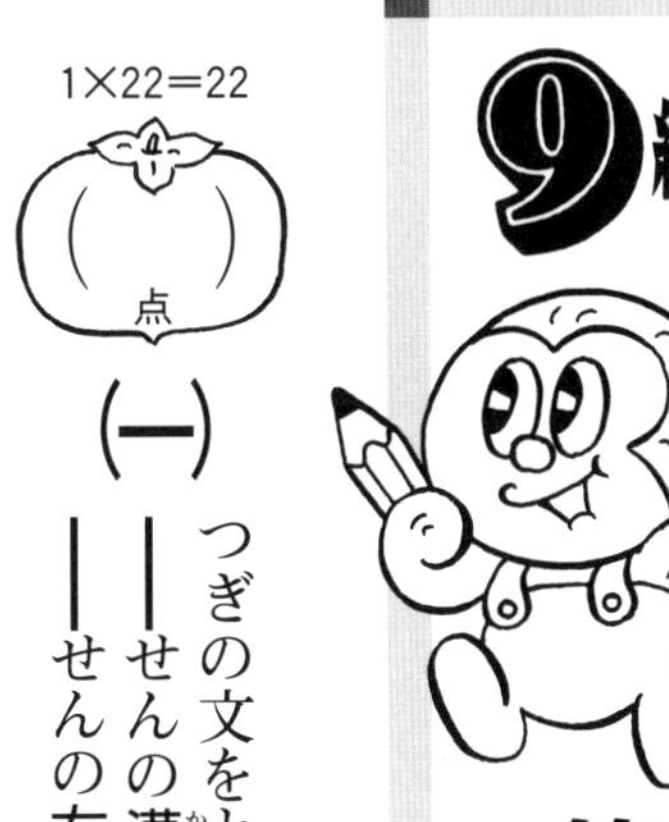

◇合計点◇
（　　　　）点

150点まん点
120点いじょう ごうかく

（　　）点
1×22＝22

㈠ つぎの文をよんで、――せんの漢字（かん）のよみがなを――せんの右にかきなさい。

1 門[1]のまえで竹馬[2]のれんしゅうをした。むこうの角[3]まですすむことができた。

2 今年[4]は台風[5]の当たり年[6]だといわれる。

3 台風ははるか遠く[7]の海上[8]で生まれる。

4 テストの点数[9]を合計[10]

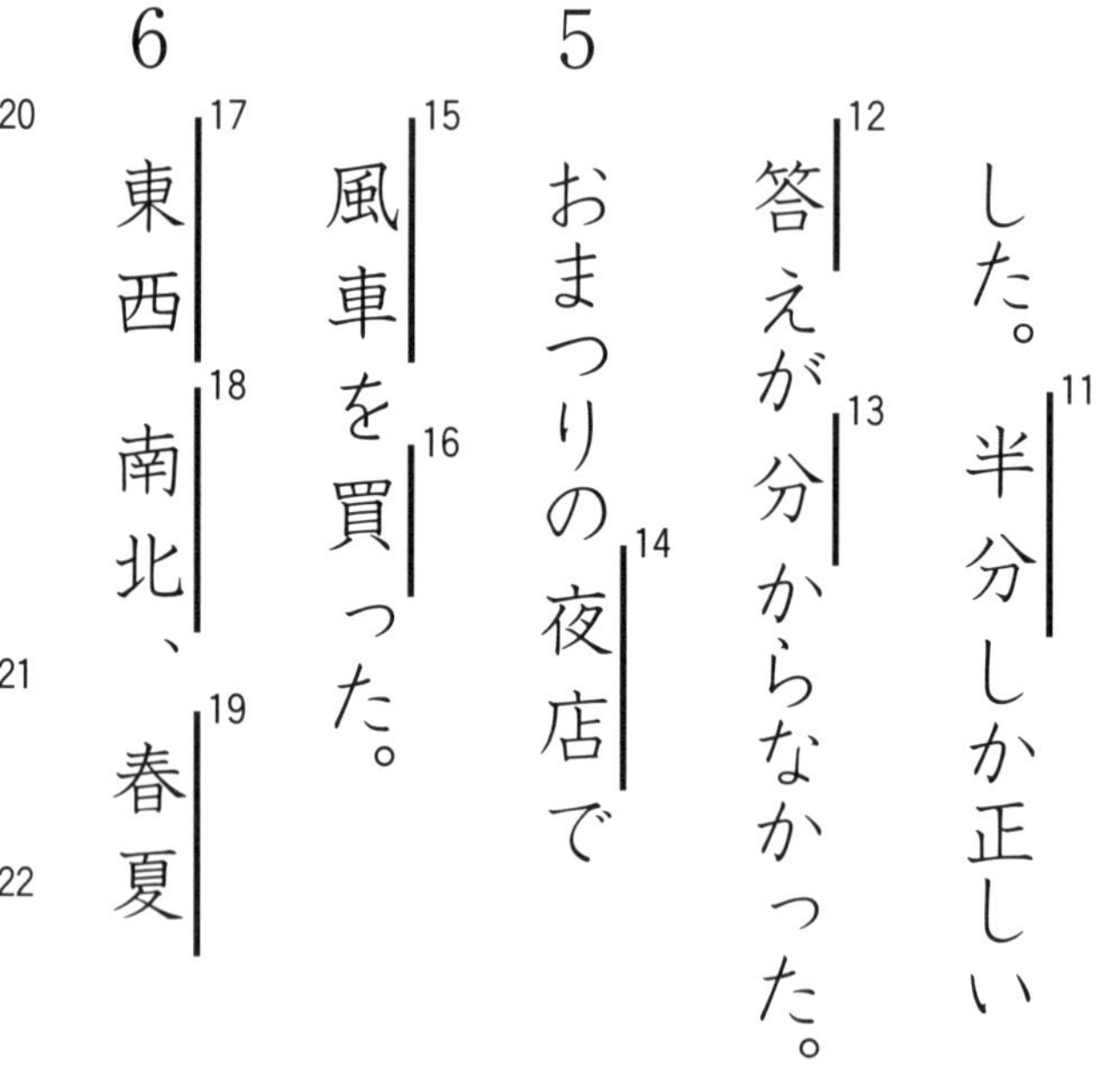

した。11半分しか正しい

12答えが13分からなかった。

5　おまつりの14夜店で

15風車を16買った。

6　17東西　18南北、19春夏

20秋冬という、21読み22方を

音読みという。

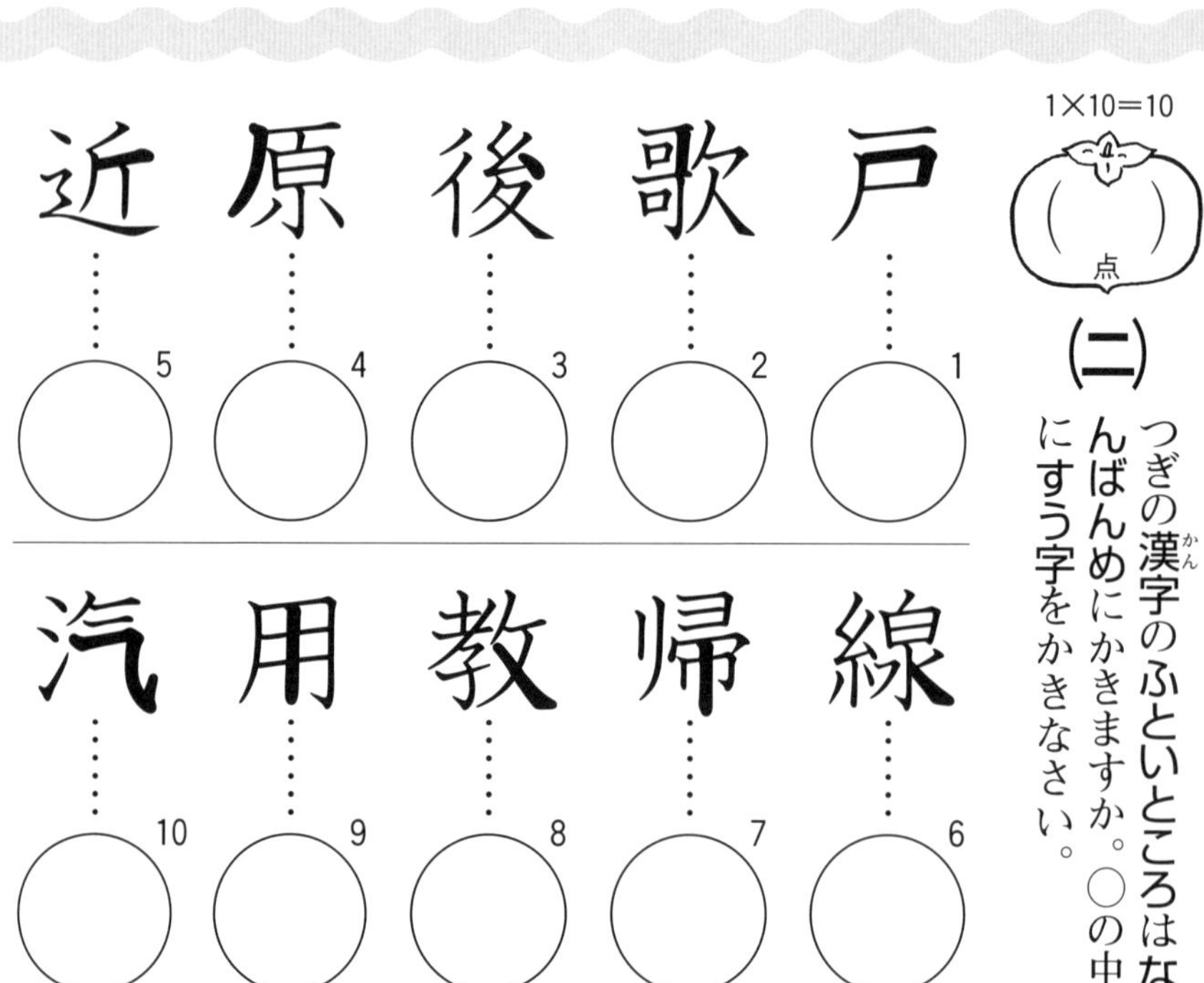

1×10＝10　点

(二)

つぎの漢字(かん)のふといところはなんばんめにかきますか。○の中にすう字をかきなさい。

1　戸　○

2　歌　○

3　後　○

4　原　○

5　近　○

6　線　○

7　帰　○

8　教　○

9　用　○

10　汽　○

1×8＝8

（　）点

(三)

□の中にひらがなを一字かいて、つぎのことばのよみをこたえなさい。

（れい　上下……じょ[う]げ）

毎日……[1]いにち

父母……ふ[2]

町内……[3]ような[4]

今週……[5]ん[6]ゆう

当番……と[7][8]ん

1×4＝4

（　）点

(四)

○のところは、はねるか、とめるか、ただしいかきかたで○の中にかきなさい。

（れい　字○→字○　千○→千○）

1 聞○く

2 羽○ばたく

3 丸○める

4 楽○しむ

1×10＝10

（　）点

(五)

つぎの文をよんで、――せんの漢字のよみがなを――せんの右にかきなさい。

弱小[1]チームを立てなおす。

妹は体が弱[2]い。

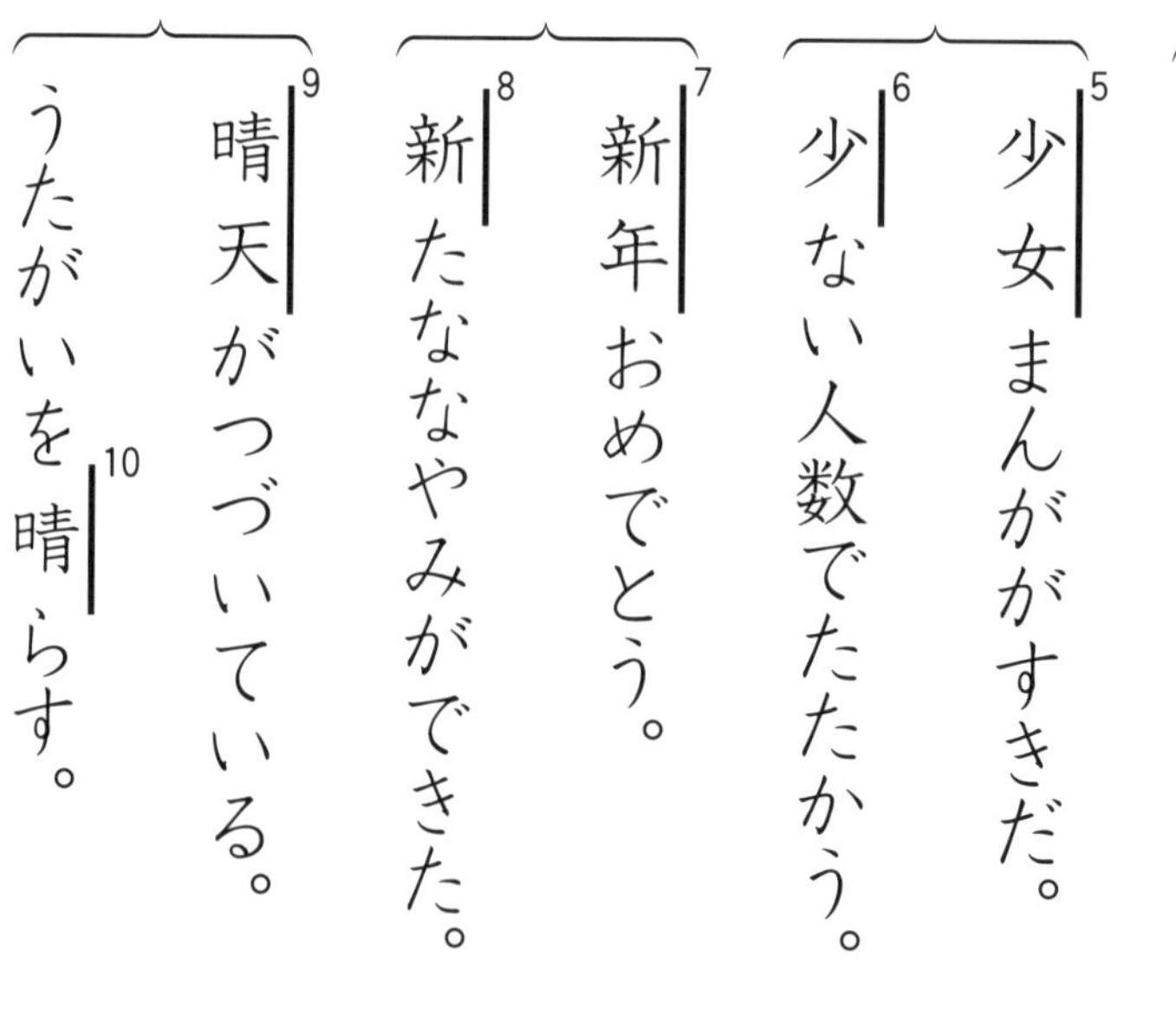

3 自ぜんの風けいをながめる。

4 自ら行って見本をしめす。

5 少女まんががすきだ。

6 少ない人数でたたかう。

7 新年おめでとう。

8 新たななやみができた。

9 晴天がつづいている。

10 うたがいを晴らす。

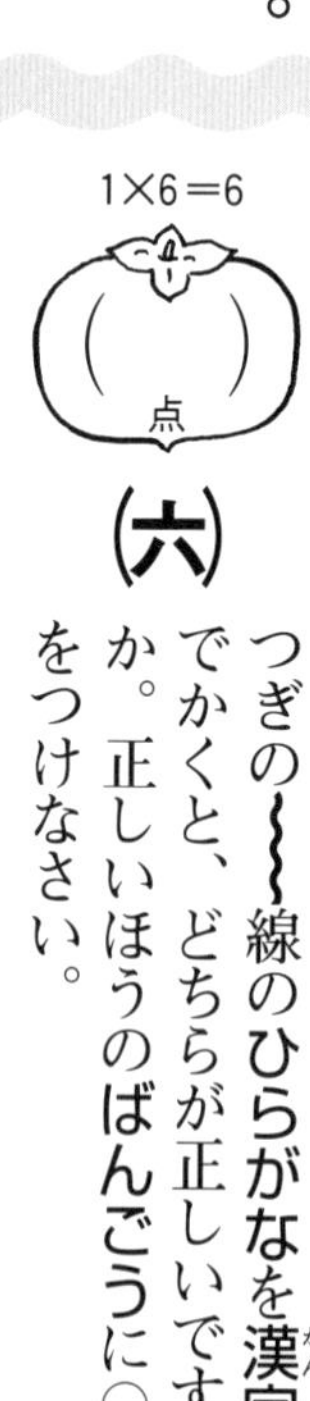

1×6＝6 点

㈥

つぎの〜〜線のひらがなを漢字（かん）でかくと、どちらが正しいですか。正しいほうのばんごうに○をつけなさい。

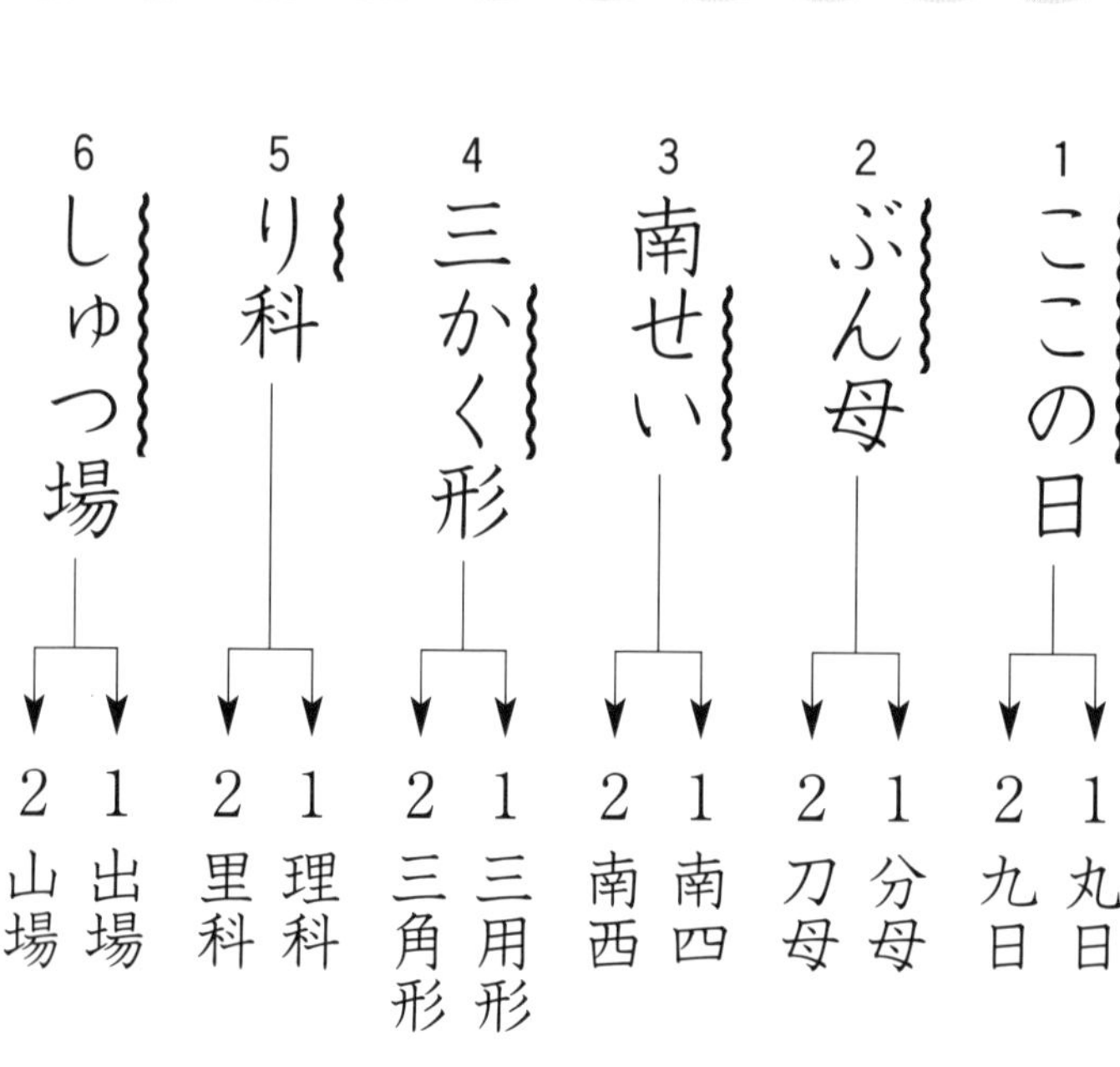

1 ここの日
- 1 丸日
- 2 九日

2 ぶん母
- 1 分母
- 2 刀母

3 南せい
- 1 南四
- 2 南西

4 三かく形
- 1 三用形
- 2 三角形

5 り科
- 1 理科
- 2 里科

6 しゅつ場
- 1 出場
- 2 山場

9級 第6回★テスト

2×10＝20

（　）点

(七)

れいのようにおなじなかまの漢字(かん)を□の中にかきなさい。

（れい　木……山林(りん)・校(こう)長）

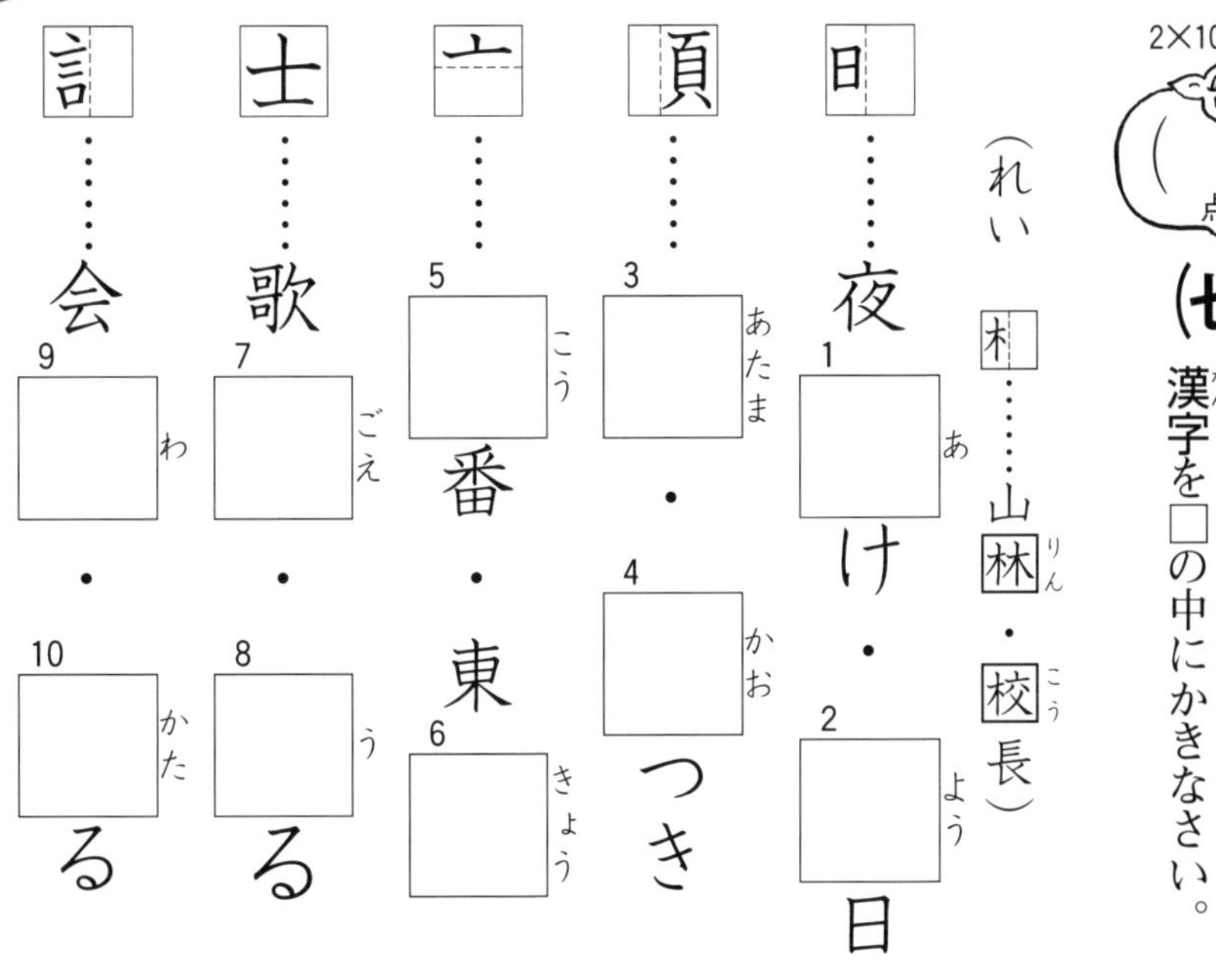

日……夜
1□(あ)け・2□(よう)日
頁……3□(あたま)・4□(かお)つき
亠……5□(こう)番・東6□(きょう)
士……歌7□(ごえ)・8□(う)る
言……会9□(わ)・10□(かた)る

2×10＝20

（　）点

(八)

つぎの□の中に漢字(かん)をかきなさい。

白……1□(くろ)

貝……2□(さかな)

月……3□(ほし)

赤……4□(き)

兄……5□(あね)

せまい……6□(ひろ)い

ひくい……7□(たか)い

太い……8□(ほそ)い

かげ……9□(ひかり)

こわす……10□(つく)る

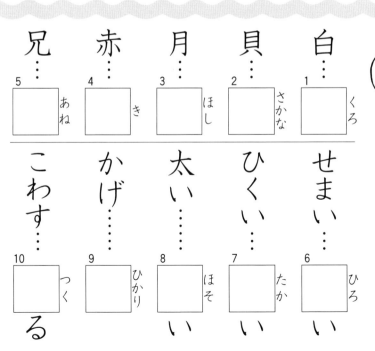

2×25＝50

点

(九)

つぎの文をよんで、□の中に漢字（かん字）をかきなさい。

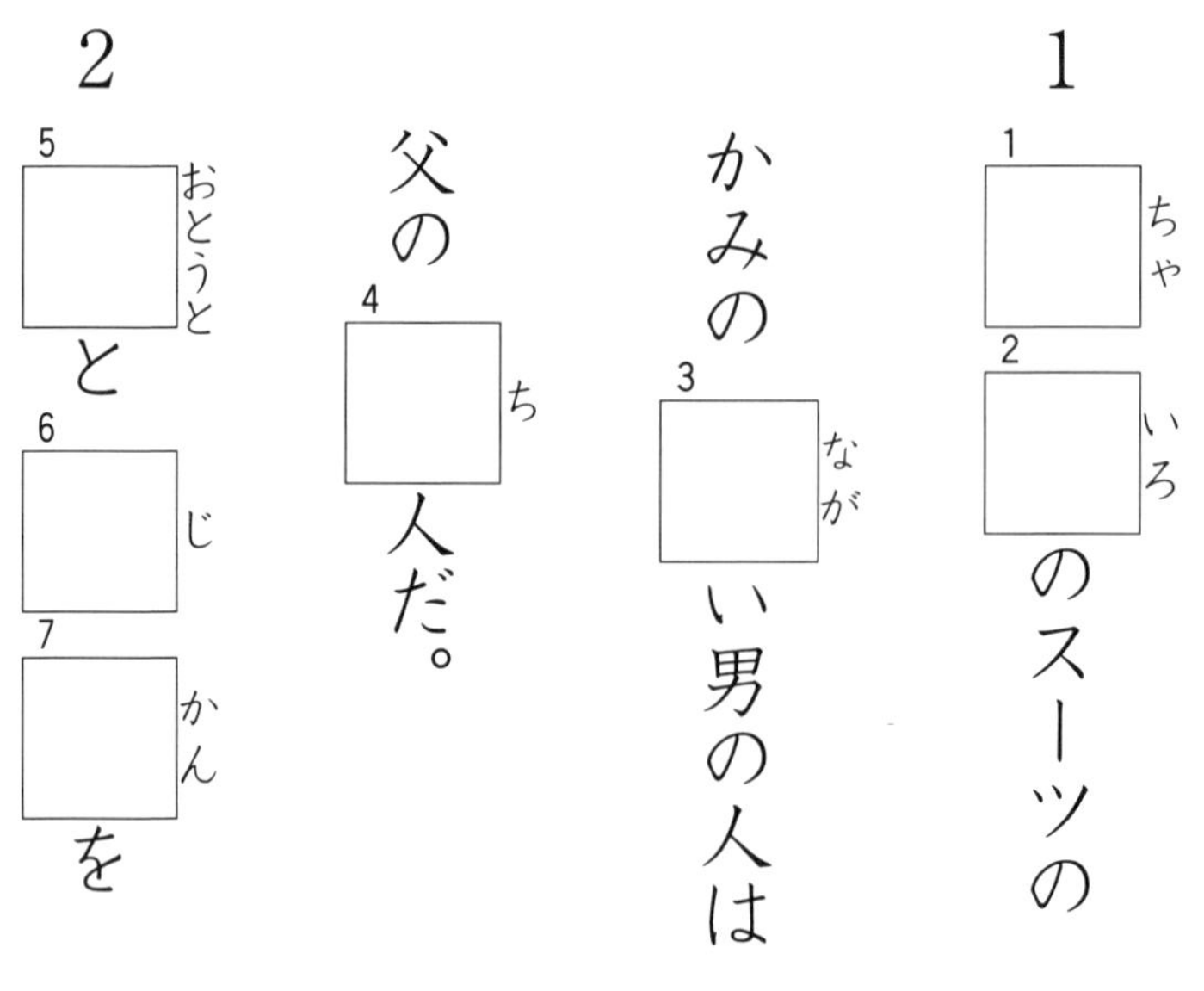

1 □1（ちゃ）□2（いろ）のスーツの
かみの□3（なが）い男の人は
父の□4（ち）人だ。

2 □5（おとうと）と□6（じ）□7（かん）を
わすれてゲームをして
□8（おや）にしかられた。

3 ゴールの□9（ちょ）□10（ぜん）で足が
□11（と）まってしまった。

4 □12（ひる）休みに□13（ゆき）□14（ぐに）に

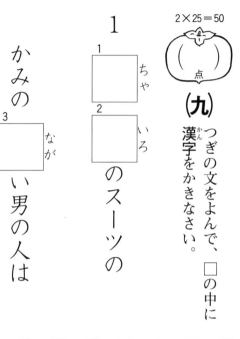

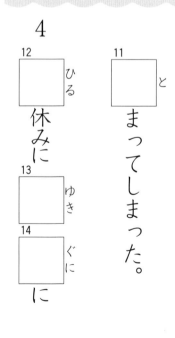

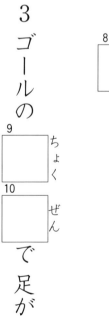

9級 第6回★テスト

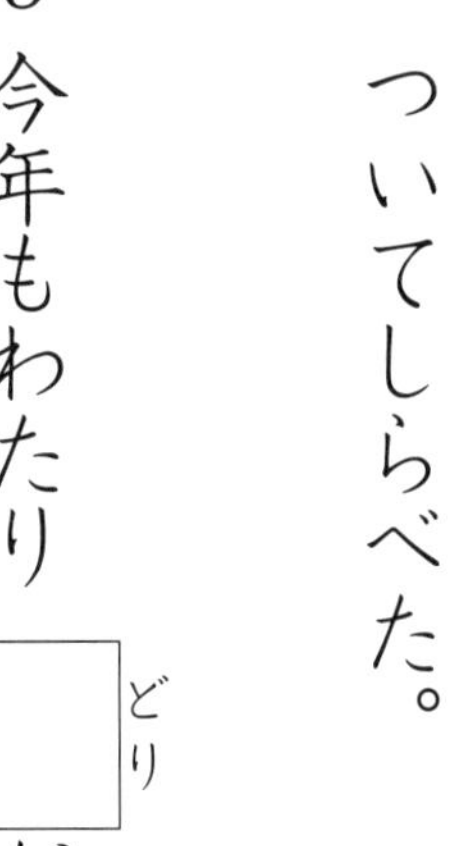

ついてしらべた。

5 今年もわたり［15 どり］が

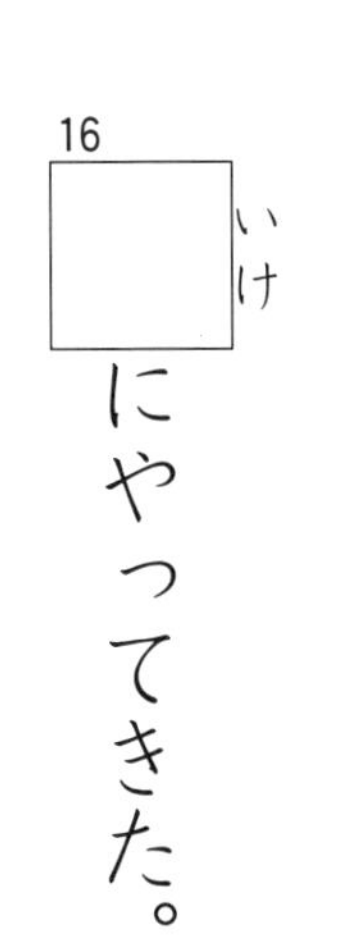

［16 いけ］にやってきた。

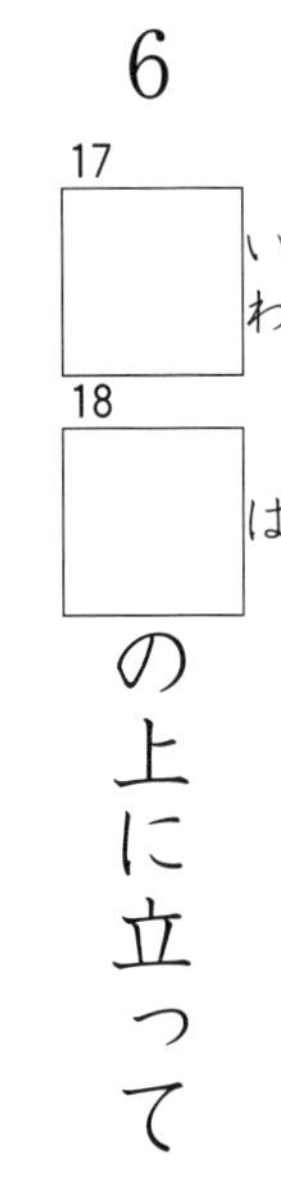

6 ［17 いわ］［18 ば］の上に立って

［19 ひろ］い海を見わたす。

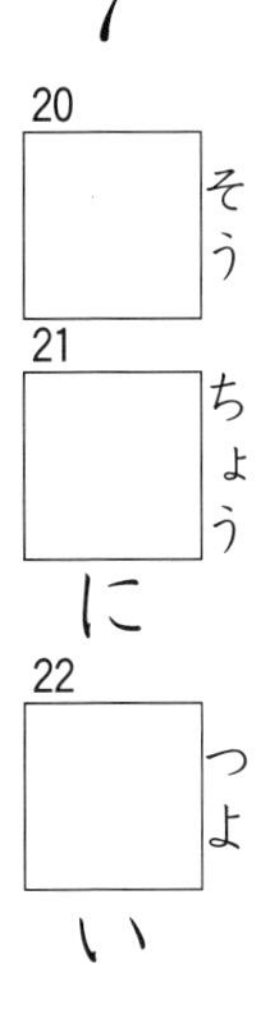

7 ［20 そう］［21 ちょう］に［22 つよ］い

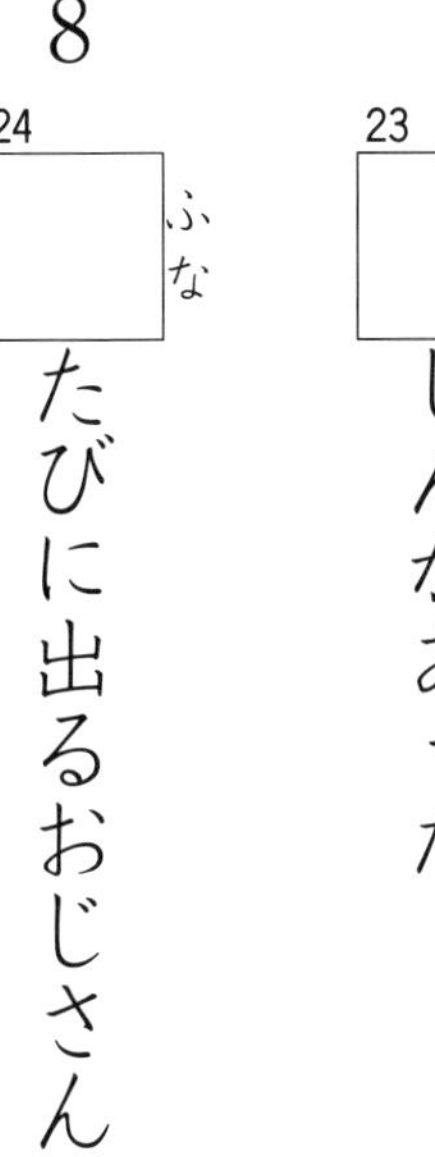

［23 じ］しんがあった。

8 ［24 ふな］たびに出るおじさんと

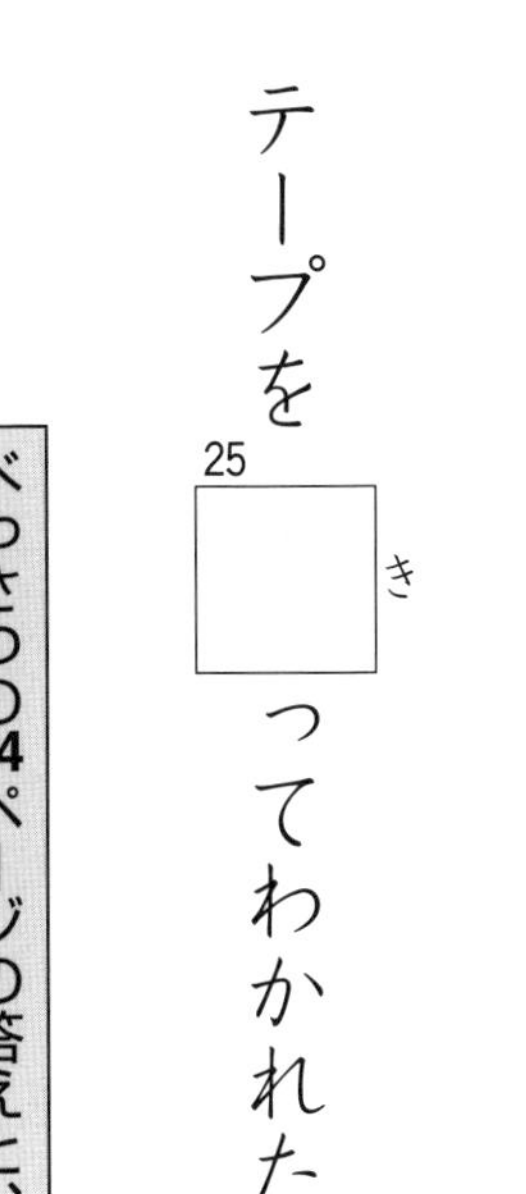

テープを［25 き］ってわかれた。

べっさつの**24**ページの答えと、てらしあわせましょう。

9級 第7回★テスト（40分）

◇合計点◇

（　　点）

150点まん点
120点いじょう ごうかく

1×22＝22

（　　点）

（一）つぎの文をよんで、——せんの漢字のよみがなを——せんの右にかきなさい。

1 学校の父母会[1]で今後[2]のことを話[3]し合う。

2 万歩計[4]をつけて、みんなの先頭[5]に立って歩[6]いた。

3 来週[7]、親友[8]と校門[9]でまち合わせて野鳥[10]や毛虫[11]などをかんさつする。

4 今年[12]の七夕[13]はよい天気

だったので、星[14]が
きれいに見えた。

5 うぐいすの鳴[15]き声[16]を
聞[17]くと、里[18]の春を
思[19]い出すと父は言[20]う。

6 字の上[21]手・下[22]手を
気にせず、手紙を出す。

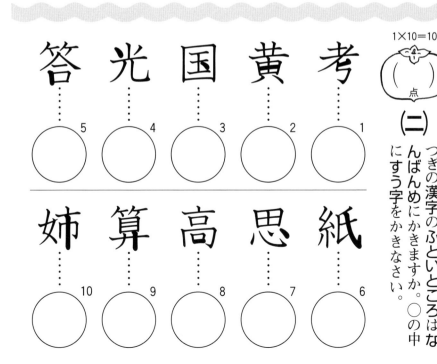

1×10＝10

点

(二)

つぎの漢字(かん)のふといところはなんばんめにかきますか。◯の中にすう字をかきなさい。

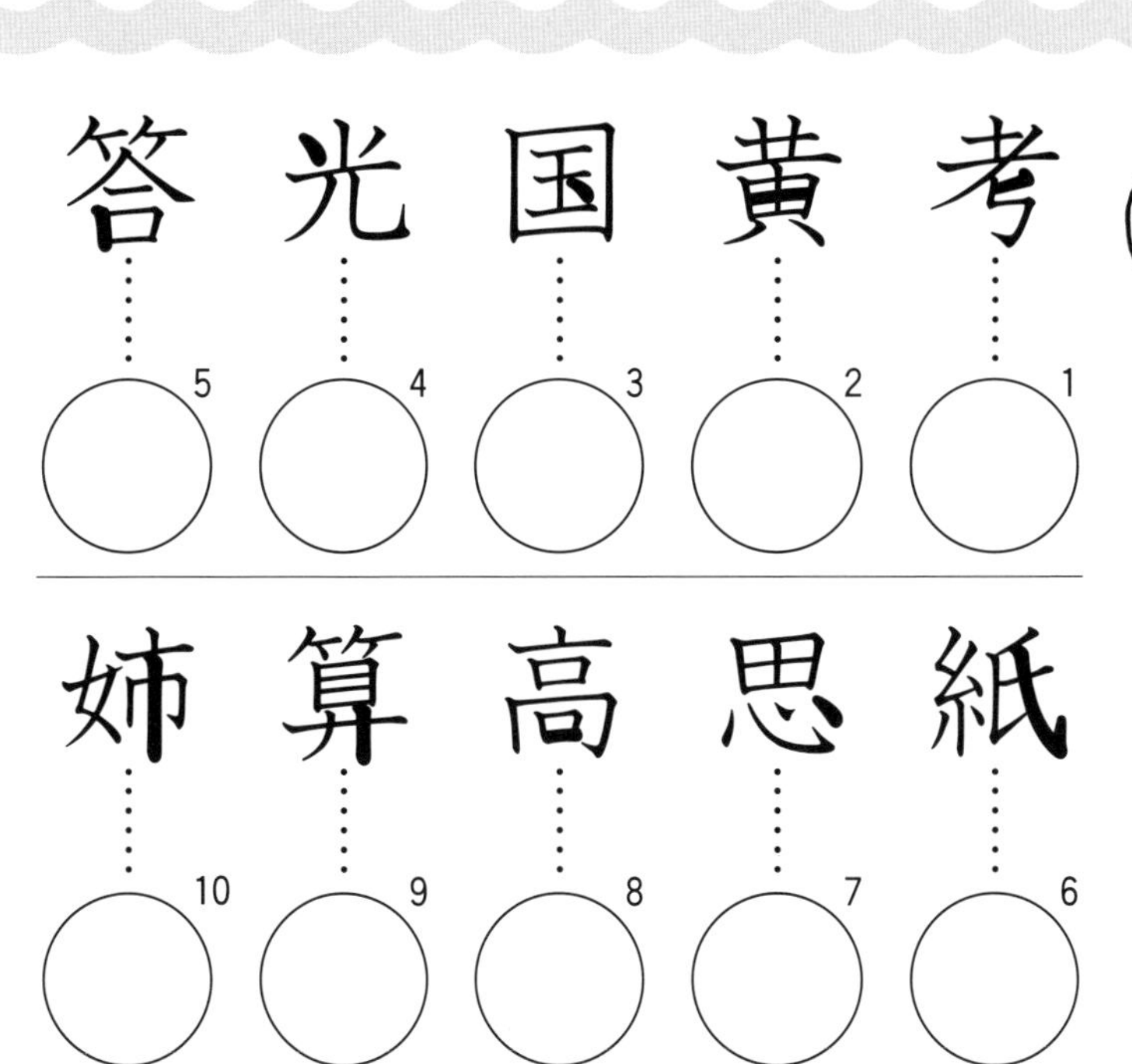

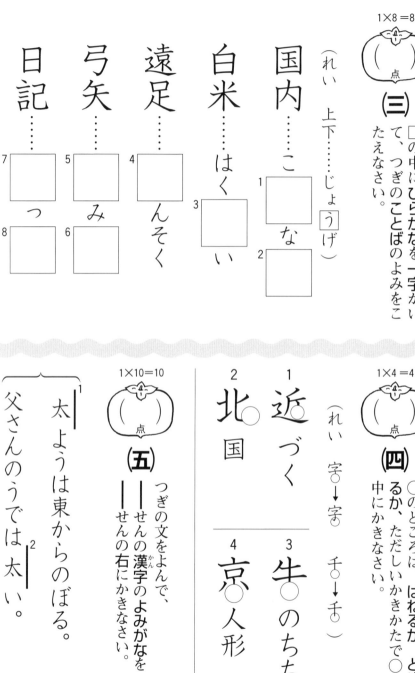

1×8＝8

（　　）点

(三)

□の中にひらがなを一字かいて、つぎのことばのよみをこたえなさい。

（れい　上下……じょ[う]げ）

国内……こ 1□ な 2□

白米……はく 3□ い

遠足……4□ んそく

弓矢……5□ み 6□

日記……7□ っ 8□

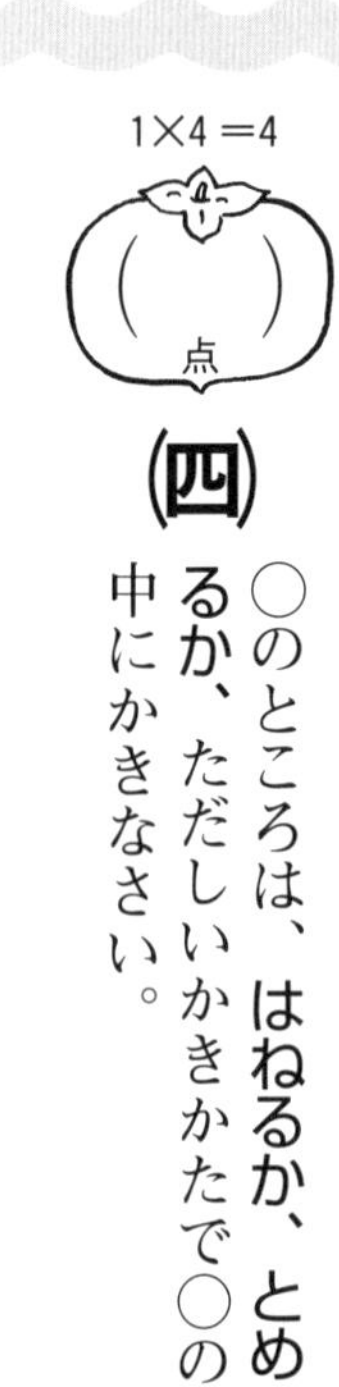

1×4＝4

（　　）点

(四)

○のところは、はねるか、とめるか、ただしいかきかたで○の中にかきなさい。

（れい　字○→字○　手○→手○）

1 近○づく

2 北○国

3 生○のちち

4 京○人形

1×10＝10

（　　）点

(五)

つぎの文をよんで、――せんの漢字（かん）のよみがなを――せんの右にかきなさい。

1 太ようは東からのぼる。

父さんのうでは 2 太い。

バスにのって通学[3]している。

公園の中を通[4]って学校に行く。

できごとを正直[5]に話す。

帰国後、直[6]ちに出かけた。

ものを大切[7]にしよう。

切手[8]をあつめる。

生と会を組[9]しきする。

四人ずつひと組[10]となる。

1×6＝6

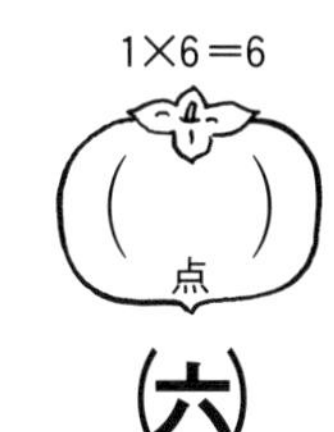

(六)

つぎの〰〰線のひらがなを漢字(かん)でかくと、どちらが正しいですか。正しいほうのばんごうに○をつけなさい。

1 ご後
- 1 午後
- 2 牛後

2 らい年
- 1 半年
- 2 来年

3 日本とう
- 1 日本刀
- 2 日本力

4 大かい
- 1 大合
- 2 大会

5 にっ記
- 1 日記
- 2 目記

6 しぜん
- 1 自ぜん
- 2 白ぜん

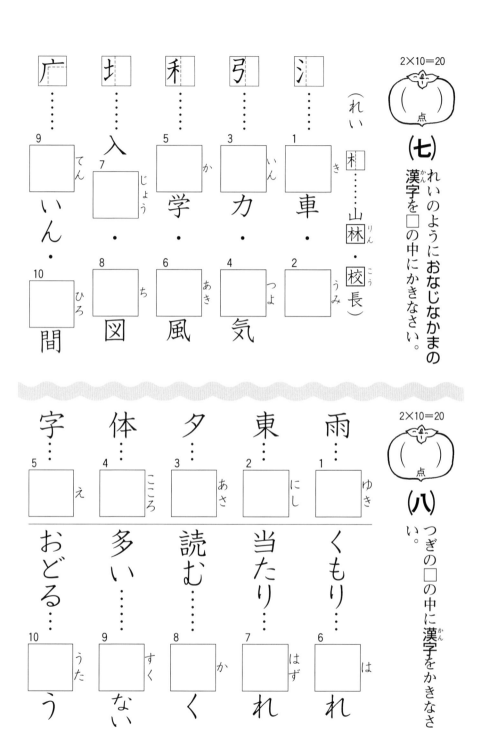

2×10＝20

（　　）点

(七) れいのようにおなじなかまの漢字を□の中にかきなさい。

（れい　木……山［林］・［校］長）

氵……［1 き］車・［2 うみ］

弓……［3 いん］力・［4 つよ］気

禾……［5 か］学・［6 あき］風

土……入［7 じょう］・［8 ち］図

广……［9 てん］いん・［10 ひろ］間

2×10＝20

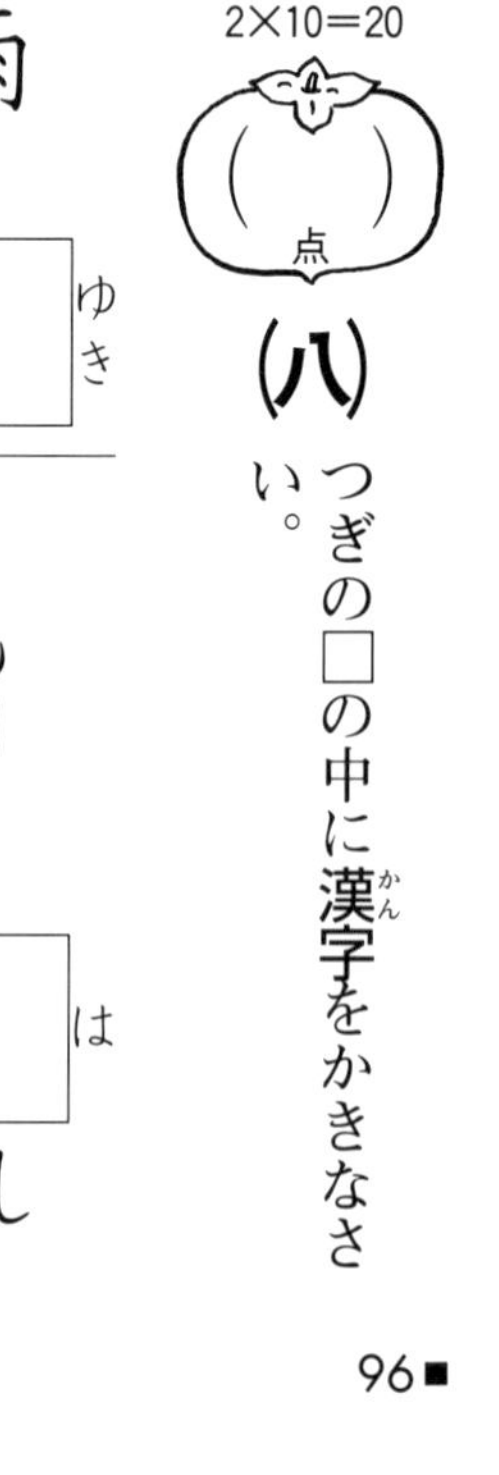

(八) つぎの□の中に漢字をかきなさい。

雨……［1 ゆき］

東……［2 にし］

夕……［3 あさ］

体……［4 こころ］

字……［5 え］

くもり……［6 は］れ

当たり……［7 はず］れ

読む……［8 か］く

多い……［9 すく］ない

おどる……［10 うた］う

2×25＝50

点

(九) つぎの文をよんで、□の中に漢字(かん)をかきなさい。

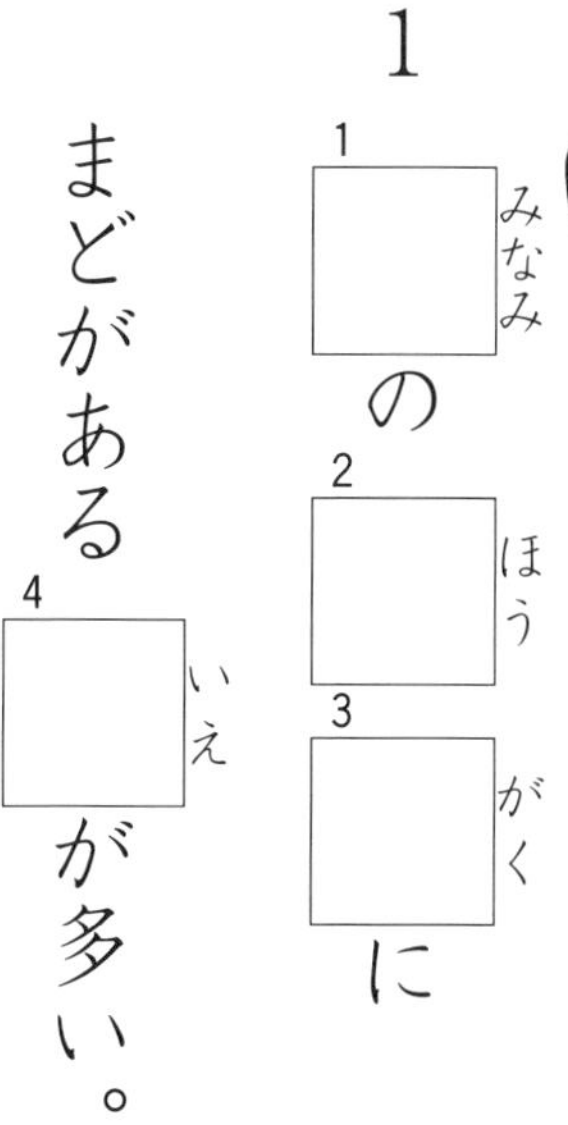

1 □1(みなみ)の□2(ほう)□3(がく)にまどがある□4(いえ)が多い。

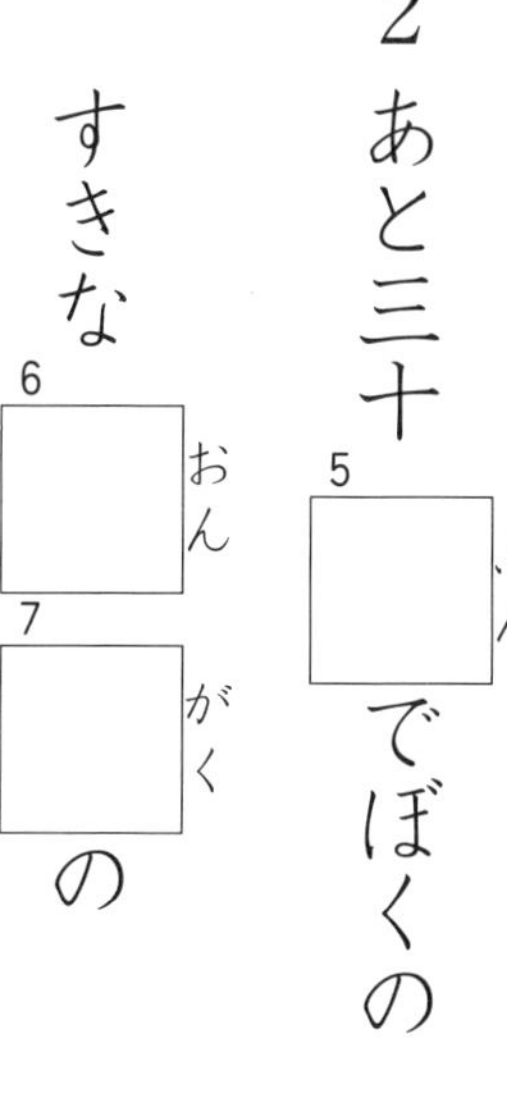

2 あと三十□5(ぷん)でぼくのすきな□6(おん)□7(がく)の先生が来る。

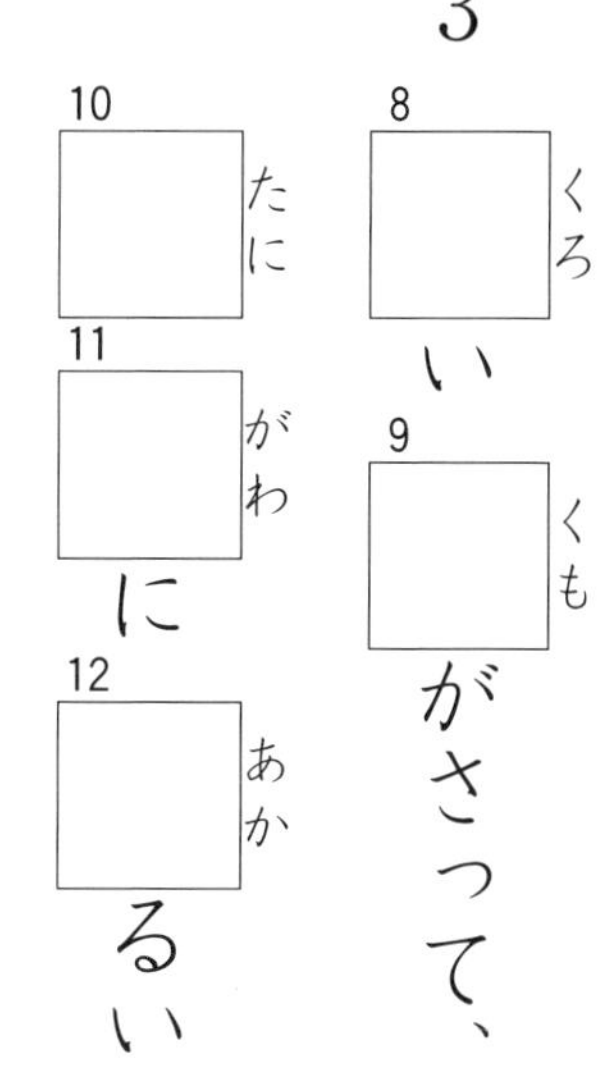

3 □8(くろ)い□9(くも)がさって、□10(たに)□11(がわ)に□12(あか)るい日がさした。

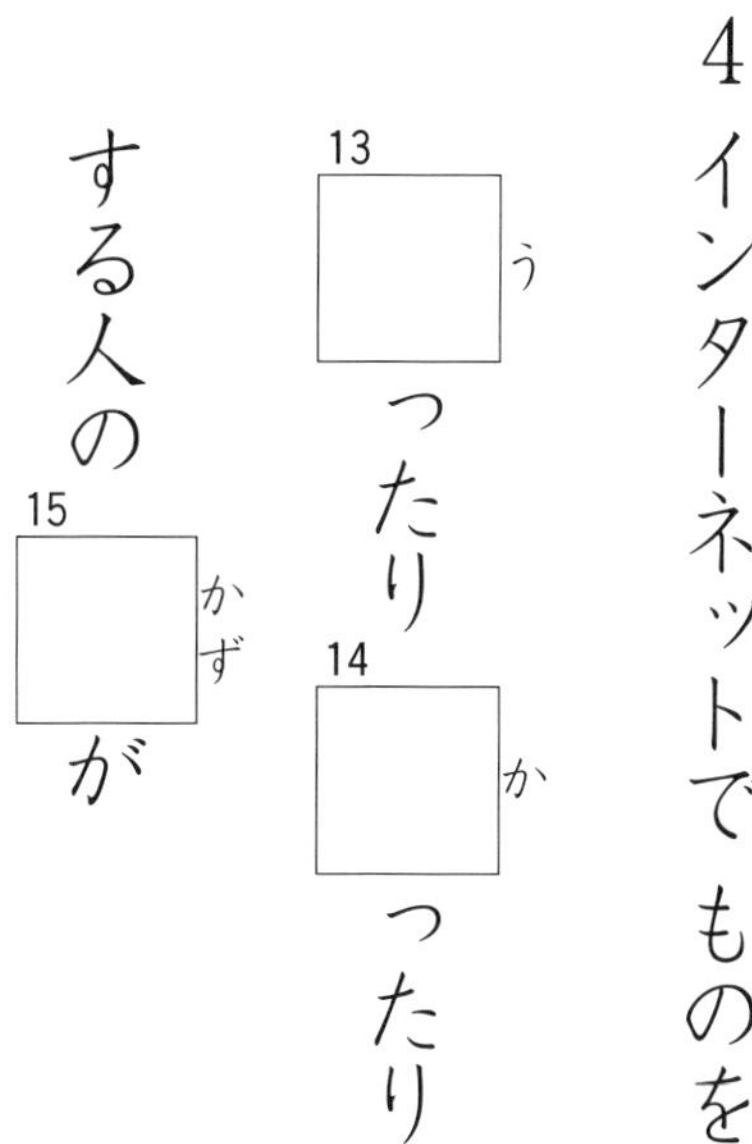

4 インターネットでものを□13(う)ったり□14(か)ったりする人の□15(かず)が

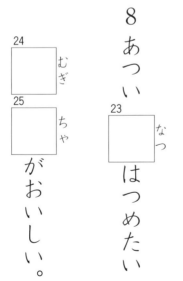

ふえている。

5 バスのしゅう
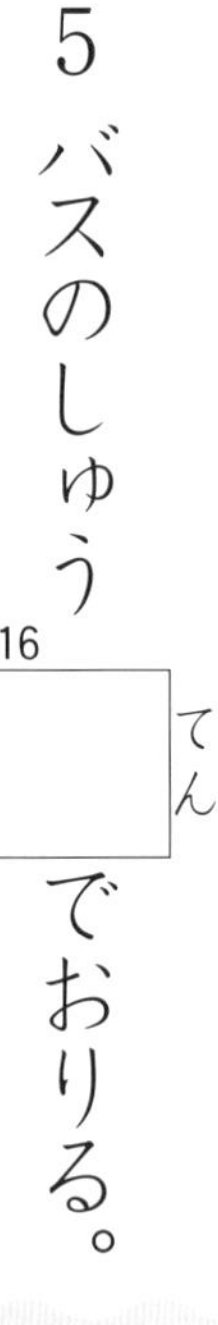
16（てん）でおりる。

6 17（みち）のむこうにお18（てら）がある。
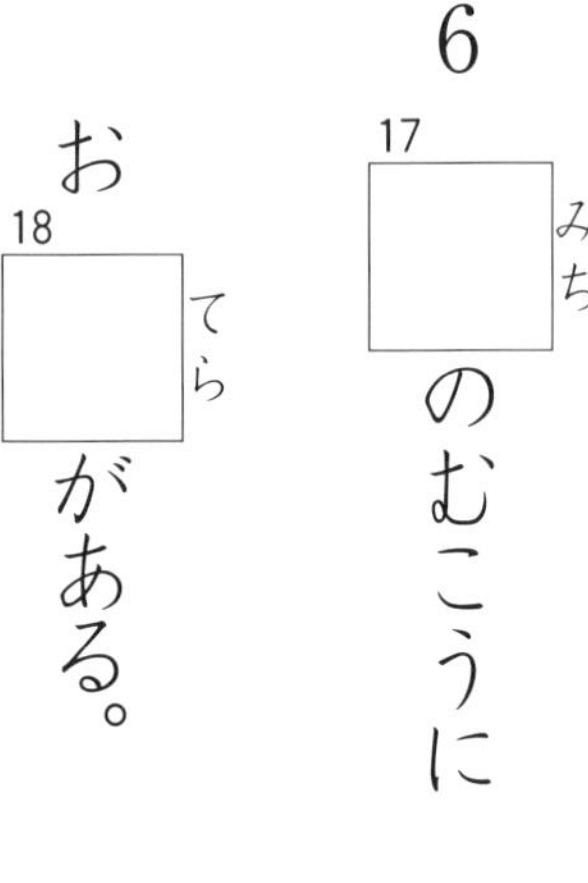

7 レストランで19（にく）と20（さかな）の
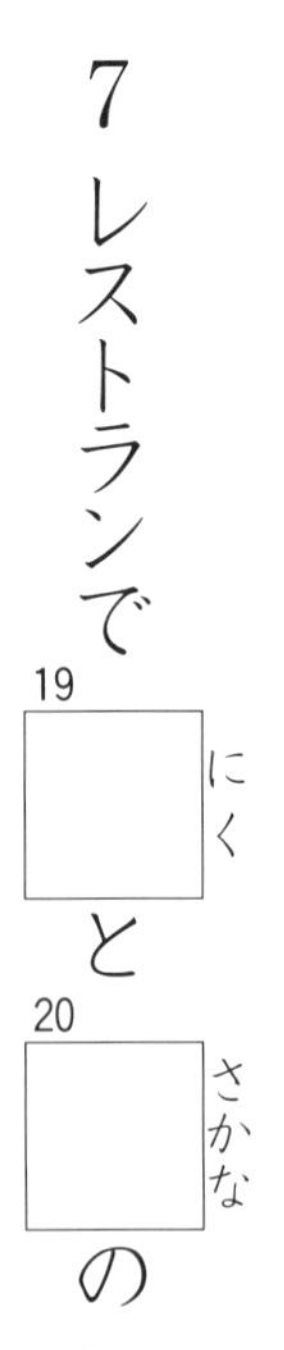

どちらかのりょう21（り）を22（た）べることにした。
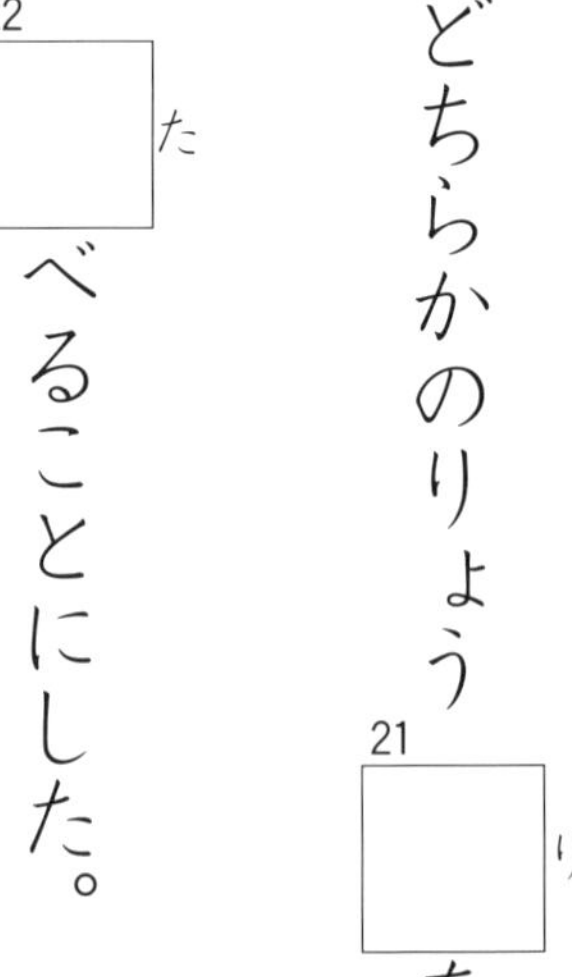

8 あつい23（なつ）はつめたい24（むぎ）25（ちゃ）がおいしい。
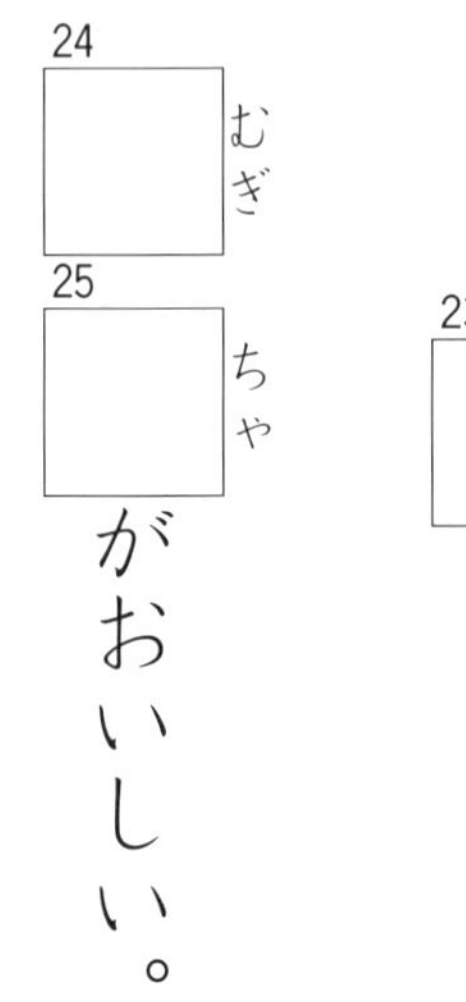

べっさつの**26**ページの答えと、てらしあわせましょう。

10級に出るかん字

10級に出る かん字をおぼえましょう。読みのカタカナは 音読み、ひらがなは くん読みで、赤いろの字は おくりがなです。（ ）がついた読みは、４級いじょうの 上級に出る読みかたで、10級には出ません。

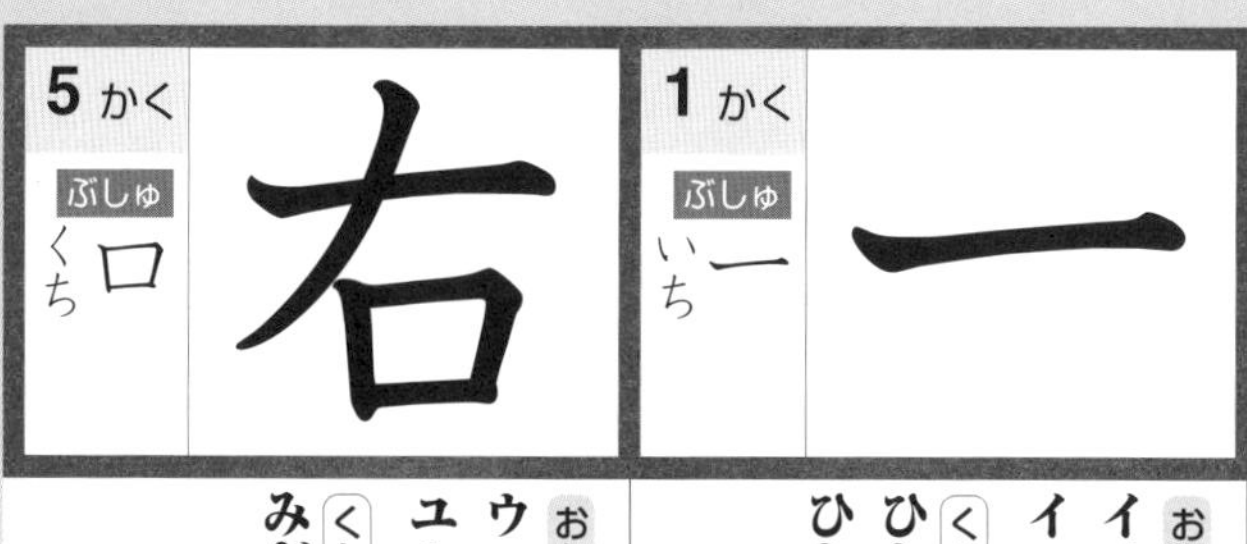

一

1かく　ぶしゅ　一（いち）

おん　イチ　イツ
くん　ひと　ひと（つ）

かきじゅん　一

ことば
- 一年生
- 虫が一ぴき
- 一休み
- みかんが一つ

右

5かく　ぶしゅ　口（くち）

おん　ウ　ユウ
くん　みぎ

かきじゅん　ノ ナ 右 右 右

かきだしは **右はらい**と おぼえよう。

ことば
- 右せつきんし
- 左右を見る
- 右手をあげる
- 右まわり

雨

8かく　ぶしゅ　雨（あめ）

おん　ウ
くん　あめ　あま

かきじゅん　雨 雨 雨 雨 雨 雨 雨 雨

ことば
- 雨天
- 雨ふり
- 雨ぐつ

円

4かく　ぶしゅ　冂（どうがまえ　けいがまえ　まきがまえ）

おん　エン
くん　まる（い）

かきじゅん　円 円 円 円

ことば
- 一円玉
- 円ばん
- 円をかく
- 円くわになる

王

4かく　ぶしゅ　王（おう）

おん　オウ
くん　ー

かきじゅん　王 王 王 王

ことば
- 王さま
- 王女さま
- 女王さま
- ホームラン王

チカラをつけよう

音

9かく
ぶしゅ：音（おと）

おん：オン（イン）
くん：おと　ね

かきじゅん
音音音音音音音音音

ことば
音（おん）がく
足音（あしおと）
音（ね）いろ

下

3かく
ぶしゅ：一（いち）

おん：カ・ゲ
くん：した　しも　さげる　さがる　くだる　くだす　くださる　おろす　おりる　（もと）

かきじゅん
下下下

ことば
ち下（か）てつ
上下（じょうげ）
木（き）の下（した）
川下（かわしも）

火

4かく
ぶしゅ：火（ひ）

おん：カ
くん：ひ　（ほ）

かきじゅん
火火火火

ことば
火（か）よう日（び）
火（か）じ
火（ひ）のようじん
花火（はなび）

花

7かく
ぶしゅ：艹（くさかんむり）

おん：カ
くん：はな

かきじゅん
花花花花花花花

ことば
花（か）だん
白（しろ）い花（はな）びら
花（はな）がさく
いけ花（ばな）

貝

7かく
ぶしゅ：貝（かい）

おん：―
くん：かい

かきじゅん
貝貝貝貝貝貝貝

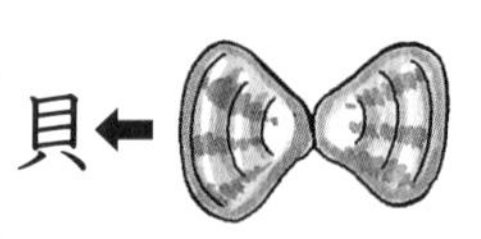

ことば
貝（かい）がら
貝（かい）ばしら
オウム貝（がい）
二まい貝（がい）

学

8かく
ぶしゅ：子（こ）

おん：ガク
くん：まなぶ

かきじゅん
学学学学学学学学

ことば
小学生（しょうがくせい）
学（がく）げいかい
よく学（まな）ぶ

気

6かく

ぶしゅ 气 きがまえ

おん キ ケ

くん —

かきじゅん

ことば
- 気（き）もちがいい
- 気（き）のどく
- 火（ひ）の気（け）
- 人（ひと）の気（け）はい

九

2かく

ぶしゅ 乙 おつ

おん キュウ ク

くん ここ ここの ここのつ

かきじゅん

ことば
- 九人（きゅうにん）であそぶ
- 九九（くく）をならう
- 九月九日（くがつここのか）
- ビー玉（だま）が九（ここの）つ

休

6かく

ぶしゅ 亻 にんべん

おん キュウ

くん やすむ やすまる やすめる

かきじゅん

ことば
- 休日（きゅうじつ）
- 休（きゅう）けいじかん
- 学校（がっこう）を休（やす）む
- 手（て）を休（やす）める

玉

5かく

ぶしゅ 玉 たま

おん ギョク

くん たま

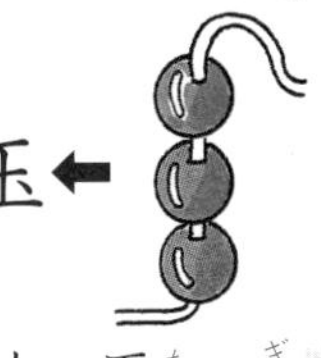

かきじゅん

ことば
- 玉石（ぎょくせき）
- 玉（たま）つき
- しゃぼん玉（だま）
- お年玉（としだま）

金

8かく

ぶしゅ 金 かね

おん キン コン

くん かね かな

かきじゅん

ことば
- 金（きん）よう日（び）
- はり金（がね）
- 金（かな）づち

空

8かく

ぶしゅ 穴 あなかんむり

おん クウ

くん そら あく あける から

かきじゅん

ことば
- 空気（くうき）をすう
- 青（あお）い空（そら）
- せきが空（あ）く

月

4かく

ぶしゅ 月 つき

おん ゲツ ガツ

くん つき

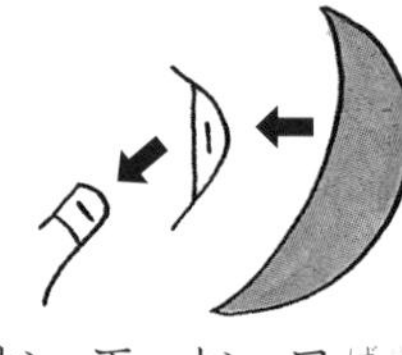

かきじゅん 月月月月

ことば
月よう日（げつようび）
お正月（おしょうがつ）
五月生まれ（ごがつうまれ）
お月さま（おつきさま）

犬

4かく

ぶしゅ 犬 いぬ

おん ケン

くん いぬ

かきじゅん 犬犬犬犬

ことば
りょう犬（りょうけん）
名犬（めいけん）
犬ごや（いぬごや）
大きい犬（おおきいいぬ）

見

7かく

ぶしゅ 見 みる

おん ケン

くん みる みえる みせる

かきじゅん 見見見見見見見

ことば
見学（けんがく）
テレビを見る（みる）
山が見える（やまがみえる）
かおを見せる（みせる）

五

4かく

ぶしゅ 二 に

おん ゴ

くん いつ いつつ

かきじゅん 五五五五

ことば
やきとり五本（ごほん）
五さつの本（ごさつのほん）
五月五日（ごがついつか）
あめ玉が五つ（あめだまがいつつ）

口

3かく

ぶしゅ 口 くち

おん コウ ク

くん くち

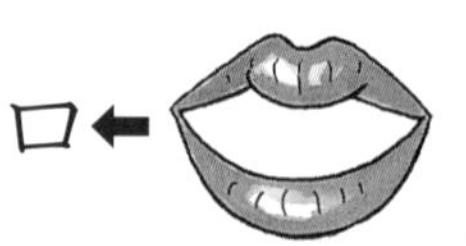

かきじゅん 口口口

ことば
人口がふえる（じんこうがふえる）
やさしい口ちょう（くちょう）
口ぶえ（くちぶえ）

校

10かく

ぶしゅ 木 きへん

おん コウ

くん ―

かきじゅん 校校校校校校校校校校

ことば
校ちょう先生（こうちょうせんせい）
校もん（こうもん）
学校へいく（がっこうへいく）

チカラをつけよう

左

5かく

ぶしゅ 工（え・たくみ）

おん サ

くん ひだり

かきじゅん 左左左左左

かきだしは 左（ひだり）よこぼう と おぼえよう。

ことば
- 左右（さゆう）にゆれる
- 左（ひだり）まわり
- 左（ひだり）きき
- 車（くるま）は左（ひだり）がわ

三

3かく

ぶしゅ 一（いち）

おん サン

くん み　みつ　みっつ

かきじゅん 三三三

ことば
- 三（さん）りん車（しゃ）
- 三日月（みかづき）
- 三（み）つまた
- 三月三日（さんがつみっか）

山

3かく

ぶしゅ 山（やま）

おん サン

くん やま

かきじゅん 山山山

ことば
- ふじ山（さん）
- 火山（かざん）
- 山（やま）のぼり
- 山小（やまご）や

子

3かく

ぶしゅ 子（こ）

おん シ　ス

くん こ

かきじゅん 子子子

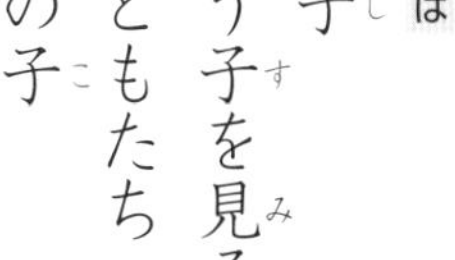

ことば
- 女子（じょし）
- よう子（す）を見（み）る
- 子（こ）どもたち
- 竹（たけ）の子（こ）

四

5かく

ぶしゅ 口（くにがまえ）

おん シ

くん よ　よつ　よっつ　よん

かきじゅん 四四四四四

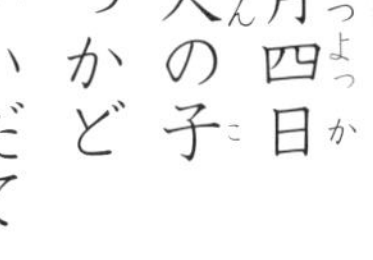

ことば
- 四月四日（しがつよっか）
- 四人（よにん）の子（こ）
- 四（よ）つかど
- 四（よん）かいだて

糸

6かく

ぶしゅ 糸（いと）

おん シ

くん いと

かきじゅん 糸糸糸糸糸糸

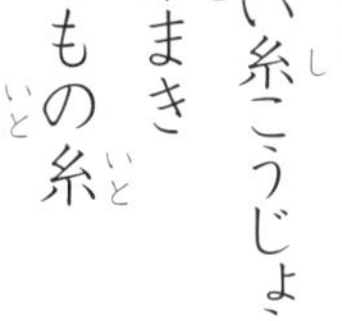

ことば
- せい糸（し）こうじょう
- 糸（いと）まき
- くもの糸（いと）
- たこ糸

字

6かく

ぶしゅ 子（こ）

おん ジ

くん （あざ）

かきじゅん 字字字字字字

ことば
字（じ）をかく
字（じ）びきをひく
かん字（じ）をかく
すう字（じ）をかく

耳

6かく

ぶしゅ 耳（みみ）

おん （ジ）

くん みみ

かきじゅん 耳耳耳耳耳耳

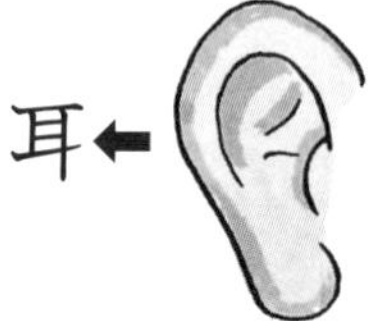

ことば
耳（みみ）かき
耳（みみ）をすます
耳（みみ）うちする
パンの耳（みみ）

七

2かく

ぶしゅ 一（いち）

おん シチ

くん なな　ななつ　なの

かきじゅん 七七

ことば
七五三（しちごさん）
七（なな）いろのにじ
アメ玉（だま）が七（なな）つ
七月七日（しちがつなのか）

車

7かく

ぶしゅ 車（くるま）

おん シャ

くん くるま

かきじゅん 車車車車車車車

車

ことば
じてん車（しゃ）
じどう車（しゃ）
車（くるま）いす
かざ車（ぐるま）

手

4かく

ぶしゅ 手（て）

おん シュ

くん て　（た）

かきじゅん 手手手手

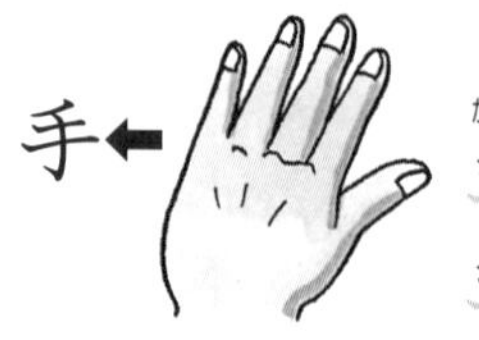

ことば
あく手（しゅ）する
はく手（しゅ）する
手（て）をあげる
手（て）がみをかく

十

2かく

ぶしゅ 十（じゅう）

おん ジュウ　ジッ

くん とお　と

かきじゅん 十十

ことば
十五日（じゅうごにち）
十円玉（じゅうえんだま）が十（じっ）こ
十月十日（じゅうがつとおか）
十人十（じゅうにんと）いろ

小

3 かく

ぶしゅ 小 しょう

おん ショウ

くん ちいさい こ お

かきじゅん 小小小

ことば
小学校（しょうがっこう）
小さい子（ちいさいこ）
小石（こいし）をける
小川（おがわ）

女

3 かく

ぶしゅ 女 おんな

おん ジョ （ニョ） （ニョウ）

くん おんな （め）

かきじゅん 女女女

ことば
女子（じょし）
女学生（じょがくせい）
女王（じょおう）
女の子（おんなのこ）

出

5 かく

ぶしゅ 凵 うけばこ

おん シュツ （スイ）

くん でる だす

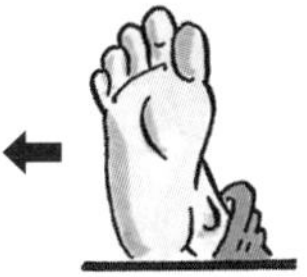

かきじゅん 出出出出出

ことば
出ぱつ（しゅっぱつ）する
がい出（しゅつ）する
そとに出（で）る
おもい出（だ）す

人

2 かく

ぶしゅ 人 ひと

おん ジン ニン

くん ひと

かきじゅん 人人

ことば
人（にん）げん
五人（ごにん）のなかま
大（おお）きな人（ひと）

森

12 かく

ぶしゅ 木 き

おん シン

くん もり

かきじゅん 森森森森森森森森森森森森

ことば
森林（しんりん）こうえん
森林（しんりん）よく
森（もり）のみずうみ

上

3 かく

ぶしゅ 一 いち

おん ジョウ （ショウ）

くん うえ・うわ かみ・あげる あがる のぼる （のぼせる） （のぼす）

かきじゅん 上上上

ことば
上（じょう）きゅう生（せい）
上（うえ）を見（み）上（あ）げる
上（うわ）ぎをぬぐ
川上（かわかみ）

チカラをつけよう

水

4かく

ぶしゅ 水（みず）

おん スイ

くん みず

かきじゅん 水

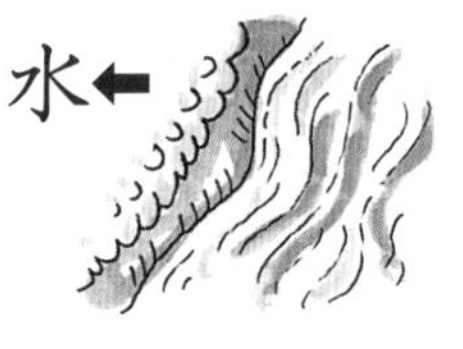

ことば

水（すい）よう日（び）
水車（すいしゃ）ごや
かい水（すい）よく
どろ水（みず）

正

5かく

ぶしゅ 止（とめる）

おん セイ ショウ

くん ただしい ただす まさ

かきじゅん 正

ことば

正（せい）かくにかく
正（しょう）じきな人（ひと）
正（ただ）しいこたえ
正（まさ）にそのとおり

生

5かく

ぶしゅ 生（うまれる）

おん セイ ショウ

くん いきる いかす いける うむ うまれる はえる はやす なま

かきじゅん 生

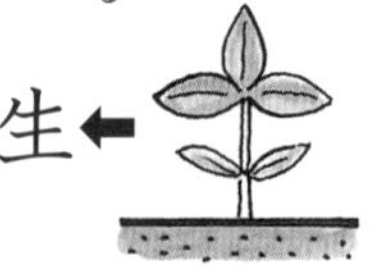

ことば

先生（せんせい）と生（せい）と
たん生日（じょうび）
くさが生（は）える
生（なま）たまご

青

8かく

ぶしゅ 青（あお）

おん セイ （ショウ）

くん あお あおい

かきじゅん 青

ことば

青年（せいねん）
青（あお）しんごう
青（あお）い空（そら）

夕

3かく

ぶしゅ 夕（た・ゆうべ）

おん （セキ）

くん ゆう

かきじゅん 夕

ことば

夕（ゆう）ごはん
夕（ゆう）かん
夕立（ゆうだち）
夕日（ゆうひ）

石

5かく

ぶしゅ 石（いし）

おん セキ シャク （コク）

くん いし

かきじゅん 石

ことば

石（せき）ゆ
ほう石（せき）
じ石（しゃく）
石（いし）がき

赤

7かく

ぶしゅ 赤（あか）

おん セキ（シャク）

くん あか　あかい　あからむ　あからめる

かきじゅん

赤 ←

ことば

赤十字（せきじゅうじ）

赤はん（せき）

赤とんぼ（あか）

赤いりんご（あか）

千

3かく

ぶしゅ 十（じゅう）

おん セン

くん ち

かきじゅん

ことば

千本ざくら（せんぼん）

千円さつ（せんえん）

千ばづる（せん）

千よがみ（ち）

川

3かく

ぶしゅ 川（かわ）

おん（セン）

くん かわ

かきじゅん

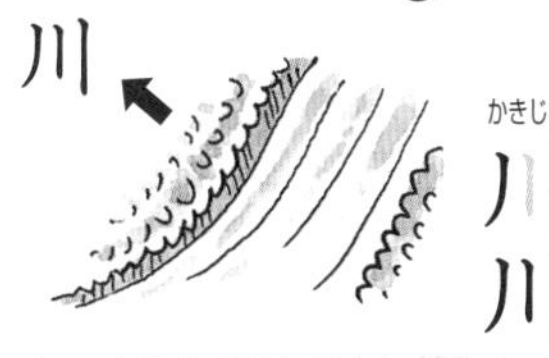

ことば

川がながれる（かわ）

川でおよぐ（かわ）

川下り（かわくだ）

小川であそぶ（おがわ）

先

6かく

ぶしゅ 儿（ひとあし　にんにょう）

おん セン

くん さき

かきじゅん

ことば

先生（せんせい）

先手をうつ（せんて）

先まわりする（さき）

手先になる（てさき）

早

6かく

ぶしゅ 日（ひ）

おん ソウ（サッ）

くん はやい　はやまる　はやめる

かきじゅん

ことば

早しゅん（そう）

じかんが早い（はや）

よていが早まる（はや）

出ぱつを早める（しゅっ・はや）

草

9かく

ぶしゅ 艹（くさかんむり）

おん ソウ

くん くさ

かきじゅん

ことば

かい草をたべる（そう）

やく草をつむ（そう）

草むしり（くさ）

大

3かく

ぶしゅ 大（だい）

おん ダイ タイ

くん おお おおきい おおいに

かきじゅん 大大大

ことば
- 大学生（だいがくせい）
- 大（たい）せつにする
- 大（おお）あたり
- 手（て）が大（おお）きい

村

7かく

ぶしゅ 木（きへん）

おん ソン

くん むら

かきじゅん 村村村村村村村

ことば
- 村（そん）ちょうさん
- のう村（そん）
- 村（むら）はずれ
- 村人（むらびと）

足

7かく

ぶしゅ 足（あし）

おん ソク

くん あし たりる たる たす

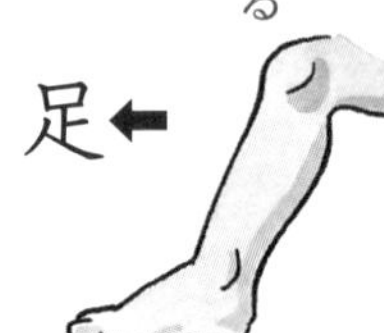

かきじゅん 足足足足足足足

ことば
- くつ一足（いっそく）
- かけ足（あし）でいく
- お金（かね）が足（た）りる
- 五（ご）に三（さん）を足（た）す

中

4かく

ぶしゅ 丨（ぼう・たてぼう）

おん チュウ ジュウ

くん なか

かきじゅん 中中中中

ことば
- 中学生（ちゅうがくせい）
- 一日中（いちにちじゅう）
- 水中（すいちゅう）めがね
- いえの中（なか）

竹

6かく

ぶしゅ 竹（たけ）

おん チク

くん たけ

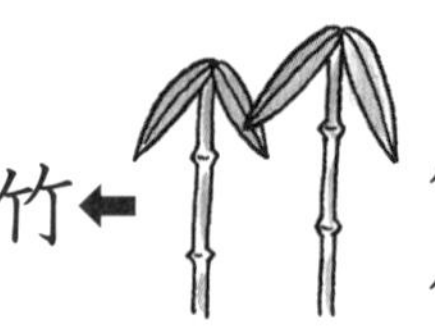

かきじゅん 竹竹竹竹竹竹

ことば
- ばく竹（ちく）
- 竹（たけ）うまにのる
- 竹（たけ）の子（こ）
- 竹（たけ）とんぼ

男

7かく

ぶしゅ 田（た）

おん ダン ナン

くん おとこ

かきじゅん 男男男男男男男

ことば
- 男子（だんし）
- ちょう男（なん）
- 男（おとこ）の子（こ）
- 山男（やまおとこ）

チカラをつけよう

虫

6かく

ぶしゅ 虫（むし）

おん チュウ

くん むし

かきじゅん

ことば

こん虫（ちゅう）

よう虫（ちゅう）

虫（むし）ばがいたい

かぶと虫（むし）

町

7かく

ぶしゅ 田（たへん）

おん チョウ

くん まち

かきじゅん

ことば

町名（ちょうめい）をかく

町（ちょう）ちょうさん

町（まち）かどに立（た）つ

下町（したまち）にすむ

天

4かく

ぶしゅ 大（だい）

おん テン

くん あま（あめ）

かきじゅん

ことば

天（てん）ごく

天（てん）とち

よい天気（てんき）

天（あま）の川（がわ）

田

5かく

ぶしゅ 田（た）

おん デン

くん た

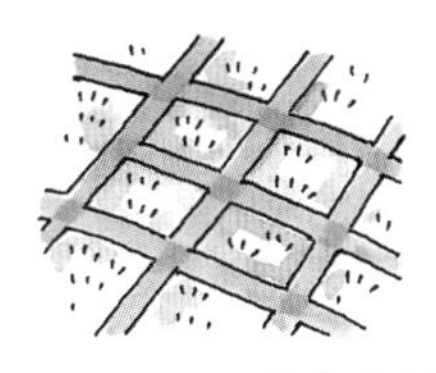

かきじゅん

ことば

水田（すいでん）

田（でん）えんとし

田（た）んぼ

田（た）うえ

土

3かく

ぶしゅ 土（つち）

おん ド　ト

くん つち

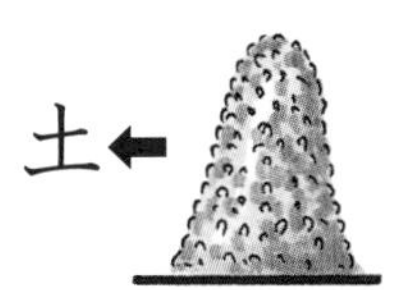

かきじゅん

ことば

土（ど）よう日（び）

土（と）ち

土（つち）をほる

土（つち）ぼこり

二

2かく

ぶしゅ 二（に）

おん ニ

くん ふた　ふた つ

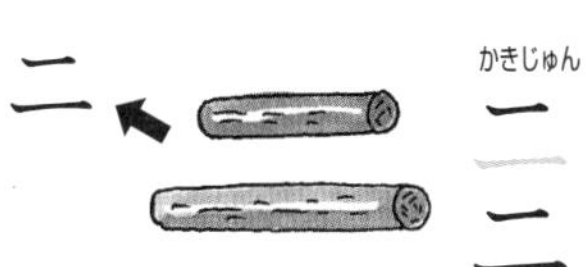

かきじゅん

ことば

本（ほん）が二（に）さつ

二（に）にん三（さん）きゃく

二（ふた）えまぶた

みかんが二（ふた）つ

日

4かく

ぶしゅ 日（ひ）

おん ニチ ジツ

くん ひ か

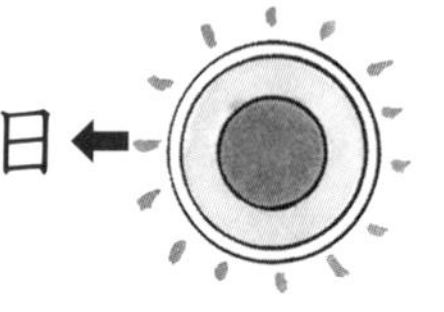

かきじゅん

ことば

日(にち)よう日(び)

休日(きゅうじつ)にあそぶ

日(ひ)のまる

十日(とおか)

入

2かく

ぶしゅ 入（いる）

おん ニュウ

くん いる いれる はいる

かきじゅん

ことば

入学(にゅうがく)しき

入(にゅう)いんする

手(て)に入(い)れる

ふろに入(はい)る

年

6かく

ぶしゅ 干（かん いちじゅう）

おん ネン

くん とし

かきじゅん

ことば

年(ねん)れいをきく

二年生(にねんせい)

年下(としした)の子(こ)

お年(とし)より

白

5かく

ぶしゅ 白（しろ）

おん ハク（ビャク）

くん しろ しら しろい

かきじゅん

ことば

白(はく)ちょう

白(しろ)うさぎ

白(しら)ゆきひめ

白(しろ)いくも

八

2かく

ぶしゅ 八（はち）

おん ハチ

くん や やつ やっつ よう

かきじゅん

ことば

八月八日(はちがつようか)

八(や)えざくら

八(や)つあたり

りんごが八(やっ)つ

百

6かく

ぶしゅ 白（しろ）

おん ヒャク

くん —

かきじゅん

ことば

百円玉(ひゃくえんだま)

百(ひゃく)てんまんてん

百(ひゃく)めんそう

百(ひゃっ)かてん

文

4かく

ぶしゅ：文（ぶん）

おん：ブン　モン

くん：（ふみ）

かきじゅん

ことば
- 文（ぶん）しょう
- さく文（ぶん）
- 天文（てんもん）だい
- 一文（いちもん）なし

木

4かく

ぶしゅ：木（き）

おん：ボク　モク

くん：き　こ

かきじゅん

ことば
- 木（ぼく）とう
- 木（もく）よう日（び）
- なみ木（き）みち
- 木（こ）かげ

本

5かく

ぶしゅ：木（き）

おん：ホン

くん：もと

かきじゅん

ことば
- 本（ほん）やさん
- 本気（ほんき）でやる
- 一本（いっぽん）しょうぶ
- 大本（おおもと）をしる

名

6かく

ぶしゅ：口（くち）

おん：メイ　ミョウ

くん：な

かきじゅん

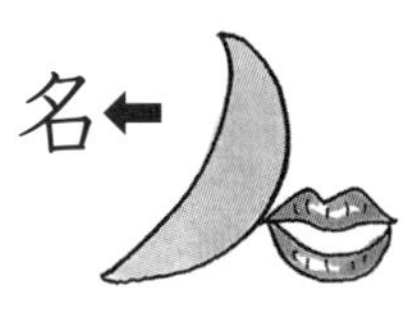

ことば
- 名月（めいげつ）
- 名字（みょうじ）をきく
- 名（な）まえをかく
- 名（な）ふだをつける

目

5かく

ぶしゅ：目（め）

おん：モク　（ボク）

くん：め　（ま）

かきじゅん

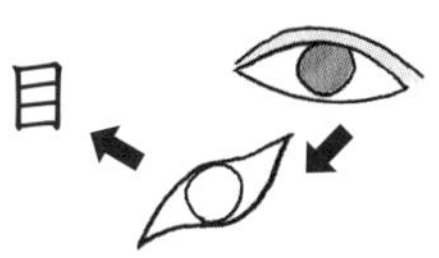

ことば
- 目（もく）ひょう
- 本（ほん）の目（もく）じ
- 目（め）ぐすり
- 目玉（めだま）やき

立

5かく

ぶしゅ：立（たつ）

おん：リツ　（リュウ）

くん：たつ　たてる

かきじゅん

ことば
- き立（りつ）する
- 立（りっ）しゅん
- はらが立（た）つ
- はらを立（た）てる

力

2かく

ぶしゅ 力 ちから

おん リョク リキ

くん ちから

かきじゅん 力力

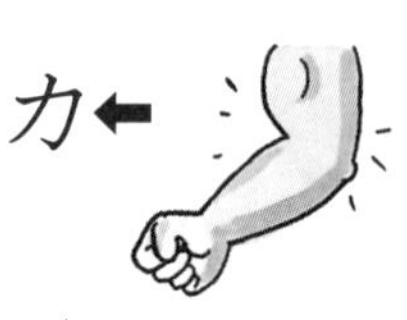

ことば

たい力（りょく）をつける

水力（すいりょく）はつでん

力（りき）し

力（ちから）もち

林

8かく

ぶしゅ 木 きへん

おん リン

くん はやし

かきじゅん 林林林林林林林林

ことば

みつ林（りん）

林（りん）かん学校（がっこう）

まつ林（ばやし）

六

4かく

ぶしゅ ハ は

おん ロク

くん む むっ むっつ むい

かきじゅん 六六六六

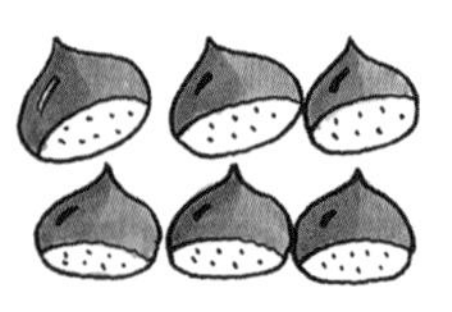

ことば

六月六日（ろくがつむいか）

六（ろく）ばんめ

あさの六（ろく）じ

くりが六（むっ）つ

10級のとくべつな読（よ）み

大人	おとな
上手	じょうず
七夕	たなばた
一日	ついたち
二十日	はつか
一人	ひとり
二人	ふたり
二日	ふつか
下手	へた

９級の重要な漢字

９級の重要な漢字の読み、書きじゅん、ぶしゅを、しっかりおぼえましょう。読みのカタカナは音読み、ひらがなはくん読みで、赤色の字はおくりがなです。（　）がついた読みは、４級いじょうの上級に出る読み方で、９級には出ません。

引（4かく）
イン　ひく　ひける
ぶしゅ　弓（ゆみへん）
引力・つなを引く

羽（6かく）
は　はね　（ウ）
ぶしゅ　羽（はね）
羽子いた・羽を広げる

雲（12かく）
ウン　くも
ぶしゅ　雨（あめかんむり）
雲海

園（13かく）
エン　（その）
ぶしゅ　囗（くにがまえ）

遠（13かく）
エン　とおい　（オン）
ぶしゅ　辶（しんにょう・しんにゅう）

何（7かく）
なに　なん　（カ）
ぶしゅ　亻（にんべん）
何か・何日・何人

科（9かく）
カ
ぶしゅ　禾（のぎへん）
科学・学科

夏（10かく）
カ　なつ　（ゲ）
ぶしゅ　夂（すいにょう・ふゆがしら）
立夏・夏休み

家（10かく）
カ　ケ　いえ　や
ぶしゅ　宀（うかんむり）
一家・家出

歌（14かく）
カ　うた　うたう
ぶしゅ　欠（あくび・かける）

チカラをつけよう

画（8かく）

ガ・カク

ぶしゅ：田（た）

画家（がか）・図画（ずが）・画数（かくすう）・計画（けいかく）

回（6かく）

カイ・まわる・まわす・（エ）

ぶしゅ：口（くにがまえ）

回数（かいすう）・目（め）が回（まわ）る

会（6かく）

カイ・あう・（エ）

ぶしゅ：人（ひとやね）

会社（かいしゃ）・大会（たいかい）・人（ひと）に会（あ）う

海（9かく）

カイ・うみ

ぶしゅ：氵（さんずい）

海水（かいすい）・青（あお）い海（うみ）

絵（12かく）

カイ・エ

ぶしゅ：糸（いとへん）

絵画（かいが）

外（5かく）

ガイ・そと・ほか・はずす・はずれる・（ゲ）

ぶしゅ：夕（た・ゆうべ）

外国（がいこく）・家（いえ）の外（そと）

角（7かく）

カク・かど・つの

ぶしゅ：角（かく・つの）

三角（さんかく）・四（よ）つ角（かど）・しかの角（つの）

楽（13かく）

ガク・ラク・たのしい・たのしむ

ぶしゅ：木（き）

活（9かく）

カツ

ぶしゅ：氵（さんずい）

生活（せいかつ）・活気（かっき）

間（12かく）

カン・ケン・あいだ・ま

ぶしゅ：門（もんがまえ）

時間（じかん）

丸（3かく）

ガン・まる・まるい・まるめる

ぶしゅ：丶（てん）

一丸（いちがん）・日（ひ）の丸（まる）・土（つち）を丸（まる）める

岩（8かく）

ガン・いわ

ぶしゅ：山（やま）

岩石（がんせき）・よう岩（がん）・岩場（いわば）

顔
18かく

ガン　かお

ぶしゅ　頁（おおがい）

顔顔顔顔顔顔顔顔

汽
7かく

キ

ぶしゅ　氵（さんずい）

汽汽汽汽汽汽汽

汽車（きしゃ）・汽船（きせん）・汽てき（き）

記
10かく

キ　しるす

ぶしゅ　言（ごんべん）

記記記記記記記記記記

記入（きにゅう）・記者（きしゃ）

帰
10かく

キ　かえる　かえす

ぶしゅ　巾（はば）

帰帰帰帰帰帰帰帰帰帰

帰国（きこく）・家（いえ）に帰（かえ）る

弓
3かく

ゆみ　（キュウ）

ぶしゅ　弓（ゆみ）

弓弓弓

弓矢（ゆみや）・弓形（ゆみがた）

牛
4かく

ギュウ　うし

ぶしゅ　牛（うし）

牛牛牛牛

牛肉（ぎゅうにく）・水牛（すいぎゅう）・牛（うし）のちち

魚
11かく

ギョ　うお　さかな

ぶしゅ　魚（うお）

魚魚魚魚魚魚魚魚魚魚魚

魚市場（うおいちば）

京
8かく

キョウ　（ケイ）

ぶしゅ　亠（なべぶた・けいさんかんむり）

京京京京京京京京

東京（とうきょう）・上京（じょうきょう）・京（きょう）のみやこ

強
11かく

キョウ　つよい　つよまる　つよめる　（ゴウ）　（しいる）

ぶしゅ　弓（ゆみへん）

強強強強強強強強強強強

強力（きょうりょく）

教
11かく

キョウ　おしえる　おそわる

ぶしゅ　攵（のぶん・ぼくづくり）

教教教教教教教教教教教

教室（きょうしつ）

近
7かく

キン　ちかい

ぶしゅ　辶（しんにょう・しんにゅう）

近近近近近近近

近日（きんじつ）・近道（ちかみち）・海（うみ）に近（ちか）い

兄
5かく

キョウ　あに　（ケイ）

ぶしゅ　儿（ひとあし・にんにょう）

兄兄兄兄兄

兄弟（きょうだい）・わたしの兄（あに）

形（7かく）
ケイ　ギョウ　かた　かたち
ぶしゅ　彡（さんづくり）
形形形形形形形
正方形（せいほうけい）・人形（にんぎょう）・顔の形（かおのかたち）

計（9かく）
ケイ　はかる　はからう
ぶしゅ　言（ごんべん）
計計計計計計計計計
計画（けいかく）・時間を計る（じかんをはかる）

元（4かく）
ゲン　ガン　もと
ぶしゅ　儿（ひとあし・にんにょう）
元元元元
元気（げんき）・元日（がんじつ）・火の元（ひのもと）

言（7かく）
ゲン　ゴン　いう　こと
ぶしゅ　言（げん）
言言言言言言言
はつ言（げん）・でん言（ごん）・言ば（ことば）

原（10かく）
ゲン　はら
ぶしゅ　厂（がんだれ）
原原原原原原原原原原
草原（そうげん）・野原（のはら）

戸（4かく）
コ　と
ぶしゅ　戸（と）
戸戸戸戸
戸外（こがい）・一戸（いっこ）・雨戸（あまど）

古（5かく）
コ　ふるい　ふるす
ぶしゅ　口（くち）
古古古古古
中古品（ちゅうこひん）・古い新聞（ふるいしんぶん）

午（4かく）
ゴ
ぶしゅ　十（じゅう）
午午午午
午前（ごぜん）・正午（しょうご）・たん午（ご）

後（9かく）
ゴ　コウ　のち　うしろ　あと　（おくれる）
ぶしゅ　彳（ぎょうにんべん）
後後後後後後後後後
後日（ごじつ）・後方（こうほう）

語（14かく）
ゴ　かたる　かたらう
ぶしゅ　言（ごんべん）
語語語語語語語語語語語語語語
言語（げんご）

工（3かく）
コウ　ク
ぶしゅ　工（え・たくみ）
工工工
工作（こうさく）・工場（こうじょう）・大工さん（だいくさん）

公（4かく）
コウ　（おおやけ）
ぶしゅ　八（はち）
公公公公
公園（こうえん）・公立（こうりつ）・公しき（こうしき）

チカラをつけよう

広 5かく

コウ　ひろい　ひろまる　ひろめる　ひろがる　ひろげる

ぶしゅ 广（まだれ）

広大・広い海・道を広げる

交 6かく

コウ　まじわる　まじえる　まじる　まざる　まぜる　（かう）　（かわす）

ぶしゅ 亠（なべぶた・けいさんかんむり）

交通・線が交わる

光 6かく

コウ　ひかる　ひかり

ぶしゅ 儿（ひとあし・にんにょう）

光線・星が光る・月の光

考 6かく

コウ　かんがえる

ぶしゅ 耂（おいかんむり・おいがしら）

さん考書・考える人

行 6かく

コウ　ギョウ　いく　ゆく　おこなう　（アン）

ぶしゅ 行（ぎょう）

通行・行れつ・行く手

高 10かく

コウ　たか　たかい　たかまる　たかめる

ぶしゅ 高（たかい）

高山・高台

黄 11かく

オウ　き　（コウ）　（こ）

ぶしゅ 黄（き）

黄金・黄色

合 6かく

ゴウ　ガッ　カッ　あう　あわす　あわせる

ぶしゅ 口（くち）

合計・合作・力を合わせる

谷 7かく

たに　（コク）

ぶしゅ 谷（たに）

谷川・ビルの谷間

国 8かく

コク　くに

ぶしゅ 口（くにがまえ）

国土・外国・日本の国

黒 11かく

コク　くろ　くろい

ぶしゅ 黒（くろ）

黒ばん・黒星

今 4かく

コン　いま　（キン）

ぶしゅ 人（ひとやね）

今月・今後・今時

チカラをつけよう

チカラをつけよう

才 3かく
サイ
ぶしゅ 手（て）
才才才
才のう・天才・しゅう才

細 11かく
サイ
ほそい
ほそる
こまか
こまかい
ぶしゅ 糸（いとへん）
細細細細細細細細細細細
細心

作 7かく
サク
サ
つくる
ぶしゅ 亻（にんべん）
作作作作作作作
作文・作用・ものを作る

算 14かく
サン
ぶしゅ ⺮（たけかんむり）
算算算算算算算算算算算算算算

止 4かく
シ
とまる
とめる
ぶしゅ 止（とめる）
止止止止
中止・電車が止まる

市 5かく
シ
いち
ぶしゅ 巾（はば）
市市市市市
市内・市長・市場

矢 5かく
や
（シ）
ぶしゅ 矢（や）
矢矢矢矢矢
矢先・矢じるし・弓矢

姉 8かく
あね
（シ）
ぶしゅ 女（おんなへん）
姉姉姉姉姉姉姉姉
姉と妹・姉上・姉弟

思 9かく
シ
おもう
ぶしゅ 心（こころ）
思思思思思思思思思
思考・子を思う

紙 10かく
シ
かみ
ぶしゅ 糸（いとへん）
紙紙紙紙紙紙紙紙紙紙
画用紙・手紙

寺 6かく
ジ
てら
ぶしゅ 寸（すん）
寺寺寺寺寺寺
寺社・お寺・山寺

自 6かく
ジ
シ
みずから
ぶしゅ 自（みずから）
自自自自自自
自分・自ぜん・自らの力で

時（10かく）

ジ / とき

ぶしゅ　日（ひへん）

時間（じかん）・今時（いまどき）

室（9かく）

シツ / （むろ）

ぶしゅ　宀（うかんむり）

室内（しつない）・教室（きょうしつ）

社（7かく）

シャ / やしろ

ぶしゅ　ネ（しめすへん）

社長（しゃちょう）・社会（しゃかい）・お社（やしろ）

弱（10かく）

ジャク / よわい / よわる / よわまる / よわめる

ぶしゅ　弓（ゆみ）

弱小（じゃくしょう）・弱虫（よわむし）

首（9かく）

シュ / くび

ぶしゅ　首（くび）

首（しゅ）しょう・首（くび）わ

秋（9かく）

シュウ / あき

ぶしゅ　禾（のぎへん）

秋分（しゅうぶん）・秋晴（あきば）れ

週（11かく）

シュウ

ぶしゅ　辶（しんにょう・しんにゅう）

一週間（いっしゅうかん）

春（9かく）

シュン / はる

ぶしゅ　日（ひ）

春分（しゅんぶん）・春風（はるかぜ）

書（10かく）

ショ / かく

ぶしゅ　曰（ひらび・いわく）

書道（しょどう）・書店（しょてん）

少（4かく）

ショウ / すくない / すこし

ぶしゅ　小（しょう）

少女（しょうじょ）・こづかいが少（すく）ない

場（12かく）

ジョウ / ば

ぶしゅ　土（つちへん）

会場（かいじょう）

色（6かく）

ショク / シキ / いろ

ぶしゅ　色（いろ）

原色（げんしょく）・色紙（しきし）・顔色（かおいろ）

食 9かく
ショク
くう
たべる
（ジキ）
（くらう）

ぶしゅ 食（しょく）

食じ・虫が食う

心 4かく
シン
こころ

ぶしゅ 心（こころ）

心ぱい・本心・気心

新 13かく
シン
あたらしい
あらた
（にい）

ぶしゅ 斤（おのづくり）

親 16かく
シン
おや
したしい
したしむ

ぶしゅ 見（みる）

図 7かく
ズ
ト
（はかる）

ぶしゅ 囗（くにがまえ）

図画・地図・図書室

数 13かく
スウ
かず
かぞえる
（ス）

ぶしゅ 攵（のぶん・ぼくづくり）

西 6かく
セイ
サイ
にし

ぶしゅ 西（にし）

西よう・東西・西日

声 7かく
セイ
こえ
（ショウ）
（こわ）

ぶしゅ 士（さむらい）

声明文・虫の声・歌声

星 9かく
セイ
ほし
（ショウ）

ぶしゅ 日（ひ）

火星・星空

晴 12かく
セイ
はれる
はらす

ぶしゅ 日（ひへん）

晴天

切 4かく
セツ
きる
きれる
（サイ）

ぶしゅ 刀（かたな）

大切・紙を切る

雪 11かく
セツ
ゆき

ぶしゅ 雨（あめかんむり）

雪原

チカラをつけよう

11かく

船

セン
ふね
ふな

ぶしゅ 舟（ふねへん）

船長（せんちょう）

15かく

線

セン

ぶしゅ 糸（いとへん）

9かく

前

ゼン
まえ

ぶしゅ 刂（りっとう）

前後（ぜんご）・名前（なまえ）

11かく

組

ソ
くむ
くみ

ぶしゅ 糸（いとへん）

番組（ばんぐみ）

7かく

走

ソウ
はしる

ぶしゅ 走（はしる）

走者（そうしゃ）・車（くるま）が走（はし）る・小走（こばし）り

6かく

多

タ
おおい

ぶしゅ 夕（た・ゆうべ）

多数（たすう）・多分（たぶん）・人（ひと）が多（おお）い

4かく

太

タイ
タ
ふとい
ふとる

ぶしゅ 大（だい）

太子（たいし）・丸太（まるた）・太（ふと）い声（こえ）

7かく

体

タイ
からだ
（テイ）

ぶしゅ 亻（にんべん）

体力（たいりょく）・肉体（にくたい）・大（おお）きな体（からだ）

5かく

台

ダイ
タイ

ぶしゅ 口（くち）

土台（どだい）・ふみ台（だい）・台風（たいふう）

6かく

地

チ
ジ

ぶしゅ 土（つちへん）

地図（ちず）・地上（ちじょう）・土地（とち）・地元（じもと）

6かく

池

チ
いけ

ぶしゅ 氵（さんずい）

電池（でんち）・古池（ふるいけ）・小（ちい）さな池（いけ）

8かく

知

チ
しる

ぶしゅ 矢（やへん）

知人（ちじん）・知（ち）え・はじを知（し）る

茶
9かく

チャ
（サ）

ぶしゅ　艹（くさかんむり）

茶わん（ちゃわん）・茶色（ちゃいろ）

昼
9かく

チュウ
ひる

ぶしゅ　日（ひ）

昼食（ちゅうしょく）・昼間（ひるま）

長
8かく

チョウ
ながい

ぶしゅ　長（ながい）

長方形（ちょうほうけい）・学長（がくちょう）・長い夜（ながいよる）

鳥
11かく

チョウ
とり

ぶしゅ　鳥（とり）

白鳥（はくちょう）

朝
12かく

チョウ
あさ

ぶしゅ　月（つき）

朝食（ちょうしょく）

直
8かく

チョク
ジキ
ただちに
なおす
なおる

ぶしゅ　目（め）

直線（ちょくせん）・正直（しょうじき）・くせを直す（なおす）

通
10かく

ツウ
とおる
とおす
かよう
（ツ）

ぶしゅ　辶（しんにょう・しんにゅう）

通学（つうがく）・直通（ちょくつう）

弟
7かく

ダイ
おとうと
（テイ）
（デ）

ぶしゅ　弓（ゆみ）

兄弟（きょうだい）・かわいい弟（おとうと）

店
8かく

テン
みせ

ぶしゅ　广（まだれ）

店長（てんちょう）・売店（ばいてん）・店じまい（みせじまい）

点
9かく

テン

ぶしゅ　灬（れんが・れっか）

点線（てんせん）・百点（ひゃくてん）

電
13かく

デン

ぶしゅ　雨（あめかんむり）

刀
2かく

トウ
かたな

ぶしゅ　刀（かたな）

日本刀（にほんとう）・刀（かたな）をぬく

冬
5かく

トウ
ふゆ

ぶしゅ 冫（にすい）

立冬（りっとう）・春夏秋冬（しゅんかしゅうとう）・冬休み（ふゆやすみ）

当
6かく

トウ
あたる
あてる

ぶしゅ ⺌（しょう）

当人（とうにん）・見当（けんとう）・石（いし）が当（あ）たる

東
8かく

トウ
ひがし

ぶしゅ 木（き）

東西南北（とうざいなんぼく）・東京（とうきょう）・東（ひがし）の空（そら）

答
12かく

トウ
こたえる
こたえ

ぶしゅ ⺮（たけかんむり）

回答（かいとう）

頭
16かく

トウ
ズ
あたま
（ト）
（かしら）

ぶしゅ 頁（おおがい）

同
6かく

ドウ
おなじ

ぶしゅ 口（くち）

同一（どういつ）・同行（どうこう）・同（おな）じクラス

道
12かく

ドウ
みち
（トウ）

ぶしゅ 辶（しんにょう・しんにゅう）

水道（すいどう）

読
14かく

ドク
トク
トウ
よむ

ぶしゅ 言（ごんべん）

内
4かく

ナイ
うち
（ダイ）

ぶしゅ 入（いる）

内科（ないか）・内部（ないぶ）・室内（しつない）・内気（うちき）

南
9かく

ナン
みなみ
（ナ）

ぶしゅ 十（じゅう）

南国（なんごく）・南風（みなみかぜ）

肉
6かく

ニク

ぶしゅ 肉（にく）

肉親（にくしん）・肉声（にくせい）・鳥肉（とりにく）

馬
10かく

バ
うま
（ま）

ぶしゅ 馬（うま）

馬車（ばしゃ）・小馬（こうま）

チカラをつけよう

売（7かく）

バイ・うる・うれる

ぶしゅ：士（さむらい）

直売（ちょくばい）・名前（なまえ）を売（う）る

買（12かく）

バイ・かう

ぶしゅ：貝（こがい）

売買（ばいばい）

麦（7かく）

むぎ・（バク）

ぶしゅ：麦（むぎ）

麦（むぎ）めし・麦茶（むぎちゃ）・小麦（こむぎ）

半（5かく）

ハン・なかば

ぶしゅ：十（じゅう）

半分（はんぶん）・後半（こうはん）・一月（いちがつ）の半（なか）ば

番（12かく）

バン

ぶしゅ：田（た）

当番（とうばん）

父（4かく）

フ・ちち

ぶしゅ：父（ちち）

父母（ふぼ）の会（かい）・父親（ちちおや）・父（ちち）の日（ひ）

風（9かく）

フウ・かぜ・かざ・（フ）

ぶしゅ：風（かぜ）

風船（ふうせん）・風車（かざぐるま）

分（4かく）

ブン・フン・ブ・わける・わかれる・わかる・わかつ

ぶしゅ：刀（かたな）

半分（はんぶん）・三分（さんぷん）・話（はなし）が分（わ）かる

聞（14かく）

ブン・きく・きこえる・（モン）

ぶしゅ：耳（みみ）

米（6かく）

ベイ・マイ・こめ

ぶしゅ：米（こめ）

日米（にちべい）・新米（しんまい）・米作（こめづく）り

歩（8かく）

ホ・あるく・あゆむ・（ブ）・（フ）

ぶしゅ：止（とめる）

歩道（ほどう）・一歩（いっぽ）・海（うみ）べを歩（ある）く

母（5かく）

ボ・はは

ぶしゅ：母（なかれ）

母校（ぼこう）・母国（ぼこく）・母（はは）の日（ひ）

方（4かく）

ホウ
かた

ぶしゅ　方（ほう）

方角（ほうがく）・四方八方（しほうはっぽう）・親方（おやかた）

北（5かく）

ホク
きた

ぶしゅ　匕（ひ）

北上（ほくじょう）・北海道（ほっかいどう）・北風（きたかぜ）

毎（6かく）

マイ

ぶしゅ　毋（なかれ）

毎日（まいにち）・毎朝（まいあさ）・毎月（まいつき）・毎回（まいかい）

妹（8かく）

いもうと
（マイ）

ぶしゅ　女（おんなへん）

妹思い（いもうとおもい）・妹（いもうと）と弟（おとうと）

万（3かく）

マン
（バン）

ぶしゅ　一（いち）

万が一（まんがいち）・万年雪（まんねんゆき）・一万円（いちまんえん）

明（8かく）

メイ・ミョウ
あかり
あかるい
あかるむ
あからむ
あきらか
あける・あく
あくる
あかす

ぶしゅ　日（ひへん）

明月（めいげつ）・明年（みょうねん）・明るい道（あかるいみち）

鳴（14かく）

メイ
なく
なる
ならす

ぶしゅ　鳥（とり）

毛（4かく）

モウ
け

ぶしゅ　毛（け）

毛ふ（もうふ）・羽毛（うもう）・毛糸（けいと）・まゆ毛（まゆげ）

門（8かく）

モン
（かど）

ぶしゅ　門（もん）

門番（もんばん）・門前（もんぜん）・正門（せいもん）・水門（すいもん）

夜（8かく）

ヤ
よ
よる

ぶしゅ　夕（た・ゆうべ）

夜食（やしょく）・夜間（やかん）・夜中（よなか）・夜昼（よるひる）

野（11かく）

ヤ
の

ぶしゅ　里（さとへん）

野鳥（やちょう）

友（4かく）

ユウ
とも

ぶしゅ　又（また）

友人（ゆうじん）・学友（がくゆう）・友だち（ともだち）

5かく	18かく	7かく	7かく	11かく	13かく
用	曜	来	里	理	話
ヨウ もちいる	ヨウ	ライ くる （きたる） （きたす）	リ さと	リ	ワ はなす はなし
ぶしゅ 用（もちいる）	ぶしゅ 日（ひへん）	ぶしゅ 木（き）	ぶしゅ 里（さと）	ぶしゅ 王（おうへん）	ぶしゅ 言（ごんべん）
用心（ようじん）・道（どう）ぐを用（もち）いる		来年（らいねん）・来日（らいにち）・春（はる）が来（く）る	千里（せんり）がん・里帰（さとがえ）り・山里（やまざと）	理科（りか）・地理（ちり）	

チカラをつけよう

9級のとくべつな読み

- 明日 あす
- 母さん かあさん
- 川原 かわら
- 今日 きょう
- 今朝 けさ
- 今年 ことし
- 父さん とうさん
- 時計 とけい
- 兄さん にいさん
- 姉さん ねえさん

8級の重要な漢字（じゅうようなかんじ）

9級をクリアしたら、8級をうけましょう。漢字の読みは、一つだけにしてあります。

悪（あく）　安（あん）　暗（あん）　医（い）　委（い）
意（い）　育（いく）　員（いん）　院（いん）　飲（いん）
運（うん）　泳（えい）　駅（えき）　央（おう）　横（よこ）
屋（や）　温（おん）　化（か）　荷（に）　界（かい）
開（かい）　階（かい）　寒（かん）　感（かん）　漢（かん）
館（かん）　岸（きし）　起（き）　期（き）　客（きゃく）
究（きゅう）　急（きゅう）　級（きゅう）　宮（みや）　球（たま）
去（きょ）　橋（はし）　業（ぎょう）　曲（きょく）　局（きょく）
銀（ぎん）　区（く）　苦（く）　具（ぐ）　君（くん）

係（かかり）　軽（けい）　血（ち）　決（けつ）　研（けん）
県（けん）　庫（こ）　湖（みずうみ）　向（こう）　幸（こう）
港（みなと）　号（ごう）　根（ね）　祭（さい）　皿（さら）
仕（し）　死（し）　使（し）　始（し）　指（ゆび）
歯（は）　詩（し）　次（つぎ）　事（こと）　持（じ）
式（しき）　実（み）　写（しゃ）　者（もの）　主（しゅ）
守（しゅ）　取（しゅ）　酒（さけ）　受（じゅ）　州（しゅう）
拾（しゅう）　終（しゅう）　習（しゅう）　集（しゅう）　住（じゅう）
重（じゅう）　宿（しゅく）　所（ところ）　暑（しょ）　助（じょ）

昭（しょう）　消（しょう）　商（しょう）　章（しょう）　勝（しょう）
乗（じょう）　植（しょく）　申（しん）　身（しん）　神（かみ）
真（しん）　深（しん）　進（しん）　世（せい）　整（せい）
昔（むかし）　全（ぜん）　相（そう）　送（そう）　想（そう）
息（いき）　速（そく）　族（ぞく）　他（た）　打（だ）
対（たい）　待（たい）　代（だい）　第（だい）　題（だい）
炭（すみ）　短（たん）　談（だん）　着（ちゃく）　注（ちゅう）
柱（はしら）　丁（ちょう）　帳（ちょう）　調（ちょう）　追（つい）
定（てい）　庭（にわ）　笛（ふえ）　鉄（てつ）　転（てん）
都（と）　度（ど）　投（とう）　豆（まめ）　島（しま）
湯（ゆ）　登（とう）　等（とう）　動（どう）　童（どう）

農（のう）　波（なみ）　配（はい）　倍（ばい）　箱（はこ）
畑（はたけ）　発（はつ）　反（はん）　坂（さか）　板（いた）
皮（かわ）　悲（ひ）　美（び）　鼻（はな）　筆（ふで）
氷（こおり）　表（おもて）　秒（びょう）　病（やまい）　品（しな）
負（ふ）　部（ぶ）　服（ふく）　福（ふく）　物（もの）
平（へい）　返（へん）　勉（べん）　放（ほう）　味（あじ）
命（いのち）　面（めん）　問（もん）　役（やく）　薬（くすり）
由（ゆう）　油（あぶら）　有（ゆう）　遊（ゆう）　予（よ）
羊（ひつじ）　洋（よう）　葉（は）　陽（よう）　様（さま）
落（らく）　流（りゅう）　旅（たび）　両（りょう）　緑（みどり）
礼（れい）　列（れつ）　練（れん）　路（ろ）　和（わ）

本書記載の情報は制作時点のものです。受検をお考えの方は、必ずご自身で下記の公益財団法人 日本漢字能力検定協会の発表する最新情報をご確認ください。

公益財団法人 日本漢字能力検定協会
【ホームページ】 https://www.kanken.or.jp/
＜本部＞ 京都市東山区祇園町南側 551 番地
TEL：(075)757－8600　FAX：(075)532－1110
ホームページにある「よくある質問」を読んで当てはまる質問が見つからなければメールフォームでお問合せください。電話でのお問合せ窓口は 0120-509-315（無料）です。

◆「漢検」「漢字検定」は公益財団法人 日本漢字能力検定協会の登録商標です。

本書に関する正誤等の最新情報は、下記のアドレスでご確認ください。
https://www.seibidoshuppan.co.jp/info/honshi-kanken910-2411

◉ 上記アドレスに掲載されていない箇所で、正誤についてお気づきの場合は、書名・質問事項・氏名・住所(またはFAX番号）を明記の上、**成美堂出版**まで**郵送**またはFAXでお問い合わせください。**お電話でのお問い合わせはお受けできません。**
◉ 本書の内容を超える質問等にはお答えできませんので、あらかじめご了承ください。また、受検指導などは行っておりません。
◉ ご質問の到着確認後10日前後で、回答を普通郵便またはFAXで発送いたします。
◉ ご質問の受付期限は、2025年10月末日到着分までといたします。ご了承ください。

よくあるお問い合わせ

Q 持っている辞書に掲載されている部首と、本書に掲載されている部首が違いますが、どちらが正解でしょうか？

A 辞書によっては、部首としているものが異なることがあります。**漢検の採点基準では、「漢検要覧2～10級対応 改訂版」（日本漢字能力検定協会発行）で示しているものを正解としています**ので、本書もこの基準に従っています。そのためお持ちの辞書と部首が異なることがあります。

本試験型 漢字検定9・10級試験問題集 '25年版

2024年12月1日発行

編　著　成美堂出版編集部
発行者　深見公子
発行所　成美堂出版
〒162-8445　東京都新宿区新小川町1-7
電話(03)5206-8151 FAX(03)5206-8159
印　刷　株式会社東京印書館

ISBN978-4-415-23915-6
落丁・乱丁などの不良本はお取り替えします
定価はカバーに表示してあります

本試験型

漢字検定9・10級

試験問題集

テストの答え

漢字の点が、
あるか ないかまで、
こまかく ちゅういして、
じぶんの答えと、
てらしあわせましょう。

'25年版

成美堂出版

←…矢じるしの 方こうに 引くと はずれます

こたえ・かいせつ

問題は本さつ P10～P15

1 かん字の読み　各2点 計40点

グレーのぶぶんはこたえのほそくです。

1 おとこ
2 ひと
3 おお(きな)
4 はなび
5 ど(よう日)
6 がっこう
7 やす(み)
8 ちい(さくて)
9 かい(がら)
10 いちえん
11 だま
12 たい(せつ)
13 おう
14 てん
15 あめ
16 (お)かね
17 にんき
18 むっ(つ)
19 かね
20 お(ろす)

2 書きじゅん　各1点 計12点

グレーのぶぶんはもんだいと書きじゅんです。

1 千…② 千千千
2 田…④ 田田田田田
3 足…④ 足足足足足足足
4 竹…⑤ 竹竹竹竹竹竹
5 土…② 土土土
6 虫…④ 虫虫虫虫虫虫
7 下…③ 下下下
8 王…④ 王王王王
9 貝…⑦ 貝貝貝貝貝貝貝
10 休…⑥ 休休休休休休
11 学…⑧ 学学学学学学学学
12 音…⑨ 音音音音音音音音音

3 音読み・くん読み　各2点 計16点

グレーのぶぶんはもんだいのかん字とほそくです。

空　1 くう(き)　2 そら
犬　3 (もうどう)けん　4 いぬ
見　5 けん(ぶつ)　6 み(える)
山　7 (ふじ)さん　8 やま

3「もうどう犬」は、目が見えない人をたすける犬のこと。

4 正しい読(よ)み 各2点 計10点

グレーのぶぶんはもんだいです。

1 七草 ｛1 しちくさ ② ななくさ｝
2 足音 ｛① あしおと 2 あしおん｝
3 休日 ｛1 きうじつ ② きゅうじつ｝
4 左右 ｛① さゆう 2 さいう｝
5 女子 ｛① じょし 2 じよし｝

5 読(よ)みがな 各2点 計12点

グレーのぶぶんはもんだいです。

[1 よ]にん
せ[2 ん]せ[3 い]
ざっ[4 そ]う
[5 き]んいろ
[6 か]びん

6 たいぎ語(ご)・るいぎ語(ご) 各2点／計20点

グレーのぶぶんはもんだいのかん字とほそくです。

1 赤(あか)…青(あお)
2 足(あし)…手(て)
3 町(まち)…村(むら)
4 はり…糸(いと)
5 いわ…石(いし)
6 あさ…夕(ゆう)がた
7 しぬ…生(い)きる
8 はやし…森(もり)
9 入(はい)る…出(で)る
10 四(よ)にん…三(さん)にん

7 かん字の書(か)き 各2点 計40点

グレーのぶぶんはもんだい文です。

1 [1]二(に)かいのまどからさくらの[2]木(き)とまつの[3]林(はやし)がみえる。
2 どひょうの[4]上(うえ)で[5]力(りき)しが[6]目(め)をみつめあって[7]立(た)ちあがった。
3 おてらで[8]百(ひゃく)[9]八(やっ)つのかねがなった。
4 かった[10]本(ほん)の[11]白(しろ)いページに[12]名(な)まえをかいた。
5 [13]早(はや)[14]口(くち)で[15]文(ぶん)をよむ。
6 [16]月(つき)の[17]中(なか)には[18]耳(みみ)のながいウサギがいるってほんとうかな。
7 この[19]川(かわ)の[20]水(みず)はとてもきれいだ。

5「力(りき)し」は、すもうとりのこと。
8・9「百八(ひゃくやっ)っ」は、大みそかにお寺(てら)でつく「じょ夜(や)のかね」の回数(かいすう)です。

16「月(つき)のウサギ」は、中国(ごく)や日本でつたわる話(はなし)。日本では、月の黒(くろ)いかげがウサギのもちつきに見(み)えるといわれています。

1 かん字の読み　各2点 計40点

グレーのぶぶんはこたえのほそくです。

1 ご（ひき）
2 いぬ
3 やま
4 よにん
5 こ（ども）
6 くう（こう）
7 しろ
8 ちい（さな）
9 さゆう
10 （ふじ）さん
11 そら
12 みあ（げる）
13 つき
14 で（ていた）
15 いとぐるま
16 じ
17 ななじゅうさん しちじゅうさん
18 みみ
19 ひと
20 （わる）くち （わる）ぐち

2 書きじゅん　各1点 計12点

グレーのぶぶんはもんだいと書きじゅんです。

1 六…② 六六六六
2 力…① 力力
3 年…④ 年年年年年年
4 文…③ 文文文文
5 早…③ 早早早早早早
6 木…② 木木木木
7 口…③ 口口口
8 山…③ 山山山
9 月…④ 月月月月
10 子…③ 子子子
11 耳…⑥ 耳耳耳耳耳耳
12 糸…⑥ 糸糸糸糸糸糸

3 音読み・くん読み　各2点 計16点

グレーのぶぶんはもんだいのかん字とほそくです。

小 1 しょう（がっこう） 2 こ（みち）
二十 3 にじっ（チーム） にじゅっ（チーム） 4 はつか
赤 5 せき（はん） 6 あか
水 7 すいしゃ 8 みず

5「赤はん」は、あずきともち米をたいた赤いごはんのこと。

4 正しい読み（各2点 計10点）

グレーのぶぶんはもんだいです。

1 日本　①にっぽん　2 にっぽん

2 入手　1 にうしゅ　②にゅうしゅ

3 名犬　1 めえけん　②めいけん

4 木立　①こだち　2 きだち

5 本日　①ほんじつ　2 ほんにち

5 読(よ)みがな（各2点 計12点）

グレーのぶぶんはもんだいです。

い1つか

2なまえ

3けんがく

4し ん5り ん

か ん6じ

6 たいぎ語(ご)・るいぎ語(ご)（各2点／計20点）

グレーのぶぶんはもんだいのかん字とほそくです。

1 百(ひゃく)…千(せん)

2 木(き)…草(くさ)

3 小(しょう)…大(だい)

4 そと…中(なか)

5 ち…天(てん)

6 まつ…竹(たけ)

7 あと…先(さき)

8 はたけ…田(た)

9 しかく…円(えん)

10 おしえる…学(まな)ぶ

7 かん字の書(か)き（各2点 計40点）

グレーのぶぶんはもんだい文です。

1 つよい 1雨(あめ)の 2音(おと)に 3気(き)が ついた。

2 一(いち)たす 4八(はち)は 5九(きゅう)です。

3 「ゆきの 6女(じょ)7王(おう)」の本(ほん)をなんども よんだ。

4 いえが 8火(か)じに なったが 9金(きん)こは ぶじだった。

5 さくらの 10花(はな)の 11下(した)で 12休(やす)んでいる 13青(あお)いふくを きてやさしい 14目(め)をした 15男(おとこ)の人は おとうさんだ。

6 けさは め 16玉(だま)やきをたべて、17貝(かい)の みそしるを のんだ。

7 18夕(ゆう)がたに 19川(かわ)を こえて した 20町(まち)へ かいものに出(で)かける。

6・7「ゆきの女王(じょおう)」は、デンマークの作家(さっか)、アンデルセンのどう話(わ)。

20「した町(まち)」は、と会(かい)の中で土地(ち)のひくいところにある町。工場(こうじょう)などが多(おお)くあつまっているところ。

問題は本さつ P24〜P29

1 かん字の読み

各2点 計40点

グレーのぶぶんはこたえのほそくです。

1 あお(い)
2 くるま
3 だ(した)
4 ちい(さい)
5 て
6 (あく)しゅ
7 とおか
8 う(まれた)
9 おんな
10 こ
11 あか(ちゃん)
12 もり
13 かわ
14 うえ
15 よにん
16 にっぽん にほん
17 ゆう(やけ)
18 かい(がら)
19 いし
20 じっ(こ) じゅっ(こ)

2 書きじゅん

各1点 計12点

グレーのぶぶんはもんだいと書きじゅんです。

1 右…① 右右右右右
2 花…⑥ 花花花花花花花
3 玉…④ 玉玉玉玉玉
4 雨…④ 雨雨雨雨雨雨雨雨
5 気…④ 気気気気気気
6 円…③ 円円円円
7 女…③ 女女女
8 夕…③ 夕夕夕
9 水…④ 水水水水
10 石…⑤ 石石石石石
11 赤…⑦ 赤赤赤赤赤赤赤
12 青…⑧ 青青青青青青青青

3 音読み・くん読み

各2点 計16点

グレーのぶぶんはもんだいのかん字とほそくです。

早 1 そう(ちょう) 2 はや(あし)
草 3 (ざっ)そう 4 くさ
竹 5 ちく(りん) 6 たけ(のこ)
村 7 そん(ちょう) 8 むら

音読みはそのかん字の読みを聞いただけではいみがわかりにくく、くん読みはわかりやすいものが多いです。

4 正しい読み

各2点 計10点

グレーのぶぶんはもんだいです。

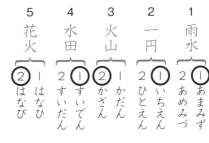

1 雨水　①あまみず　2あめみづ
2 一円　①いちえん　2ひとえん
3 火山　1かだん　②かざん
4 水田　①すいでん　2すいだん
5 花火　1はなひ　②はなび

5 読みがな

各2点 計12点

グレーのぶぶんはもんだいです。

1 みつか
2 ねいろ
3 あまみ 4 ず
5 かじ
6 せきはん

6 たいぎ語・るいぎ語

各2点／計20点

グレーのぶぶんはもんだいのかん字とほそくです。

1 赤（あか）…白（しろ）
2 年（ねん）…月（げつ）
3 上（うえ）…下（した）
4 森（もり）…林（はやし）
5 草（くさ）…木（き）
6 五（ご）…六（ろく）
7 千（せん）…百（ひゃく）
8 出（で）る…入（はい）る
9 すわる…立（た）つ
10 日（にち）よう…土（ど）よう

7 かん字の書き

各2点 計40点

グレーのぶぶんはもんだい文です。

1 かぞくで 1七（しち）2五（ご）3三（さん）のおまいりにいった。
2 きのうは 4犬（いぬ）と一日（いちにち）5中（じゅう）あそんだ。
3 6八（はち）かいのまどからは 7月（つき）がちかくにあるように 8見（み）えた。
4 9目（め）や 10耳（みみ）、11口（くち）のはたらきについてさく 12文（ぶん）をかいた。
5 ぼくは 13左（ひだり）ききなので、ひだり手（て）で 14字（じ）をかく。
6 15休（やす）みの日（ひ）の 16学（がっ）17校（こう）は、どのきょうしつも 18空（から）っぽだ。
7 19大（おお）きなやねの 20町（まち）こうばがある。

1〜3「七五三（しちごさん）」は、子どもが元気（げんき）にそだっていることをおいわいする行（ぎょう）じ。

20「町（まち）こうば」は、町にある小さな工場（こうじょう）。

1 かん字の読(よ)み　各2点 計40点

グレーのぶぶんはこたえのほそくです。

1 まち
2 なか
3 (のら)いぬ
4 せん(ばづる)
5 てん
6 すいでん
7 (ざっ)そう
8 な(まえ)
9 おお(きな)
10 むし
11 み(つけた)
12 せんせい
13 むら
14 むし
15 (ひょう)ほん
16 (ささ)たけ (ささ)だけ
17 あま
18 がわ
19 どそく
20 はい(って)

2 書(か)きじゅん　各1点 計12点

グレーのぶぶんはもんだいと書(か)きじゅんです。

見…1 ④ 見見見見見見見
林…2 ⑥ 林林林林林林林林
五…3 ③ 五五五五
糸…4 ④ 糸糸糸糸糸糸
空…5 ④ 空空空空空空空空
四…6 ③ 四四四四四
中…7 ④ 中中中中
天…8 ④ 天天天天
虫…9 ⑥ 虫虫虫虫虫虫
男…10 ⑦ 男男男男男男男
早…11 ⑥ 早早早早早早
大…12 ③ 大大大

3 音読(おんよ)み・くん読(よ)み　各2点 計16点

グレーのぶぶんはもんだいのかん字とほそくです。

力
1 (ぜん)りょく
2 ちから

白
3 はくじん
4 しろ(い)

八
5 はちほん はっぽん
6 や(つあたり)

年
7 いちねん
8 としした

4 正しい読み

各2点 計10点

グレーのぶぶんはもんだいです。

1 月見 ①つきみ 2げつみ

2 森林 ①しんりん 2もりりん

3 空耳 1からみみ ②そらみみ

4 口先 1くちせん ②くちさき

5 大小 ①だいしょう 2だいしおう

5 読みがな

各2点 計12点

グレーのぶぶんはもんだいです。

じゅ[1]うえん

く[2]さむら

[3]だんし

かけ[4]あし

め[5]いけ[6]ん

6 たいぎ語・るいぎ語

各2点／計20点

グレーのぶぶんはもんだいのかん字とほそくです。

1 下（した）…上（うえ）

2 右（みぎ）…左（ひだり）

3 うみ…山（やま）

4 ゆき…雨（あめ）

5 ぎん…金（きん）

6 さかな…貝（かい）

7 ことば…文（ぶん）

8 あそぶ…学（まな）ぶ

9 二（ふた）つ…三（みっ）つ

10 水（すい）よう…木（もく）よう

7 かん字の書き

各2点 計40点

グレーのぶぶんはもんだい文です。

1 ぼくは[1]青（あお）いじてん[2]車（しゃ）、いもうとは[3]赤（あか）いじてんしゃを[4]休（きゅう）[5]日（じつ）にかってもらった。

2 [6]夕（ゆう）がたに[7]七（なな）いろの[8]花（はな）[9]火（び）があがった。

3 [10]九（きゅう）[11]人（にん）で[12]手（て）をつないでわになった。

4 大（おお）きな[13]音（おと）がしたので[14]気（き）がついた。

5 [15]王（おう）[16]子（じ）さまとおう[17]女（じょ）さまは、ほう[18]石（せき）のついたかんむりをかぶっている。

6 やっと[19]正（ただ）しいこたえが[20]出（で）た。

4・5「休日（きゅうじつ）」は、学校やしごとがお休みになる日。

15・16「王子（おうじ）」は、王様（さま）の男の子どものこと。

1 かん字の読み 各2点 計40点

グレーのぶぶんはこたえのほそくです。

1 にがつ
2 く(じ)
3 にゅうがく
4 せんえん
5 ろっぴゃくえん
6 とし
7 しろ(い)
8 めいじん
9 てほん
10 くさ
11 たいぼく
12 はやし
13 め(まい)
14 た(てない)
15 やす(んだ)
16 ちから
17 き
18 ふた(つ)
19 ぶんがく
20 まな(んで)

2 書きじゅん 各1点 計12点

グレーのぶぶんはもんだいと書きじゅんです。

1 車…⑤ 車車車車車車車
2 正…② 正正正正正
3 上…② 上上上
4 赤…⑥ 赤赤赤赤赤赤赤
5 手…③ 手手手手
6 出…① 出出出出出
7 日…④ 日日日日
8 本…⑤ 本本本本本
9 百…⑥ 百百百百百百
10 名…⑥ 名名名名名名
11 文…④ 文文文文
12 立…⑤ 立立立立立

3 音読み・くん読み 各2点 計16点

グレーのぶぶんはもんだいのかん字とほそくです。

雨 1 (ふう)う 2 あま(ど)
音 3 おん(がくしつ) 4 おと
火 5 (ふん)か 6 ひ
下 7 げ(かい) 8 お(りる)

4 正しい読み

各2点 計10点

グレーのぶぶんはもんだいです。

1 水力 1 すいりき ②すいりょく

2 一生 ①いっしょう 2 いっせい

3 人人 1 ひとひと ②ひとびと

4 十年 ①じゅうねん 2 ぢゅうねん

5 上手 ①じょうず 2 じょおず

5 読みがな

各2点 計12点

グレーのぶぶんはもんだいです。

はつ
[1]むちつ
[2]ちにん
[3]ん
[4]りん
しろ
あ[5]おいろ
[6]せいと

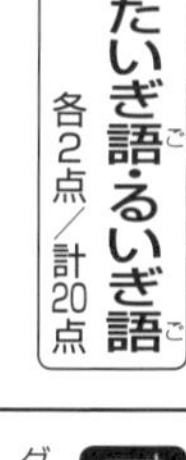

6 たいぎ語・るいぎ語

各2点／計20点

グレーのぶぶんはもんだいのかん字とほそくです。

1 山（やま）…川（かわ）

2 ねこ…犬（いぬ）

3 はな…口（くち）

4 おや…子（こ）

5 はり…糸（いと）

6 ぎん…金（きん）

7 きく…見（み）る

8 三（みっ）つ…四（よっ）つ

9 おとこ…女（おんな）

10 けらい…王（おう）さま

7 かん字の書き

各2点 計40点

グレーのぶぶんはもんだい文です。

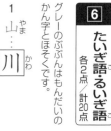

1 [1]田（た）んぼの そばで [2]男（おとこ）の人（ひと）に [3]町（まち）やくばへ いくみちを きいた。

2 [4]土（つち）の [5]中（なか）には いろいろな [6]虫（むし）がいた。

3 [7]村（むら）のみちの [8]左（さ） [9]右（ゆう）に [10]竹（たけ）やぶが ある。

4 おとうとの [11]足（あし）の ゆびは、[12]小（ちい）さい。

5 まず [13]先（さき）に [14]石（いし）を ひろって [15]花（はな）を うえましょう。

きょうは よい [16]天（てん） [17]気（き）だったので [18]早（はや）おきして

6 しゃぼん [19]玉（だま）を [20]空（そら）に とばした。

11 「脚（あし）」（4級（きゅう））というかん字もあります。ふつう、「足（あし）」はくるぶしから先を、「脚（あし）」は、あしぜん体（たい）をいうときにつかわれます。

こたえ・かいせつ

問題(もんだい)は本さつ P44～P49

1 かん字の読み
各2点 計40点

グレーのぶぶんはこたえのほそくです。

1 いちねん
2 じゅうに
3 げつ
4 ろく(さい)
5 (たん)じょうび
6 (じてん)しゃ
7 (げん)き
8 お(りた)
9 かい(がら)
10 いと
11 すいちゅう
12 こいし
13 がっこう
14 きゅう(けい)
15 て
16 こ(ども)
17 ふたり
18 ひだり(きき)
19 (いき)さき
20 で(かける)

2 書(か)きじゅん
各1点 計12点

グレーのぶぶんはもんだいと書(か)きじゅんです。

1 町…③
2 下…②
3 左…②
4 口…③
5 王…③
6 目…⑤
7 百…⑥
8 見…⑦
9 年…⑥
10 糸…⑥
11 竹…⑥
12 正…⑤

3 音読(おんよ)み・くん読(よ)み
各2点 計16点

グレーのぶぶんはもんだいのかん字とほそくです。

三
1 さん(かく)
2 みっ(つ)

足
3 (えん)そく
4 あし

犬
5 (ばん)けん
6 いぬ

金
7 きん(こ)
8 かね

7「金(きん)こ」は、大切(せつ)なものをしまっておくためのじょうぶなはこのこと。

4 正しい読み

各2点 計10点

グレーのぶぶんはもんだいです。

1 名手 ①めいしゅ 2めえしゅ

2 七百 1なのひゃく ②ななひゃく

3 大空 1おうぞら ②おおぞら

4 火花 ①ひばな 2ひはな

5 九本 ①きゅうほん 2きゆうぼん

5 読みがな

各2点 計12点

グレーのぶぶんはもんだいです。

ここ1[の]つ

も2[く]ようび3[び]

あく4[し]ゅ

5[は]くちょう

6[た]けのこ

6 たいぎ語・るいぎ語

各2点／計20点

グレーのぶぶんはもんだいのかん字とほそくです。

1 百……[千]

2 森……[林]

3 左……[右]

4 町……[村]

5 はな……[耳]

6 いわ……[石]

7 やま……[川]

8 四つ……[五]つ

9 すわる……[立]つ

10 小さい……[大]きい

7 かん字の書き

各2点 計40点

グレーのぶぶんはもんだい文です。

1 1[青]いペンです。2[字]をかいて、3[赤]いペンで おおきな4[円]をかいた。

2 5[夕]がたから6[雨]の7[音]がきこえている。

3 さく8[文]に9[田]うえのことをかいた。

4 10[男]11[女]にわかれて12[山]へいった。

5 ふくろにビー13[玉]が14[八]つ15[入]っている。

6 そうじが16[早]くおわるようにきょう17[力]した。

7 18[草]の19[上]にねころがると20[土]のにおいがした。

14 ものの数え方には、音読みの「一、二、三、四、五、六、七、八、九、十」と「一つ、二つ、三つ、四つ、五つ、六つ、七つ、八つ、九つ、十」の2しゅるいがあります。

17「きょう力」は、力を合わせてものごとを行うこと。

(一) 漢字の読み

各1点 計22点

グレーの部分は答えのほそくです。

1 とう(さん)
2 なつ
3 けいかく
4 い(われた)
5 こうげん
6 ほし
7 うみ
8 え
9 (えい)が
10 たの(しい)
11 いえ
12 ちか(く)
13 こうえん
14 かお
15 がんせき
16 はね
17 ひろ(げて)
18 とお(く)
19 くも
20 きょう
21 なんかい
22 こうか

1「父さん」、20「今日」は、とくべつな読み方(本さつ126ページ参照)。

3「計画」は、何かをするとき、前もってそのだんどりを考えること。

(二) 書きじゅん・画数

各1点 計10点

グレーの部分は問題です。

心…1 ②
図…2 ⑤
海…3 ⑧
弱…4 ⑥
書…5 ⑥
色…6 ⑥
晴…7 ⑫
食…8 ⑨
売…9 ⑦
親…10 ⑯

(三) 読みがな

各1点 計8点

グレーの部分は問題です。

さ[1 く]ぶん
[2 げ]っ[3 こ]う
[4 つ]うこ[5 う]
[6 い]ち[7 ば]
やま[8 で]ら

(四) はねる・とめる

各1点 計4点

グレーの部分は問題です。

1 紙
2 長
3 思
4 才

(五) 音読み・くん読み

各1点 計10点

グレーの部分は答えのほそくです。

同 1 どうしょく 2 おな(じ)
半 3 はんぶん 4 なか(ば)
当 5 けんとう 6 あ(たる)
答 7 とう(あん) 8 こた(え)
売 9 ばいてん 10 う(り)

(六) 正しい漢字

各1点/計6点

グレーの部分は問題です。

1 ①三角 2三用
2 ①十円 2十内
3 ①午前 2牛前
4 ①図工 2図土
5 1谷間 ②合間
6 1丸人 ②九人

(七) 同じ部首の漢字《かん》 各2点／計20点

グレーの部分《ぶ》は問題《もんだい》のじゅく語です。

氵（さんずい）… 1 池《いけ》 2 汽《き》車《しゃ》

艹（くさかんむり）… 3 草《くさ》木《き》 4 お茶《ちゃ》

口（くち）… 5 名《みょう》字《じ》 6 古《ふる》本《ほん》

糸（いとへん）… 7 三《さん》組《くみ》 8 点《てん》線《せん》

田（た）… 9 男《おとこ》 10 るす番《ばん》

(八) 対《たい》ぎ語 各2点 計20点

グレーの部分《ぶ》は問題《もんだい》です。

1 天《てん》…地《ち》

2 後《あと》…先《さき》

3 千《せん》…万《まん》

4 弓《ゆみ》…矢《や》

5 雨《あめ》…風《かぜ》

6 つなぐ…切《き》る

7 後《うし》ろ…前《まえ》

8 少《すく》ない…多《おお》い

9 細《ほそ》い…太《ふと》い

10 歩《ある》く…走《はし》る

(九) 漢字《かん》の書き 各2点 計50点

グレーの部分《ぶ》は問題《もんだい》文です。

1 [1]友《とも》だちの家《いえ》の[2]門《もん》の[3]外《そと》でしばらく立《た》ち[4]話《ばなし》をした。

2 [5]母《はは》のりょう[6]理《り》はとてもおいしい。

3 [7]冬《ふゆ》の[8]夜《よる》おそく、人《ひと》[9]里《ざと》はなれた[10]道《みち》を[11]東《ひがし》へむかってすすんだ。

4 [12]教《きょう》[13]室《しつ》で本を[14]読《よ》みながら先生《せんせい》をまつ。

5 [15]来《らい》[16]週《しゅう》の土《ど》[17]曜《よう》日《び》に[18]妹《いもうと》と[19]野《や》きゅうを見《み》にいく。

6 [20]北《きた》の[21]方《ほう》からねこの[22]鳴《な》き[23]声《ごえ》が[24]聞《き》こえてくる。

7 [25]毎《まい》年《とし》クリスマスにプレゼントをもらう。

9「人里《ひとざと》」は、人の家が集《あつ》まっているところ。

17「曜《よう》」はむずかしいので、しっかりおぼえましょう。書きじゅんにも注意《ちゅうい》(本さつ126ページ参照《さんしょう》)。

22「泣」は×です。「泣《な》く」は、人がかなしみなどのためになみだを流《なが》すこと。

問題は本さつ P57〜P63

(一) 漢字の読み 各1点 計22点

グレーの部分は答えのほそくです。

1 きんようび
2 よる
3 おも(い出し)
4 にっき
5 か(いた)
6 けさ
7 はは
8 でんしゃ
9 うおいちば
10 い(った)
11 みせ
12 さかな
13 なまえ
14 おし(えて)
15 ふる(い)
16 き(てき)
17 うし
18 のはら
19 あまど
20 にし
21 ゆみ
22 ほそ(い)

6「今朝」は、とくべつな読み方です(本さつ126ページ参照)。
19「雨」は「雨戸」のように「あま」と読む場合があるので注意しましょう。

(二) 書きじゅん・画数 各1点 計10点

グレーの部分は問題です。

1 切…③
2 長…①
3 走…⑤
4 弟…⑥
5 鳥…③
6 昼…⑨
7 前…⑨
8 船…⑪
9 理…⑪
10 通…⑩

(三) 読みがな 各1点 計8点

グレーの部分は問題です。

はち[じ]1
こ[ん]2しゅ[う]3
なな[い]4ろ
[ほ]5ん[し]6ん
[ち]7ょう[し]8ょく

(四) はねる・とめる 各1点 計4点

グレーの部分は問題です。

1 社
2 新
3 少
4 晴

(五) 音読み・くん読み 各1点 計10点

グレーの部分は答えのほそくです。

歩 1 ほこう 2 あゆ(み)
鳴 3 (ひ)めい 4 な(りひびく)
米 5 べいこく 6 こめ
夜 7 やしょく 8 よぞら
来 9 らいねん 10 く(る)

(六) 正しい漢字 各1点／計6点

グレーの部分は問題です。

1 1 毎水 ②海水
2 1 人学 ②入学
3 ①ふる里 2 ふる黒
4 1 五白 ②五日
5 1 三刀 ②三分
6 1 交字 ②文字

（七）同じ部首の漢字

各2点／計20点

グレーの部分は問題のじゅく語です。

日（ひ）… 1 春（はる） 2 星（ほし）空（ぞら）

⺮（たけかんむり）… 3 算（さん）数（すう） 4 答（こた）え

儿（ひとあし）（にんにょう）… 5 光（ひかり） 6 元（がん）日（じつ）

⻗（あめかんむり）… 7 雲（くも） 8 雪（ゆき）空（ぞら）

十（じゅう）… 9 千（せん）円（えん） 10 正（しょう）午（ご）

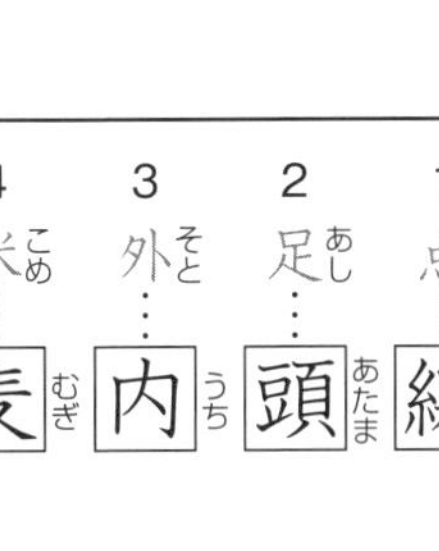

（八）対義語

各2点 計20点

グレーの部分は問題です。

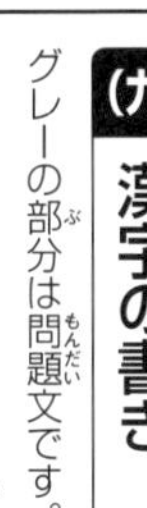

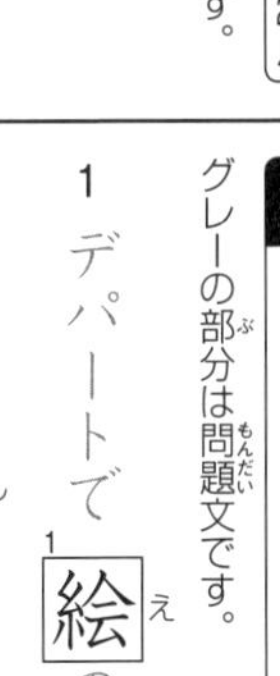

1 点（てん）…線（せん）
2 足（あし）…頭（あたま）
3 外（そと）…内（うち）
4 米（こめ）…麦（むぎ）
5 魚（さかな）…肉（にく）
6 聞（き）く…読（よ）む
7 売（う）る…買（か）う
8 ぜんぶ…半分（はんぶん）
9 外（はず）す…当（あ）てる
10 ちがう…同（おな）じ

（九）漢字の書き

各2点 計50点

グレーの部分は問題文です。

1 デパートで[1]絵（え）のてんらん[2]会（かい）を見（み）た。

2 ぼくの[3]知（し）っている[4]画（が）[5]家（か）のさくひんも出（で）ていた。

3 [6]兄（にい）さんと[7]図（と）[8]書（しょ）かんへ行（い）った。

4 [9]科（か）[10]学（がく）はくぶつかんを[11]楽（たの）しんでいたら、あっという[12]間（ま）に一日（いちにち）がすぎてしまった。

5 [13]夏（なつ）になると[14]親（おや）子で[15]池（いけ）の[16]近（ちか）くへピクニックに行（い）く。

6 [17]妹（いもうと）もうれしそうな[18]顔（かお）をしている。

7 どうぶつ[19]園（えん）で[20]羽（はね）を[21]広（ひろ）げたくじゃくを見（み）てきた。

8 [22]南（なん）[23]東（とう）にある[24]高（たか）い山（やま）にのぼり、みんなで[25]歌（うた）をうたった。

4・5「画家（がか）」は、絵かき。
6「兄（にい）さん」は、とくべつな読み方。

22・23「南東（なんとう）」は、南と東の中間の方角。

(一) 漢字の読み

グレーの部分は答えのほそくです。 各1点 計22点

1 ことし
2 からだ
3 ほそ(い)
4 たか(い)
5 まいにち
6 さんすう
7 おこな(われる)
8 きょうかしょ
9 よ(もう)
10 や
11 ほう
12 ゆ(き) い(き)
13 ど(まり)
14 もん
15 おとうと
16 ずけい
17 せん
18 まじ(わる)
19 てん
20 ねえ(さん)
21 じぶん
22 つく(った)

18「交わる」は、線と線などが交さするという意味です。
20「姉さん」はとくべつな読み方です(本さつ126ページ参照)。

(二) 書きじゅん・画数

グレーの部分は問題です。 各1点 計10点

分…1 ③
半…2 ④
馬…3 ③
父…4 ③
麦…5 ②
読…6 ⑭
番…7 ⑫
頭…8 ⑯
風…9 ⑨
電…10 ⑬

(三) 読みがな

グレーの部分は問題です。 各1点 計8点

1 き って
2 が よう 3 し
4 た に 5 ま
だい 6 く
7 つ う 8 こ う

(四) はねる・とめる

グレーの部分は問題です。 各1点 計4点

1 線
2 前
3 鳥
4 地

(五) 音読み・くん読み

グレーの部分は答えのほそくです。 各1点 計10点

外 1 がいしゅつ 2 はず(す)
家 3 いっか 4 いえ
引 5 いん(たい) 6 ひ(き分け)
顔 7 (せん)がん 8 かお
丸 9 いちがん 10 まる

(六) 正しい漢字

グレーの部分は問題です。 各1点／計6点

1 ① お茶 2 お答
2 ① 百人 2 白人
3 ① 正直 2 生直
4 1 三方円 ② 三万円
5 1 手糸 ② 毛糸
6 1 気車 ② 汽車

(七) 同じ部首の漢字

各2点／計20点

グレーの部分は問題のじゅく語です。

- 大（だい）… 1 太（ふと）い　2 天（てん）下（か）
- 亻（にんべん）… 3 何（なん）時（じ）　4 夏（なつ）休（やす）み
- 辶（しんにょう）（しんにゅう）… 5 先（せん）週（しゅう）　6 さか道（みち）
- 言（ごんべん）… 7 国（こく）語（ご）　8 電（でん）話（わ）
- 木（き）… 9 東（ひがし）　10 音（おん）楽（がく）

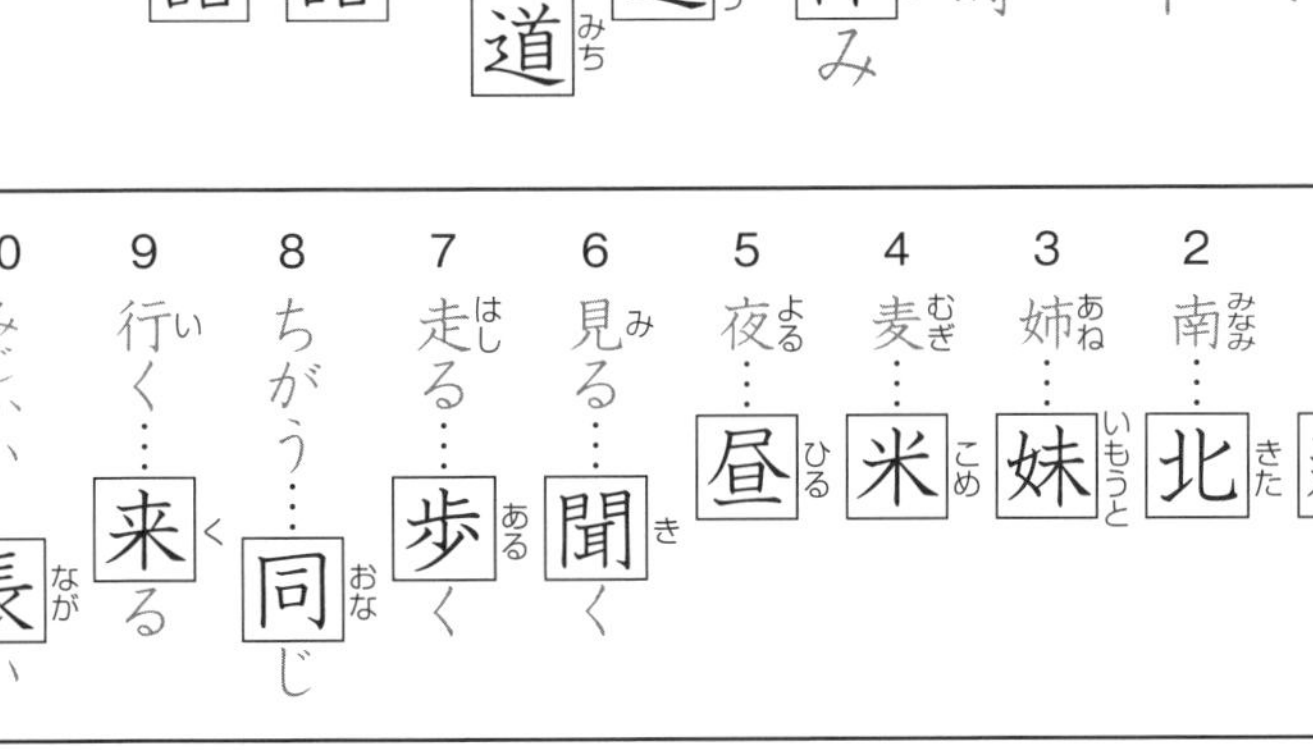

(八) 対（たい）ぎ語

各2点 計20点

グレーの部分は問題です。

1. 子（こ）…親（おや）
2. 南（みなみ）…北（きた）
3. 姉（あね）…妹（いもうと）
4. 麦（むぎ）…米（こめ）
5. 夜（よる）…昼（ひる）
6. 見（み）る…聞（き）く
7. 走（はし）る…歩（ある）く
8. ちがう…同（おな）じ
9. 行（い）く…来（く）る
10. みじかい…長（なが）い

(九) 漢字の書き

グレーの部分は問題文です。

1. [1]冬（ふゆ）でも[2]元（げん）[3]気（き）よく[4]公（こう）[5]園（えん）であそぶ。
2. 今日（きょう）の[6]夕（ゆう）[7]食（しょく）は、[8]牛（ぎゅう）[9]肉（にく）のステーキでおいしかった。
3. [10]後（うし）ろから[11]声（こえ）をかけられてふりむくと、[12]母（はは）が立（た）っていた。
4. [13]野（の）[14]原（はら）でつんだ花（はな）をかざったら、きゅうに[15]室（しつ）[16]内（ない）が[17]明（あか）るくなった。
5. おまつりで金（きん）[18]魚（ぎょ）を[19]買（か）ってもらった。
6. 正（しょう）[20]午（ご）のかねが[21]鳴（な）った。
7. [22]京（きょう）とには[23]古（ふる）いお[24]寺（てら）がたくさんある。
8. わすれないようにすぐにノートに[25]記（しる）した。

各2点 計50点

15・16「室内（しつない）」は、家や部屋（へや）の中。

20「正午（しょうご）」は、昼の十二時。

(一) 漢字の読み

グレーの部分は答えのほそくです。

各1点 計22点

1 きた
2 かぜ
3 ゆき
4 ふゆ
5 はる
6 とき
7 きょうしつ
8 とも(だち)
9 げんき
10 こえ
11 き(こえる)
12 こころ
13 やしろ
14 くろ(い)
15 あたま
16 どくしょ
17 しゅうかん
18 ひるやす(み)
19 おお(く)
20 にし
21 とけい
22 ごご

13「社」は、神をまつってあるたて物。神社のこと。
21「時計」は、とくべつな読み方です(本さつ126ページ参照)。

(二) 書きじゅん・画数

グレーの部分は問題です。

各1点 計10点

母…1 ③
里…2 ⑤
買…3 ③
方…4 ③
鳴…5 ⑤
話…6 ⑬
野…7 ⑪
夜…8 ⑧
曜…9 ⑱
聞…10 ⑭

(三) 読みがな

グレーの部分は問題です。

各1点 計8点

1 よ 2 ぞら(よぞら)
ろく 3 じ(ろくじ)
4 は く 5 ば(はくば)
6 き しゃ(きしゃ)
7 や 8 ち ょう(やちょう)

(四) はねる・とめる

グレーの部分は問題です。

各1点 計4点

1 刀
2 東
3 分
4 南

(五) 音読み・くん読み

グレーの部分は答えのほそくです。

各1点 計10点

強 1 きょうだい 2 つよ(く)
帰 3 きこく 4 かえ(って)
言 5 (む)ごん 6 こと(づけ)
後 7 こうはん 8 あと(かたづけ)
古 9 こふう 10 ふる(ぼけた)

(六) 正しい漢字

グレーの部分は問題です。

各1点/計6点

1 1 電東 ②電車
2 1 古がわ ②右がわ
3 1 ぶた内 ②ぶた肉
4 ①時間 2 時聞
5 1 牛前 ②午前
6 ①点数 2 店数

（七）同じ部首の漢字

各2点／計20点

グレーの部分は問題のじゅく語です。

- 口（くち）… 1 土台　2 同じ
- 囗（くにがまえ）… 3 地図　4 公園
- 日（ひへん）… 5 明白　6 秋晴れ
- 小（しょう）… 7 少年　8 本当
- 弓（ゆみ）… 9 弱虫　10 弟

（八）対ぎ語

各2点 計20点

グレーの部分は問題です。

1 内…外
2 頭…顔
3 川…海
4 字…絵
5 角…丸
6 足す…引く
7 つらい…楽しい
8 とまる…回る
9 ちかい…遠い
10 言う…行う

（九）漢字の書き

各2点 計50点

グレーの部分は問題文です。

1 近くの市町村の早朝マラソン大会が中止になった。
2 新かん線が矢のように通りすぎた。
3 夏休みの思い出を大切にする。
4 色づかいを考えながら絵を画用紙にかいた。
5 算数のテストの答え合わせをした。
6 わたしは細かい工作がとくいだ。
7 先生を交えて校内でお茶会がひらかれた。

3・4「早朝」は、朝の早いうち。
5・6「中止」は、やることになっていたものをやめること。

24「交える」は、ここではいっしょに交ざって、という意味。

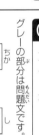

問題は本さつ P78～P84

(一) 漢字の読み

各1点 計22点

グレーの部分は答えのほそくです。

1 よる
2 ゆき
3 でんせん
4 こうえん
5 いけ
6 はくちょう
7 せつげん
8 からだ
9 ひ(く)
10 (きょう)そう
11 ふね
12 く(み)
13 せんちょう
14 かみ
15 き(って)
16 つく(った)
17 きょう
18 ちょうしょく
19 ちゅうしょく
20 おとうと
21 きんぎょ
22 か(い)

7「雪原」は、雪のつもった野原。
18・19「朝食」「昼食」は朝と昼の食事。夜の食事は「夕食」、夕食後の軽い食事は「夜食」。

(二) 書きじゅん・画数

各1点 計10点

グレーの部分は問題です。

回…1 5
園…2 9
画…3 5
絵…4 4
何…5 5
遠…6 13
雲…7 12
岩…8 8
肉…9 6
顔…10 18

(三) 読みがな

各1点 計8点

グレーの部分は問題です。

1 た い 2 ふ う
つ う 3 こ う
4 し ょ て ん
5 う 6 も う
7 か い 8 が

(四) はねる・とめる

各1点 計4点

グレーの部分は問題です。

1 読
2 米
3 形
4 元

(五) 音読み・くん読み

各1点 計10点

グレーの部分は答えのほそくです。

広 1 こうだい 2 ひろ(まった)
細 3 さいしん 4 こま(かい)
黒 5 こく(ばん) 6 くろやま
行 7 ぎょう(れつ) 8 おこな(い)
高 9 こうち 10 たかだい

(六) 正しい漢字

各1点／計6点

グレーの部分は問題です。

1 1 茶え ② 答え
2 1 池下 ② 地下
3 1 才工 ② 木工
4 ① 天国 2 矢国
5 ① 来年 2 米年
6 ① 同点 2 何点

(七) 同じ部首の漢字

各2点／計20点

グレーの部分は問題のじゅく語です。

氵（さんずい）… 1 生活　2 汽車

攵（のぶん）（ぼくづくり）… 3 点数　4 教わる

宀（うかんむり）… 5 家　6 地下室

辶（しんにょう）（しんにゅう）… 7 週間　8 道理

女（おんなへん）… 9 妹　10 姉

(八) 対ぎ語

各2点　計20点

グレーの部分は問題です。

1 牛…馬
2 後…前
3 矢…弓
4 町…村
5 弟…兄
6 行く…帰る
7 弱い…強い
8 新しい…古い
9 多い…少ない
10 遠い…近い

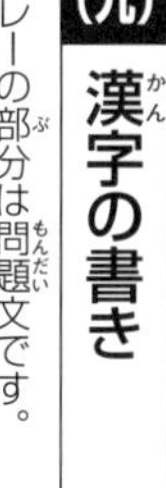

(九) 漢字の書き

各2点　計50点

グレーの部分は問題文です。

1 [1]光は赤、青、みどりの三[2]色でできている。

2 野きゅう大会に[3]親子でさんかした。[4]父が[5]思いきりうつと[6]場[7]外ホームランになった。

3 [8]母はそれを見てよろこんだ。

4 お正月に[9]晴れぎをきて百人一[10]首かるたを[11]楽しんだ。

5 [12]春、[13]夏、[14]秋、[15]冬の中ではるがすきだ。

6 [16]麦ばたけを[17]歩くとてんとう虫が見つかった。

7 ひばりが空高くのぼって[18]明るい[19]歌[20]声を[21]聞かせてくれる。

8 夕ぐれの[22]東の空に一[23]番[24]星を見つけて立ち[25]止まった。

10「百人一首」は、百人の歌人の和歌を一つずつえらんだもの。

23・24「一番星」は、夕方の空にさいしょにかがやき始める星。

(一) 漢字の読み
グレーの部分は答えのほそくです。
各1点 計22点

1 もん
2 たけうま
3 かど
4 ことし
5 たいふう
6 あ(たり)
7 とお(く)
8 かいじょう
9 てんすう
10 ごうけい
11 はんぶん
12 こた(え)
13 わ(からなかった)
14 よみせ
15 かざぐるま
16 か(った)
17 とうざい
18 なんぼく
19 しゅんか
20 しゅうとう
21 よ(み)
22 かた

15「風車」は、「ふうしゃ」とも読みます。「風車」とは、風の力で羽根車を回し、電気などを作るそうちのことです。

(二) 書きじゅん・画数
グレーの部分は問題です。
各1点 計10点

1 戸…② 2 歌…⑤ 3 後…⑥ 4 原…② 5 近…③
6 線…⑮ 7 帰…⑩ 8 教…⑪ 9 用…⑤ 10 汽…⑦

(三) 読みがな
グレーの部分は問題です。
各1点 計8点

1 ま いにち
2 ぼ ふ
3 ち ょうない 4 い
5 こ んしゅう 6 し
7 う と 8 ば ん (とうばん)

(四) はねる・とめる
グレーの部分は問題です。
各1点 計4点

1 聞 2 羽 3 丸 4 楽

(五) 音読み・くん読み
グレーの部分は答えのほそくです。
各1点 計10点

弱 1 じゃくしょう 2 よわ(い)
自 3 し(ぜん) 4 みずか(ら)
少 5 しょうじょ 6 すく(ない)
新 7 しんねん 8 あら(たな)
晴 9 せいてん 10 は(らす)

(六) 正しい漢字
グレーの部分は問題です。
各1点／計6点

1 1 丸日 ② 九日
2 ① 分母 2 刀母
3 1 南四 ② 南西
4 1 三用形 ② 三角形
5 ① 理科 2 里科
6 ① 出場 2 山場

(七) 同じ部首の漢字《かんじ》 各2点／計20点

グレーの部《ぶ》分は問題《もんだい》のじゅく語です。

日 (ひへん)
1 夜《よ》明《あ》け
2 曜《よう》日《び》

頁 (おおがい)
3 頭《あたま》
4 顔《かお》つき

亠 (なべぶた)(けいさんかんむり)
5 交《こう》番《ばん》
6 東《とう》京《きょう》

士 (さむらい)
7 歌《うた》声《ごえ》
8 売《う》る

言 (ごんべん)
9 会《かい》話《わ》
10 語《かた》る

(八) 対《たい》ぎ語 各2点 計20点

グレーの部《ぶ》分は問題《もんだい》です。

1 白《しろ》…黒《くろ》
2 貝《かい》…魚《さかな》
3 月《つき》…星《ほし》
4 赤《あか》…黄《き》
5 兄《あに》…姉《あね》
6 せまい…広《ひろ》い
7 ひくい…高《たか》い
8 太《ふと》い…細《ほそ》い
9 かげ…光《ひかり》
10 こわす…作《つく》る

(九) 漢《かん》字の書き 各2点 計50点

グレーの部《ぶ》分は問題《もんだい》文です。

1 [1]茶《ちゃ》[2]色《いろ》のスーツのかみの[3]長《なが》い男《おとこ》の人《ひと》は父《ちち》の[4]知《ち》人《じん》だ。
2 [5]弟《おとうと》と[6]時《じ》[7]間《かん》をわすれてゲームをして[8]親《おや》にしかられた。
3 ゴールの[9]直《ちょく》[10]前《ぜん》で足《あし》が[11]止《と》まってしまった。
4 [12]昼《ひる》休《やす》みに[13]雪《ゆき》[14]国《ぐに》についてしらべた。
5 今年《ことし》もわたり[15]鳥《どり》が[16]池《いけ》にやってきた。
6 [17]岩《いわ》[18]場《ば》の上《うえ》に立《た》って[19]広《ひろ》い海《うみ》を見《み》わたす。
7 [20]早《そう》[21]朝《ちょう》に[22]強《つよ》い[23]地《じ》しんがあった。
8 [24]船《ふな》たびに出《で》るおじさんとテープを[25]切《き》ってわかれた。

13・14「雪国《ゆきぐに》」は、雪がたくさんふる地いきのこと。

15「わたり鳥《どり》」は、毎年長いきょりをい動《どう》する鳥のこと。

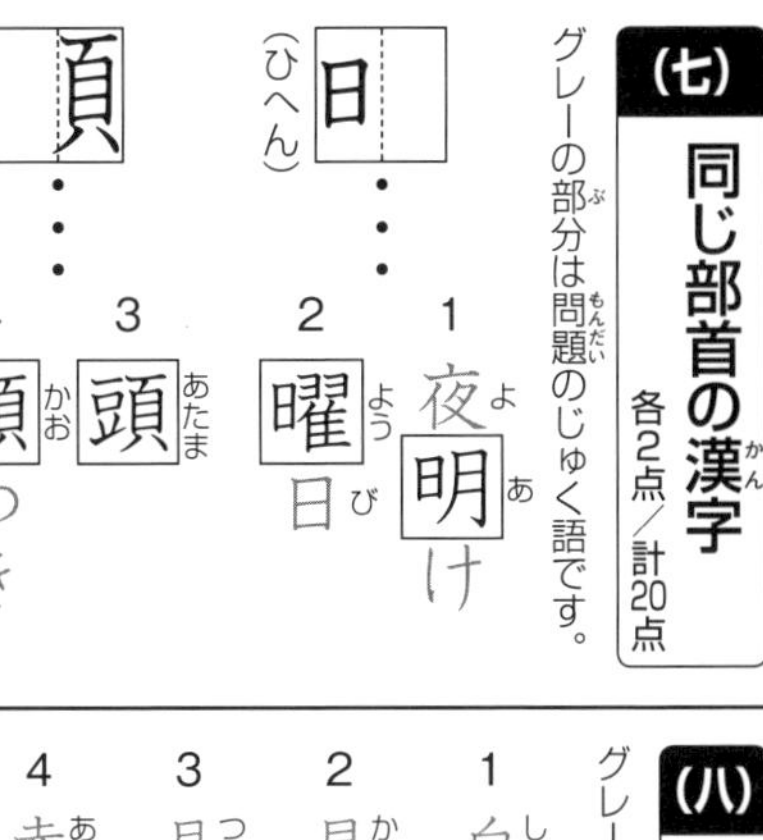

(一) 漢字の読み

グレーの部分は答えのほそくです。

各1点 計22点

1 ふぼ
2 こんご
3 はな(し)
4 まんぽけい
5 せんとう
6 ある(いた)
7 らいしゅう
8 しんゆう
9 こうもん
10 やちょう
11 けむし
12 ことし
13 たなばた
14 ほし
15 な(き)
16 ごえ
17 き(く)
18 さと
19 おも(い)
20 い(う)
21 じょうず
22 へた

4「万歩計」は、一日にどれだけ歩いたか調べるもの。
12(本さつ126ページ参照)や13・21・22などのとくべつな読み方に注意を。

(二) 書きじゅん・画数

グレーの部分は問題です。

各1点 計10点

考…1 ⑤
黄…2 ⑧
国…3 ⑦
光…4 ②
答…5 ⑩
紙…6 ⑩
思…7 ⑨
高…8 ⑩
算…9 ⑭
姉…10 ⑧

(三) 読みがな

グレーの部分は問題です。

各1点 計8点

こ[1 く]な[2 い]
はく[3 ま]い
[4 え]んそく
[5 ゆ]み[6 や]
[7 に]っ[8 き]

(四) はねる・とめる

グレーの部分は問題です。

各1点 計4点

1 近
2 北
3 生
4 京

(五) 音読み・くん読み

グレーの部分は答えのほそくです。

各1点 計10点

太 1 たい(よう) 2 ふと
通 3 つうがく 4 とお(って)
直 5 しょうじき 6 ただ(ちに)
切 7 たいせつ 8 きって
組 9 そ(しき) 10 くみ

(六) 正しい漢字

グレーの部分は問題です。

各1点/計6点

1 ① 午後 2 牛後
2 1 半年 ② 来年
3 ① 日本刀 2 日本力
4 1 大合 ② 大会
5 ① 日記 2 目記
6 ① 自ぜん 2 白ぜん

(七) 同じ部首の漢字　各2点／計20点

グレーの部分は問題のじゅく語です。

- 氵（さんずい）… 1 汽車　2 海
- 弓（ゆみへん）… 3 引力　4 強気
- 禾（のぎへん）… 5 科学　6 秋風
- 土（つちへん）… 7 入場　8 地図
- 广（まだれ）… 9 店いん　10 広間

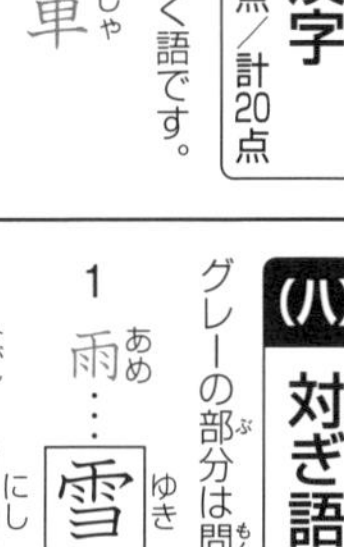
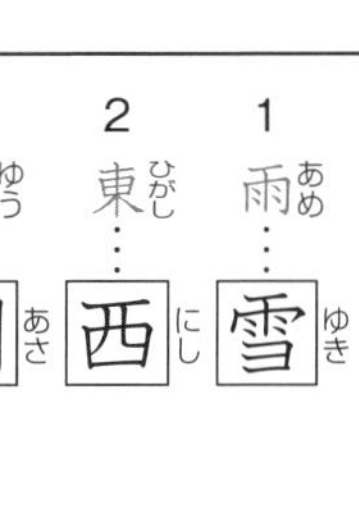

(八) 対ぎ語　各2点　計20点

グレーの部分は問題です。

1 雨…雪
2 東…西
3 夕…朝
4 体…心
5 字…絵
6 くもり…晴れ
7 当たり…外れ
8 読む…書く
9 多い…少ない
10 おどる…歌う

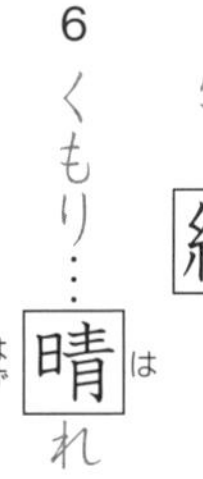
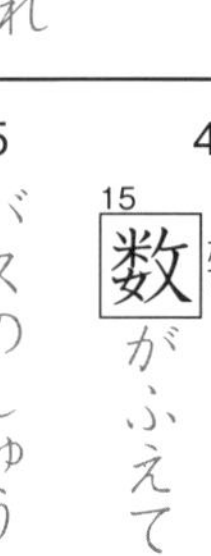

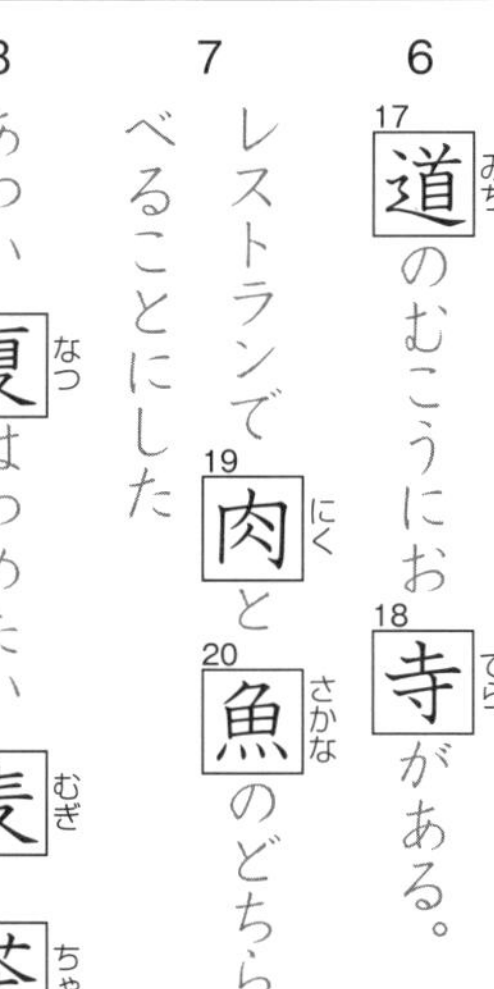

(九) 漢字の書き　各2点　計50点

グレーの部分は問題文です。

1 [1]南の[2]方[3]角にまどがある[4]家が多い。
2 あと三十[5]分でぼくのすきな[6]音[7]楽の先生が来る。
3 [8]黒い[9]雲がさって、[10]谷[11]川に[12]明るい日がさした。
4 インターネットでものを[13]売ったり[14]買ったりする人の[15]数がふえている。
5 バスのしゅう[16]点でおりる。
6 [17]道のむこうにお[18]寺がある。
7 レストランで[19]肉と[20]魚のどちらかのりょう[21]理を[22]食べることにした
8 あつい[23]夏はつめたい[24]麦[25]茶がおいしい。

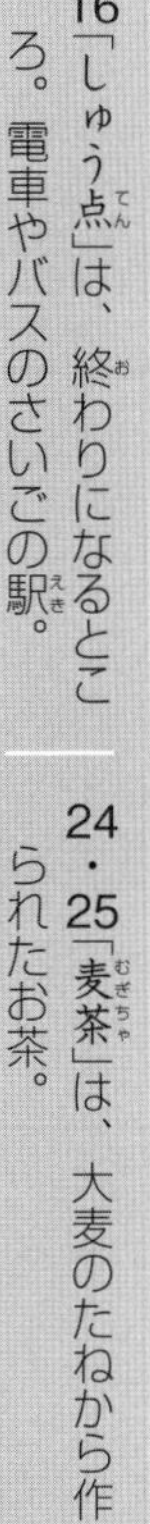

16「しゅう点」は、終わりになるところ。電車やバスのさいごの駅。

24・25「麦茶」は、大麦のたねから作られたお茶。

22ページ(めいろ)の答え

よく　にている字を　ならべたクイズでした。どれも　ぜんぶ、10級のけんていに出る　かん字です。

23ページ(じゅくご)の答え

1 火山
2 手足
3 人気
4 水車
5 目玉
6 月日

かん字の　なりたちを　しっていれば、かんたんに　できたことでしょう。

1「かざん」、2「てあし」、3「にんき」、4「すいしゃ」、5「めだま」、6「つきひ」と読みます。

36ページ（シーソー）の答え

37ページ（ことば）の答え

かん字の　いちぶと
かん字の　なりたち
を　くみあわせた
クイズでした。

1「はやい」、2「やすむ」、3「なまえ」、4「かんじ」、5「あおいろ」、6「あかぐみ」と読みます。

MEMO

MEMO

矢じるしの 方こうに 引くと はずれます…→